Dr R. Reid Wilson

PAS DE PANIQUE!

Conception graphique de la couverture: Gaétan Venne
Illustration: Image bank/John Martin

Remerciements à Mme Louise Robert-Gascon, psychologue,
qui a fait la révision du texte.

DISTRIBUTEURS EXCLUSIFS:

- Pour le Canada et les États-Unis:
  LES MESSAGERIES ADP*
  955, rue Amherst, Montréal H2L 3K4
  Tél.: (514) 523-1182
  Télécopieur: (514) 939-0406
  * Filiale de Sogides Ltée

- Pour la Belgique et le Luxembourg:
  PRESSES DE BELGIQUE S.A.
  Boulevard de l'Europe, 117
  B-1301 Wavre
  Tél.: (10) 41-59-66
  (10) 41-78-50
  Télécopieur: (10) 41-20-24

- Pour la Suisse:
  TRANSAT S.A.
  Route des Jeunes, 4 Ter
  C.P. 125
  1211 Genève 26
  Tél.: (41-22) 342-77-40
  Télécopieur: (41-22) 343-46-46

- Pour la France et les autres pays:
  INTER FORUM
  Immeuble ORSUD, 3-5, avenue Galliéni, 94251 Gentilly Cédex
  Tél.: (1) 47.40.66.07
  Télécopieur: (1) 47.40.63.66
  Commandes: Tél.: (16) 38.32.71.00
  Télécopieur: (16) 38.32.71.28
  Télex: 780372

Dr R. Reid Wilson

PAS DE PANIQUE!

Pour vaincre vos attaques d'anxiété

Traduit de l'américain par
Jacques Vaillancourt

Données de catalogage avant publication (Canada)

Wilson, R. Reid

Pas de panique!: vaincre ses attaques d'anxiété

Traduction de: Don't panic.
Comprend des réf. bibliogr. et un index.

ISBN 2-7619-1075-3

1. Panique (Psychologie). 2. Angoisse.
3. Autodéveloppement. I. Titre.

RC531.W4814 1993 616.85'223 C93-096204-4

L'ouvrage original américain a été publié par Perennial Library,
division de Harper & Row, Publishers,
sous le titre *Don't Panic*
(ISBN: 0-06-091438-6)

Dépôt légal: 1er trimestre 1993
Bibliothèque nationale du Québec

ISBN 2-7619-1075-3

À Dale

Remerciements

En faisant carrière en psychologie clinique, je réalise deux de mes rêves de toujours: continuer d'explorer le monde des idées comme un étudiant naïf et passionné, tout en «donnant» aux autres quelque chose qui peut changer leur vie. Le présent ouvrage est le reflet de toute une vie d'apprentissage. J'espère que, dans une modeste mesure, il honore ceux qui m'ont nourri et inspiré. En théorie, cet ouvrage est la synthèse du travail de centaines de professionnels engagés dans une variété étonnante de domaines. Leurs noms se trouvent dans la bibliographie.

Au cours des quinze dernières années, j'ai eu l'insigne honneur d'avoir pour mentors six spécialistes illustres, dont la sagesse et l'exemple auront toujours sur ma vie professionnelle la plus profonde influence: Dr Takey Crist, Dr Ed Gurowitz, Michio Kushi, Emily Rupert, M.S.W., Dr Daniel Rutrick, et Stephen Lankton, M.S.W. Mes trois amis de toujours — Philip Wilson, Leif Diamant et William «Bud» Garrison — m'ont accompagné dans des aventures qui m'ont ouvert le cœur, ont élargi ma perception du potentiel de la vie et m'ont donné le précieux cadeau de l'amour de soi. Par son exemple, Robert Wilson m'a montré combien précieuses sont la détermination, la précision et la curiosité intellectuelle.

Un certain nombre de personnes ont contribué directement au présent ouvrage. Stephen Lankton, M.S.W., ne m'a pas ménagé ses encouragements; il m'a poussé à dissiper mes doutes et m'a orienté vers le monde intérieur de la créativité. Le Dr Richard Bush m'a fait comprendre la logistique du monde de l'édition et m'a toujours rappelé que je pouvais réussir. Je dois beaucoup à Carol Houck Smith pour les suggestions qu'elle m'a faites au sujet des versions préliminaires de mon livre. Dale Pratt-Wilson, infirmière licenciée, non seulement m'a conseillé sur le plan éditorial, mais m'a soutenu dans mes moments d'hésitation. John Ware, mon agent, est arrivé juste au bon moment, avec les mots qu'il fallait. Je tiens à remercier les quatre médecins qui ont révisé et augmenté l'information d'ordre médical que contient cet ouvrage: le docteur David Savitz, pour les causes physiques des symptômes ressemblant à ceux de la panique; le docteur James Donohue, pour la panique et les bronchopneumopathies chroniques obstructives; le docteur James Harper, pour la panique et les troubles cardiaques; le docteur Daniel Rutrick, pour l'utilisation des médicaments. Kathie Ness et Margaret Wimberger ont considérablement amélioré la présentation de mon manuscrit. Merci aussi à Melissa Hochschild, à Martha Lappen, à Elizabeth Gates Diamant et à Millie Johnson pour avoir recopié les nombreuses versions de mon manuscrit ainsi qu'à Ann Wilson pour en avoir révisé la dernière version. Toute ma gratitude au personnel de la bibliothèque de médecine Countway de l'Université Harvard et à celui de la bibliothèque des sciences de la santé de l'Université de la Caroline du Nord qui ont placé leurs précieuses ressources à ma disposition.

Préface

Les gens attendent souvent des livres qu'ils les conseillent et leur redonnent espoir. Et, occasionnellement, un livre récompense son lecteur en le rassurant et en le guidant. C'est exactement ce que peut faire l'ouvrage du docteur Wilson pour les victimes d'attaques de panique répétées. Pour la rédaction de son livre, le docteur Wilson a puisé dans sa longue expérience auprès des victimes de la panique et dans les nombreux ouvrages scientifiques qui traitent des difficultés qu'elle suscite. Il donne au lecteur la compréhension dont ils ont besoin afin de se remettre des troubles anxieux si invalidants et si démoralisants.

Les attaques de panique entraînent de vives sensations physiques qui risquent d'effrayer leurs victimes et de les dissuader de poursuivre leurs activités normales. Il arrive souvent que ces personnes, pour essayer de résoudre leur problème, consultent leur médecin de famille et des spécialistes, mais qu'on ne leur donne aucune explication satisfaisante de leurs attaques, aucune technique efficace pour y faire face, aucun moyen de remettre de l'ordre dans leur vie. Dans les cas où une affection physique semble avoir joué un rôle dans l'apparition de la panique, les patients pourraient éprouver encore plus de difficulté à choisir des moyens pour s'aider eux-mêmes. Souvent, l'incertitude et la peur l'emportent; les patients ont le sentiment de vraiment «perdre le contrôle».

Le livre du docteur Wilson contribuera à dissiper cette peur et cette incertitude. Il se divise logiquement en deux parties. La première contient des renseignements précieux, généralement difficiles à obtenir, qui aideront la victime de la panique à reconnaître les divers éléments de son cas. Dans le premier chapitre, le docteur Wilson passe en revue les sensations physiques qui accompagnent généralement la panique et montre que ces sensations sont le résultat normal des systèmes de défense du corps humain dans les situations d'urgence. Il explique comment un certain nombre de facteurs — maladies physiques, événements traumatisants, pressions et responsabilités de la vie quotidienne, difficultés psychologiques — peuvent déclencher des symptômes semblables à ceux de la panique. Il révèle comment la crainte de voir se répéter ces symptômes peut mener à l'anxiété grave.

Dans la première partie de son livre, le docteur Wilson traite des diverses affections psychologiques et physiques qui pourraient être à l'origine de la panique, ainsi que des complications que peuvent entraîner des affections comme le syndrome prémenstruel, l'hypoglycémie, la dépression et l'alcoolisme. Il montre clairement comment distinguer les éléments physiques des éléments psychologiques du problème. Mieux encore, il examine les pensées, les croyances et les schèmes de comportement qu'il a observés chez ses patients atteints de trouble panique et d'agoraphobie, et il propose un plan de guérison.

Dans la seconde partie du livre, le docteur Wilson propose des techniques et des outils destinés à venir à bout du trouble panique et des phobies. Mettant à juste titre l'accent sur la perte de confiance en soi qui est au cœur de ces problèmes, le docteur Wilson montre la voie menant à une vie plus autonome. Un élément essentiel de son rôle est d'aider le patient à reconnaître le travail de l'«observateur» interne — cette partie de nous qui collecte l'information, l'évalue et choisit un plan d'action.

Selon le docteur Wilson, les victimes d'attaques de panique répétées ont tendance à écouter un «observateur inquiet», un «observateur désespéré» ou un «observateur critique» plutôt qu'un observateur objectif et patient. Ces «observateurs» négatifs interprètent à la hâte les événements et s'empressent de les commenter: «Je vais être étourdi... Je serai dans l'embarras... Je manquerai mon coup... Je ne peux pas y arriver... Pourquoi m'en donner la peine?» Ils considèrent la panique comme l'ennemi, et leurs commentaires intensifient les attaques. La passivité et les comportements d'évitement résultent également des décisions de ces observateurs négatifs.

Pour citer le docteur Wilson, «ils vous incitent à succomber à l'impuissance, à cesser de faire des efforts, à brandir le drapeau blanc».

Pour contrer ces influences néfastes, il faut nourrir et renforcer un observateur interne qui soit plus indépendant et plus bienveillant. Cet ami qui se trouve en vous prendra tout son temps pour collecter de l'information sur telle ou telle situation, et il cherchera des moyens de rétablir le calme sans battre en retraite. L'observateur bienveillant nous rappelle qu'il est malsain de se montrer trop critique envers soi-même et de se préoccuper exagérément de symptômes. Il établit pour nous des objectifs réalistes qu'il s'efforce d'atteindre, mais nous laisse en tout temps la liberté de choisir. Cet observateur reconnaît les pensées et les images négatives et s'empresse de les évacuer de l'esprit, préférant concentrer son attention sur les faits, sur les objectifs ou sur l'environnement physique.

L'«observateur bienveillant» du docteur Wilson dispose de tout un arsenal de techniques pour calmer le corps et l'esprit. Ainsi, *Pas de panique!* donne des instructions claires et complètes pour pratiquer certaines techniques de relaxation — comme la respiration abdominale, la décontraction musculaire et la méditation — et passe en revue les médicaments susceptibles d'être prescrits. Le recours à la technique du paradoxe pour vaincre la panique est expliqué avec lucidité et conviction. Les lecteurs du docteur Wilson verront leur observateur interne se calmer à la lecture et la relecture du Guide (chapitre 18), scénario de relaxation apaisant, rempli d'images de confort et de sécurité. Le Guide rappellera aux victimes de la panique de s'aider elles-mêmes et de se faire confiance, deux attitudes qui leur seront nécessaires pour acquérir stabilité et sécurité dans les nouvelles aventures de leur vie.

Pendant des années, les personnes souffrant d'attaques de panique et d'agoraphobie se sont vues rassurées et encouragées par les écrits de Claire Weekes. *Pas de panique!* poursuit dans la tradition du docteur Weekes, en approfondissant ses conseils et en intégrant l'expérience des thérapeutes du comportement, des spécialistes de la thérapie cognitive, ainsi que des psychopharmacologues pour élaborer une stratégie de rétablissement prometteuse.

Dr Aaron T. Beck
Professeur de psychiatrie
Université de Pennsylvanie

PREMIÈRE PARTIE

Reconnaître le problème

1

Introduction

L'attaque de panique

C'est comme si les symptômes vous sautaient dessus sournoisement. Soudainement, votre cœur bat la chamade, des gouttes de sueur froide perlent sur votre front, et vous essayez de cacher vos mains tremblantes. Votre gorge tente vainement d'avaler: il n'y a plus trace d'humidité dans votre bouche.

Votre esprit vient à la rescousse pour vous aider à garder un semblant de maîtrise de vous-même: «Détends-toi! Reste calme!» vous commande-t-il en silence. Mais vous ne croyez aucunement en l'efficacité de ces injonctions. Pourquoi y croiriez-vous puisque, dans le passé, elles n'ont jamais réussi à mater l'anarchie de votre corps?

Plus vous vous accrochez pour maîtriser votre être, plus vous sentez qu'il vous échappe. Panique! Les secondes durent des minutes, tandis que votre esprit est tiré dans deux directions à la fois. Premièrement, il se porte vers le passé: «C'est la même situation que le mois passé, quand je me suis senti si faible que je me suis presque évanoui.» Le corps semble se rebeller: «Je n'arrive pas à reprendre mon souffle. J'essaie, mais je n'y arrive pas.» Ensuite, l'esprit

appréhende les minutes à venir: «Et si tout cela persistait? Je pourrais m'évanouir. Si mon cœur continuait de battre follement, je pourrais avoir une crise cardiaque.»
Au même moment, la peur d'être humilié se fait entendre plus fort que toutes les autres dans la cohue de l'esprit. «Tout le monde va me voir m'effondrer. Il faut que je sorte d'ici.»
Aussi soudainement que la crise s'est produite, vous vous précipitez sur la porte de la salle de conférences, du cinéma, du cabinet du médecin ou de l'épicerie. Plus vous vous éloignez de la scène de la crise, mieux vous vous sentez.

Ce scénario illustre ce que j'appelle le *moment de panique*: une expérience interne, accompagnée de sensations physiques, qui laisse croire au sujet qu'il a perdu le contrôle de la situation. Les changements qui se produisent dans le corps et dans l'esprit sont si rapides et si sournois qu'ils donnent à la victime l'impression de subir une «attaque» de panique, une crise d'angoisse aiguë.

Nous avons tous fait l'expérience des sensations physiques de l'anxiété. Nous avons la gorge serrée avant de parler en public; nous éprouvons un mal de tête lancinant après avoir passé des heures à nous occuper d'enfants exubérants. Mais cette expérience de l'anxiété générale est assez différente des sensations accablantes de l'attaque de panique.

Avez-vous jamais, par exemple, dû faire face seul à une urgence, pour laquelle vous étiez mal préparé? Imaginez que, en ouvrant la porte de votre cave, vous entendiez le bruit de l'eau qui gicle sur le sol de béton. Vous vous lancez dans l'escalier, à moitié supporté par vos pieds, à moitié accroché à la rampe. Combien vous faut-il de temps pour jauger la situation? Combien de solutions rejetez-vous au cours des trente premières secondes? «Est-ce que je peux boucher la fuite avec mes mains?... avec un chiffon? Est-ce qu'il y a un chiffon qui traîne quelque part? Non, ça ne marchera pas. D'où vient ce tuyau? Où se trouve la vanne principale?» Votre regard se déplace rapidement, vous cherchez tous les moyens possibles de limiter les dommages que pourrait causer l'inondation de la cave. «Le chiffonnier de grand-maman va être tout abîmé! Devrais-je le déplacer? Il faut d'abord interrompre la fuite! Où se trouve donc cette satanée vanne? Peut-être qu'avec cette grande poubelle... C'est inutile. Le jet d'eau est trop large. Qui puis-je donc appeler?»

Si, à ce moment précis, vous pouviez figer dans le temps l'action de cette scène, vous reconnaîtriez en vous bon nombre des symptômes physiques de ce que nous appelons une attaque de panique (ou crise d'angoisse aiguë). Les muscles se tendent, prêts à réagir promptement à tout ordre reçu du cerveau («Descends cet escalier — *maintenant!*»). Le sang afflue au cerveau pour stimuler le processus de la pensée. Le rythme cardiaque et le rythme respiratoire s'accélèrent promptement pour assurer le déplacement essentiel du sang dans tout le corps.

Nous devrions tous être reconnaissants à la nature d'avoir doté notre corps et notre esprit de cette extraordinaire capacité de réagir instantanément et automatiquement à de tels cas d'urgence. Combien parmi nous ont évité sur les routes de graves blessures, voire la mort, parce que leur pied droit a enfoncé la pédale de frein et que leurs bras ont exécuté la bonne manœuvre — tout cela avant même d'avoir eu le temps de se dire: «Attention à cette voiture!»

Aussi merveilleux que soit ce système de réaction intégré en nous, il reste que quelque chose peut aller de travers. Durant une attaque de panique, le corps réagit avec plusieurs des changements physiologiques qui apparaissent durant une urgence. Cependant, la panique est une exagération de notre réaction en situation d'urgence. Plutôt que de tirer parti de la force rapidement accrue du corps, le sujet qui panique se voit submergé par toute une gamme de symptômes. Plus il fixe son attention sur ces transformations internes, plus il est angoissé et moins il peut arriver à se rassurer lui-même.

L'attaque de panique provoque la réaction la plus rapide et la plus complexe que l'on connaisse dans le corps humain. Elle affecte immédiatement le fonctionnement des yeux, de plusieurs glandes importantes, du cerveau, du cœur, des poumons, de l'estomac, des intestins, du pancréas, des reins, de la vessie et des principaux groupes de muscles. Par exemple, dans l'appareil circulatoire, le cœur accélère le rythme de ses contractions et augmente la quantité de sang qu'il pompe à chaque contraction, de même que la pression qu'il exerce en poussant le sang dans les artères. Les vaisseaux sanguins des bras, des jambes et des autres parties du corps commencent à se contracter, réduisant ainsi le débit du sang dans ces régions. En même temps, les vaisseaux qui transportent le sang vers les organes vitaux et les muscles du squelette se dilatent, augmentant ainsi leur débit sanguin.

Durant ce temps, le rythme respiratoire s'accélère. Les pupilles se dilatent pour améliorer la vision à distance. Dans l'appareil digestif, toute activité de digestion est ralentie. Le métabolisme (conversion des aliments en énergie) est amélioré: une plus grande quantité de sucres et d'acides gras est sécrétée dans le sang.

L'expérience subjective vécue durant l'attaque de panique peut varier beaucoup selon l'individu. Certaines sensations (comme celle de sentir le rythme cardiaque) sont directement reliées aux changements physiologiques dont je viens de parler. D'autres (comme la peur de mourir) proviennent des réactions mentales et émotionnelles aux sensations physiques. Voici quelques-uns des symptômes de l'attaque de panique. En général, votre sentiment d'être écrasé par la crise sera proportionnel au nombre de symptômes ressentis et à leur intensité.

Tête: La réduction du débit sanguin vers le cerveau, causée par l'hyperventilation, peut entraîner des étourdissements, comme si la tête vous tournait. Vous pourriez être pris d'un malaise.

Corps: Vous commencez à transpirer, vous avez des bouffées de chaleur ou des frissons, vous vous sentez engourdi, ou vous éprouvez une sensation de fourmillement ou de picotement. Vous avez l'impression d'être animé d'un mouvement circulaire ou oscillatoire (vertige). Votre corps entier vous semble fatigué, vidé.

Esprit: Vous vous sentez désorienté, l'esprit confus ou incapable de vous concentrer. Vous avez l'impression d'être coupé de votre environnement ou d'en être éloigné (déréalisation). Votre corps devient comme irréel, comme si vous étiez dans un rêve (dépersonnalisation). Vous devenez irritable ou coléreux. Les peurs que vous ressentez le plus souvent sont celles de vous évanouir, de devenir fou, d'avoir une crise cardiaque, de mourir, de faire une scène ou d'être piégé.

Yeux: Vos yeux clignotent ou sautent. Il se peut que vous éprouviez de la difficulté à les fixer sur un objet ou que les objets vous paraissent flous. Les chiffres, comme les numéros de page, sautillent ou semblent inversés.

Bouche et gorge: Vous avez la bouche sèche. Vous avalez difficilement. Vous avez l'impression d'avoir une boule dans la gorge ou vous croyez vous étrangler. Votre voix tremble.

Cœur: Il se peut que vous sentiez votre cœur battre plus vite. Ses battements vous semblent très puissants, comme si le cœur allait vous sortir de la poitrine. Vous pourriez croire que votre cœur saute un battement ou deux. Vous ressentez un malaise ou une douleur dans la poitrine.

Respiration: Votre rythme respiratoire s'accélère. Vous respirez de façon plus superficielle, ce qui pourrait entraîner l'hyperventilation. Vous vous sentez incapable de respirer profondément. Vous avez de la difficulté à reprendre votre souffle. Vous pourriez haleter péniblement ou croire que vous étouffez.

Estomac: Vous éprouvez une drôle de sensation dans l'estomac, comme si vous aviez le trac. Vous avez peut-être des nausées.

Muscles: Tous les muscles de votre corps semblent tendus, surtout ceux du cou et des épaules. Dans votre voiture, vous pourriez vous rendre compte que vous serrez le volant si fort que vos jointures sont blanches et vos bras, raides. Dans d'autres situations, vous pourriez inconsciemment avoir les poings serrés. Ou encore vos muscles pourraient vous sembler faibles: vos jambes n'arrivent plus à vous soutenir. Vos mains et vos jambes tremblent. Elles vous semblent froides, moites ou engourdies.

En d'autres mots, votre corps, sur lequel vous aviez toujours pu compter auparavant, commence à se mutiner. Et si vos attaques de panique se multiplient, la perte de la maîtrise de votre corps ronge lentement votre assurance et votre amour-propre. Vous commencez à restreindre vos activités afin d'éviter ces crises. Les situations ordinaires deviennent menaçantes.

- Si la crise se produit avant ou durant vos allocutions, vous commencez à refuser de parler en public.
- Si la crise se produit au cours de vos voyages, vous vous trouvez des excuses pour annuler les réunions d'affaires à l'extérieur de la ville et devenez «trop occupé» pour partir en vacances avec votre famille.

- Si la crise se produit quand vous êtes en groupe, vous vous mettez à refuser les invitations aux fêtes et autres réunions sociales, préférant rester à la maison.
- Si la crise se produit dans les magasins, les restaurants ou chez le coiffeur, vous évitez chacun des établissements susceptibles de provoquer la réapparition de vos symptômes.
- Si la crise se produit durant un effort physique, vous évitez de plus en plus les activités qui mettent à l'épreuve votre appareil respiratoire ou circulatoire.
- Et si la crise ne se produit que dans vos moments de solitude, vous vous accrochez à votre conjoint, à vos amis, même à vos enfants, pour vous sentir en sécurité et pour vous protéger de cette agression de votre corps.

Il se peut que vous croyiez que l'attaque de panique s'est produite tout à fait inopinément la première fois ou qu'elle continue de survenir sournoisement. Après plusieurs attaques, un certain doute s'installe en vous: «Qu'est-ce que j'ai qui ne va pas? Pourquoi cela m'arrive-t-il? Suis-je en train de devenir fou? Est-ce le début d'une dépression nerveuse? Mes responsabilités [travail, mariage, naissance, achat d'une maison] sont-elles trop lourdes pour moi? Est-ce que je souffre d'un trouble de la thyroïde [d'une maladie du cœur, d'un cancer, d'hypertension]?» Pour bien des gens, ces situations de grande excitation ou d'extrême anxiété, de changements soudains ou spectaculaires dans leur corps, constituent les moments les plus effrayants et les plus pénibles de leur vie.

Il est difficile de mettre le doigt avec précision sur les causes de la panique. Ce qui complique encore plus la situation, c'est qu'elle accompagne de nombreux troubles psychologiques, et que l'on trouve des symptômes semblables à la panique dans des douzaines de troubles physiques. Un diagnostic juste est souvent difficile, et les méthodes de traitement varient largement. Il arrive que les symptômes échappent à un diagnostic formel.

La panique peut avoir des origines diverses.

Maladie physique: Un certain nombre de troubles physiques provoquent des symptômes semblables à l'anxiété extrême ou à la panique. Si la maladie échappe au diagnostic ou si elle est mal diagnostiquée, le sujet peut avoir de plus en plus peur des changements inattendus et spectaculaires qui se produisent en lui. Ce manque de compréhension et l'anxiété d'anticipation qui en résulte peuvent conduire à la panique, parce que le sujet devient de plus en plus préoccupé par son corps. Cependant, une fois la maladie diagnostiquée et le traitement adéquat amorcé, ces symptômes semblables à la panique se résorbent.

Certains patients chez qui l'on a diagnostiqué un trouble physique deviennent sujets à la panique. Par exemple, les victimes d'une crise cardiaque se méfient souvent de toute activité susceptible de mettre leur cœur à l'épreuve. Si elles sentent leur cœur pomper plus fort ou si elles se sentent essoufflées, leur inquiétude peut dégénérer en angoisse aiguë: «Ah non! J'en ai trop demandé à mon cœur. Est-ce que je sens un fourmillement dans le bras? Je commence à sentir un serrement dans la poitrine.» Bientôt, ces craintes peuvent à elles seules déclencher des symptômes si forts que le sujet se rend de toute urgence à l'hôpital pour se faire examiner. Des problèmes semblables se produisent chez les sujets pour lesquels on a diagnostiqué une angine de poitrine, un accident cérébrovasculaire, un prolapsus de la valvule mitrale, l'asthme ou l'hypertension.

De telles peurs, pendant ou après une maladie physique, peuvent avoir des conséquences non négligeables. On rapporte que 95 p. 100 des patients qui ont été victimes d'une crise cardiaque commencent à souffrir d'anxiété. Soixante-dix pour cent de ceux qui reçoivent leur congé de l'unité de soins coronariens se voient prescrire des médicaments contre l'anxiété. Une étude menée sur des victimes de crise cardiaque qui ne sont jamais retournées au travail révèle que 80 p. 100 d'entre elles sont restées à la maison pour des raisons d'ordre psychologique. De même, une étude effectuée sur des personnes atteintes de maladies pulmonaires chroniques, comme l'emphysème ou la bronchite, montre que 96 p. 100 d'entre elles souffraient d'anxiété invalidante, 74 p. 100 étaient gravement déprimées, et 78 p. 100 s'inquiétaient exagérément de leur corps. La crainte de perdre le souffle semblait à l'origine de la plupart de leurs problèmes.

Événements dramatiques, effrayants: Imaginez que durant la même semaine, pendant que vous nagez à la piscine avec votre jeune enfant, vous soyez deux fois témoin d'un sauvetage d'enfant presque noyé. Vous pourriez éprouver une certaine anxiété lorsque par la suite vous irez faire nager votre enfant. Ce serait là une réaction normale. Certaines personnes ont une réaction beaucoup plus forte à cette même situation. Leur esprit se remplit d'horribles fantasmes dans lesquels elles perdent leur enfant. Par la suite, elles éprouvent de vives réactions physiques chaque fois qu'elles envisagent de s'approcher d'une piscine. C'est le genre de panique qui peut résulter d'un événement éprouvant ou traumatique comme la mort d'un proche, un accident grave, le diagnostic d'une maladie grave, ou une situation d'urgence comme un incendie ou une panne d'ascenseur. Quand une personne réagit avec terreur ou avec panique à une situation sans danger et qu'elle commence à éviter de se retrouver dans une situation analogue, on parle de phobie.

Contraintes actuelles ou crainte de l'avenir: La panique peut naître de la crainte de l'avenir, sans égard à ce qui est réellement arrivé dans le passé. Chez bien des gens, cela se produit quand les contraintes ou les responsabilités sont accrues. Ils peuvent se croire incapables de supporter le poids de leurs responsabilités, ou qu'ils n'ont pas la force, la volonté, l'habileté, l'intelligence ou la stabilité émotionnelle nécessaires pour faire face à telle rencontre ou à telle tâche à venir. Ce manque de confiance en leurs capacités se trouve renforcé par le fait qu'ils croient leur monde trop exigeant ou leur tâche trop accablante. L'anxiété d'anticipation peut se manifester sur le plan physique par l'anxiété extrême ou la panique.

Troubles psychologiques: Quelquefois, l'anxiété n'est qu'un élément d'un trouble psychologique plus complexe. L'attaque de panique peut survenir chez les personnes atteintes de certaines affections comme la dépression, l'agoraphobie, le syndrome de stress post-traumatique, l'alcoolisme ou le trouble obsessionnel-compulsif.

Le présent ouvrage aidera quiconque souffre d'attaques de panique, qu'elles soient provoquées par une réaction de crainte à une maladie physique, à un trouble psychologique, à un moment effrayant du passé ou de l'avenir, ou à l'accumulation du stress occasionné par les pressions de la vie quotidienne.

Si vous éprouvez certains des symptômes décrits dans le présent chapitre, vous vous devez de consulter votre médecin de famille pour un examen médical complet. (Le deuxième chapitre décrit les grands symptômes de la panique qui peuvent être causés par une maladie physique. Pour chaque catégorie de symptômes, on y donne les types de maladies en cause et tous les autres signes de maladie physique.) Votre médecin pourra trouver toute cause physique de votre état. Il vous proposera un traitement ou vous dirigera vers un spécialiste pour une évaluation plus poussée.

Une fois que vous comprendrez le rôle — s'il y en a un — de la maladie physique dans vos symptômes, vous pourrez utiliser le présent ouvrage afin de mieux comprendre votre situation et d'acquérir les techniques nécessaires pour surmonter les attaques de panique dès qu'elles surviennent. Vous découvrirez comment il se peut que ce soit l'esprit qui déclenche cette réaction d'urgence dans votre corps. Je vous montrerai comment soulager ces crises en modifiant ce que vous pensez, ce que vous croyez et ce que vous faites. Vos pensées, croyances et gestes joueront un rôle important dans votre démarche pour vaincre l'angoisse.

Je vous proposerai des exercices de relaxation, des méthodes de respiration et des stratégies de comportement dont vous vous servirez pour maîtriser la panique. Mais le changement exigera plus que de simples techniques. Vous devrez sans doute trouver le moyen de voir d'un nouvel œil vos vieux problèmes. Vous découvrirez peut-être que vos attitudes dans la vie changeront à mesure que vous ouvrirez votre esprit à de nouvelles idées. Et il est fort probable que vous apprendrez à mieux connaître les fonctions de votre corps, de votre esprit et de votre cerveau. Bon nombre de mes patients m'ont dit avoir commencé à se sentir soulagés aussitôt qu'ils ont appris qu'il y a une *cause* derrière les symptômes.

Il n'y a pas de solution simple et universelle aux difficultés de la vie, aucun remède magique. Toute solution valable à un problème complexe doit reposer sur une base large et stable à partir de laquelle on peut acquérir plus de force. Comme le dit le vieux proverbe japonais, en donnant un poisson à un homme, vous le nourrissez pour toute une journée. En lui apprenant à pêcher, vous le nourrissez pour toute la vie. En effet, le présent ouvrage vous donnera les outils à utiliser durant les moments de panique. Cependant, pour arriver à maîtriser la panique chaque fois qu'elle vous assaille, vous devrez également comprendre les interactions complexes entre votre corps et votre esprit, vos croyances et votre comportement. En outre, vous trouverez beaucoup plus facile de vaincre les attaques avec le soutien des autres, que ce soient des professionnels de la santé, des amis ou des membres de votre famille.

2

Causes physiques des symptômes semblables à la panique

Nous éprouvons tous, à un moment ou à un autre, les symptômes de l'anxiété, dont les causes peuvent être diverses: changement de style de vie, stress excessif, tension. Ces symptômes sont souvent le reflet d'une réaction normale aux difficultés de la vie quotidienne. Dans certains cas, cependant, ils peuvent être le signe d'une maladie psychologique ou physique. Diagnostiquer un problème médical grave n'est pas toujours une affaire simple.

Exemple: un homme se plaint à son médecin que ce matin-là il a senti son cœur s'emballer. Il avait de la difficulté à respirer et était étourdi. Il sentait un fourmillement autour des lèvres et dans les mains. Il a peur de mourir ou d'être foudroyé par une crise cardiaque. Ces symptômes peuvent signaler une arythmie cardiaque, une embolie pulmonaire, une attaque de panique ou une attaque d'hyperventilation.

Chaque jour, on transporte dans les salles des urgences des gens qui présentent les symptômes particuliers de la crise cardiaque: douleur écrasante dans la poitrine, essoufflement, sueurs profuses, accélération des battements du cœur et tension artérielle élevée. Après une période de surveillance intense et des examens plus approfondis, on diagnostique chez certains de ces patients une attaque de panique.

Du fait que ces symptômes sont si difficiles à évaluer, patients et professionnels de la santé risquent de mal diagnostiquer des affections physiques ou émotionnelles graves. Des études récentes révèlent qu'un certain nombre de troubles physiques existent chez les patients atteints de troubles psychologiques, et que de 5 à 40 p. 100 des maladies psychologiques pourraient être causées par des troubles physiques. Dans la majorité de ces cas, le trouble physique aurait échappé au diagnostic.

C'est dans le cas de l'attaque de panique que cette confusion est la plus apparente, et le diagnostic, le plus difficile. Si les symptômes de la panique sont présents, trois diagnostics sont possibles:

- Un trouble physiologique est la seule cause de tous les symptômes associés à la panique. Le traitement de la cause physique élimine tous les symptômes.
- Une affection physique mineure provoque quelques symptômes. Le sujet commence à s'analyser lui-même et fait trop de cas de ces phénomènes physiologiques, qui deviennent source d'inquiétude. Sa conscience exacerbée de ces sensations et ses inquiétudes inutiles aggraveront les symptômes. Si cette situation persiste, le sujet peut transformer un trouble physique insignifiant en une affliction psychologique majeure.
- Il n'existe pas de cause physique aux symptômes. Le sujet a besoin d'information sur ce qui l'affecte, de réconfort, de conseils ou d'un traitement psychologique.

Le présent chapitre énumère les principaux problèmes physiques susceptibles de provoquer des symptômes semblables à la panique. Toutefois, il ne faut en aucun cas se servir de ce chapitre (ou de tout autre chapitre du livre) pour s'autodiagnostiquer. Seul le médecin dispose des ressources requises pour déterminer si l'un ou l'autre de ces troubles est à l'origine de votre malaise et pour vous proposer des traitements.

Grâce à une évaluation globale de votre cas, votre médecin peut déterminer, s'il y a lieu, lequel de ces troubles physiques est relié à vos symptômes. Dans la plupart des cas, le fait de guérir la maladie physique ou de modifier la médication éliminera les symptômes. Dans certains cas, les symptômes demeurent; vous devez apprendre à composer avec cette perturbation mineure.

Chez la personne souffrant d'attaques de panique, le principal obstacle au rétablissement peut être la crainte que ces crises soient le signe d'une maladie physique grave. Et, dans certains cas rares, cela est vrai. En règle générale, toutefois, quand le sujet s'inquiète constamment de la maladie physique, cette inquiétude intensifie, voire *provoque* les attaques de panique. Autrement dit, moins vous vous ferez de souci, mieux vous vous porterez. C'est pourquoi je vous recommande vivement de suivre les règles suivantes si vous êtes victime d'attaques:

1. Trouvez un médecin en qui vous avez *confiance.*
2. Expliquez-lui vos symptômes et vos inquiétudes.
3. Laissez votre médecin faire toutes les évaluations et tous les examens nécessaires pour trouver la cause de vos symptômes.
4. Si votre médecin principal recommande qu'un spécialiste évalue votre cas, acceptez. Veillez à ce que votre médecin principal reçoive le rapport du spécialiste.
5. Si un trouble physique est diagnostiqué, suivez les conseils de traitement que vous donne votre médecin.
6. Si aucune cause physique n'est découverte pour vos crises, servez-vous des méthodes proposées dans le présent ouvrage pour enrayer vos symptômes. Si ceux-ci persistent, songez aux troubles psychologiques qui sont susceptibles de provoquer la panique (voir le troisième chapitre). Demandez à votre médecin ou à une autre personne-ressource de vous diriger vers un professionnel de la santé mentale spécialisé dans ces troubles.

Le pire que vous puissiez faire quand vous souffrez d'attaques de panique, c'est de croire dur comme fer que vos symptômes sont le signe d'une grave maladie physique, même si les médecins vous assurent du contraire. C'est pourquoi il est essentiel que vous vous en remettiez à un médecin en qui vous avez pleine confiance jusqu'à ce que le diagnostic soit rendu. Quel que soit le nombre de consultations nécessaires auprès de divers professionnels de la santé, faites en sorte qu'un seul d'entre eux soit responsable de votre cas et reçoive tous les rapports des autres. Ne sautez pas constamment d'un médecin à un autre. Si vous restez convaincu que vous êtes atteint d'une maladie physique, même si l'ensemble des spécialistes qui vous ont vu sont convaincus du contraire, vous pouvez être sûr d'une chose: votre peur contribue directement à déclencher vos attaques de panique. Dans la seconde partie du présent ouvrage, vous apprendrez à maîtriser cette peur et, de ce fait, à enrayer vos symptômes.

Beaucoup de troubles physiologiques provoquent des symptômes semblables à la panique. Jetons un coup d'œil sur ces symptômes et sur leurs origines possibles.

Troubles physiologiques provoquant des symptômes semblables à la panique

Appareil circulatoire

Arythmie
Tachycardie
Maladie coronarienne
Infarctus du myocarde (rétablissement de l')
Défaillance cardiaque
Rétrécissement mitral
Prolapsus de la valvule mitrale
Hypertension
Hypotension orthostatique
Accident cérébrovasculaire
Ischémie cérébrale transitoire
Embolie pulmonaire
Œdème pulmonaire

Appareil respiratoire

Bronchite
Emphysème
Asthme
Maladie du collagène
Fibrose pulmonaire

Appareil endocrinien

Hyperthyroïdie
Hypoglycémie
Syndrome prémenstruel
Grossesse
Phéochromocytome
Tumeurs carcinoïdes

Nerfs/muscles

Épilepsie temporale
Myasthénie
Syndrome de Guillain-Barré
Neuropathies par compression

Troubles auriculaires

Syndrome de Ménière
Labyrinthite
Vertige de position bénin
Otite moyenne
Mastoïdite

Sang
Anémie

Drogues
Sevrage d'un antidépresseur
Sevrage d'un sédatif ou d'un tranquillisant
Usage ou sevrage de l'alcool
Usage d'un stimulant
Effets secondaires de nombreux médicaments

Divers
Blessure à la tête
Caféisme

Rapidité ou irrégularité des battements du cœur

Voici trois plaintes fréquemment adressées à leur médecin par des personnes que leur cœur inquiète: «J'ai l'impression que mon cœur bat à tout rompre dans ma poitrine», «Mon cœur s'emballe», «J'ai l'impression que mon cœur saute des battements». Toute irrégularité du rythme cardiaque s'appelle *arythmie*. Si les battements du cœur sont plus rapides que la normale, cette arythmie se nomme *tachycardie*. Les battements de cœur — rapides ou lents, réguliers ou irréguliers — qui sont sensibles et incommodes pour le malade s'appellent *palpitations*.

Les palpitations sont une sensation à laquelle on peut s'attendre quand la force et le rythme du cœur sont considérablement élevés. Par exemple, après des exercices vigoureux, il est probable que nous entendrons notre cœur battre contre notre poitrine. Quand nous commençons à nous reposer, cette sensation peut persister un moment, jusqu'à ce que nous nous remettions de l'effort.

Les personnes qui sont sujettes à l'anxiété pourraient voir leurs périodes de palpitations se multiplier quand elles se trouvent dans des situations inconfortables sur le plan psychologique. En fait, la plupart des problèmes cardiaques dont se plaignent les patients à leur médecin laissent supposer qu'ils ont une origine psychologique plutôt que physique. Le sujet anxieux dirige souvent son attention sur les symptômes physiques éprouvés plutôt que d'apprendre à faire face à la situation anxiogène. Après avoir senti à plusieurs reprises son cœur battre trop fort ou trop vite, il craint qu'il s'agisse d'un signe précurseur d'une maladie cardiaque ou d'une autre affection physique quelconque.

Quelques perturbations mineures du rythme cardiaque peuvent être perçues de façon consciente. Par exemple, certains disent éprouver des sensations comme un «soubresaut» ou une «pirouette» du cœur, ou encore comme le manque d'un battement. Cette contraction soudaine et puissante du cœur, suivie d'une pause plus longue que la normale, s'appelle *extrasystole*. Il s'agit de contractions prématurées qui sont généralement sans importance et qui se produisent chez beaucoup d'individus sains.

En fait, grâce à de nombreuses recherches, nous savons maintenant que les arythmies de toutes sortes sont courantes chez les individus sains et normaux. Au cours d'une étude récente publiée dans le *New England Journal of Medecine,* le docteur Harold Kennedy a découvert que les individus sains chez qui l'irrégularité du rythme cardiaque est fréquente et complexe ne semblent pas plus exposés aux affections physiques que la population normale. En général, les chercheurs constatent que la majorité des gens en bonne santé éprouvent à l'occasion une quelconque perturbation de leur rythme cardiaque, comme l'omission de battements, les palpitations ou le battement frénétique.

La tachycardie, ou l'accélération du rythme des battements cardiaques, est le sujet de plainte le plus fréquent concernant le cœur et l'une des principales raisons qui poussent les gens à consulter un médecin. Chez de nombreux sujets sains et normaux, il s'agit d'un phénomène qui se produit quotidiennement, à la suite d'un exercice physique ou d'une émotion intense. Toute excitation, tout traumatisme, même la fatigue ou l'épuisement, peut faire accélérer l'action du cœur, surtout chez les individus exagérément anxieux. L'abus du tabac ou de l'alcool, et plus particulièrement celui de la caféine, peut occasionnellement provoquer la tachycardie. Les infections, comme la pneumonie, ainsi que les maladies inflammatoires aiguës, comme le rhumatisme articulaire aigu, peuvent également accélérer le rythme du cœur.

Même si, la plupart du temps, les palpitations sont le signe d'une affection cardiaque mineure ou de l'anxiété, il est possible qu'un certain type de maladie coronarienne soit en cause. Les maladies coronariennes sont causées par le rétrécissement des artères allant au cœur. Ce dont se plaignent les personnes atteintes de maladies coronariennes, c'est généralement d'une douleur ou pression au centre de la poitrine. Celle-ci peut également être ressentie ailleurs dans la poitrine, ou dans le cou, la mâchoire ou le bras gauche.

Le rétablissement et la réadaptation à la suite d'une crise cardiaque sont souvent à l'origine de difficultés psychologiques intenses. De nombreux sujets se mettent à craindre que l'activité physique ou les émotions fortes ne déclenchent une seconde crise. Il n'est donc pas étonnant de constater que les patients rétablis d'un infarctus du myocarde soient préoccupés par les sensations qu'ils éprouvent dans le cœur. Nombreux sont ceux qui retourneront au cabinet du médecin ou à la salle des urgences pour se plaindre de palpitations. Quatorze pour cent des patients des unités de soins coronariens seront plus tard atteints du trouble panique, qui est l'appréhension de subir une attaque d'anxiété ou une crise cardiaque (voir le troisième chapitre). Nous décrivons au sixième chapitre comment la panique nuit au rétablissement de l'infarctus du myocarde.

Les gens qui se plaignent de ce que leur cœur s'emballe pourraient souffrir d'une *maladie organique du cœur* ou de *défaillance cardiaque*. Le plus souvent, toutefois, le symptôme de ces maladies sera l'essoufflement (voir la section suivante sur les difficultés de la respiration). Les *infections,* comme la pneumonie ou le rhumatisme articulaire aigu, peuvent également provoquer l'accélération du rythme cardiaque.

Respiration difficile

La sensation subjective d'inconfort ou de difficulté respiratoire (appelée *dyspnée*) peut signaler une urgence grave ou un casse-tête médical mystérieux. Une évaluation médicale immédiate et un traitement adéquat s'imposent au sujet chez qui cette affection n'a jamais été diagnostiquée. Le plus souvent, le sujet dira qu'il est «incapable de reprendre son souffle» ou qu'il «ne reçoit pas assez d'air», même s'il semble respirer normalement. Il est certain que l'incapacité de respirer correctement peut être alarmante; nombreux sont ceux qui réagiront avec anxiété, terreur ou panique.

Dans les circonstances normales, la difficulté à respirer résulte de toute activité vigoureuse. Si le degré de difficulté semble disproportionné par rapport à l'effort, il y a de quoi s'inquiéter. Les troubles respiratoires accompagnent quelquefois la grossesse, car l'utérus prend de l'expansion vers le haut, ce qui réduit la possibilité d'une inspiration complète. L'obésité grave peut également réduire la capacité des poumons à inspirer complètement.

La plupart des causes physiques de la dyspnée sont reliées à des troubles des appareils respiratoire et circulatoire. Les maladies pulmonaires chroniques ou aiguës en sont les causes physiques les plus fréquentes. Dans l'appareil respiratoire, il s'agit en général d'une obstruction du débit d'air (maladies obstructives) ou de l'incapacité de la poitrine ou des poumons de se dilater librement (maladies restrictives). Toutes ces maladies font que le sujet doit fournir un effort plus grand à chaque respiration et que la quantité d'oxygène absorbée à chaque inspiration est réduite. Les trois maladies obstructives principales sont la bronchite, l'emphysème et l'asthme. Celles-ci s'accompagnent d'un second symptôme courant, soit l'oppression de la poitrine au réveil du sujet, peu après qu'il se soit redressé dans son lit ou à la suite d'un effort physique.

Le symptôme principal de la *bronchite* est une toux profonde qui fait expectorer du mucus jaunâtre ou grisâtre. Dans le cas de l'*emphysème,* l'essoufflement s'aggrave au fil des années. Les symptômes particuliers de la bronchite et l'installation progressive de l'emphysème font que ces maladies sont rarement diagnostiquées à tort comme étant de l'anxiété extrême ou une crise d'angoisse aiguë.

Ceux qui souffrent d'*asthme* se plaindront de difficulté à respirer, d'une oppression indolore de la poitrine et de respiration sifflante. Les cas graves peuvent s'accompagner de sueurs profuses, d'une accélération du pouls et d'anxiété grave. L'allergie à des matières comme le pollen, la poussière ou les pellicules de chat ou de chien est le déclencheur principal des crises d'asthme. Les crises peuvent également être provoquées par des infections, par l'exercice ou par le stress psychologique. Elles peuvent également se produire sans raison apparente. Certains asthmatiques appréhendent la crise à venir, car la crise aiguë peut survenir inopinément, et sa durée peut être insupportablement longue. Cette crainte de la crise imminente risque en fait d'en augmenter la probabilité et peut en prolonger la durée. L'asthme constitue un excellent exemple de trouble physique que peuvent aggraver l'anxiété ou la panique.

Nous décrivons au sixième chapitre comment la panique peut contribuer aux difficultés des personnes atteintes de bronchopneumopathie chronique obstructive. Une attention particulière sera accordée à la bronchite chronique, à l'emphysème et à l'asthme.

Un certain nombre de maladies respiratoires restrictives peuvent rendre la respiration difficile. Quelques-unes entraînent la rigidité des poumons (*pneumoconiose, maladie du collagène, fibrose pulmonaire*). D'autres affectent l'interaction des muscles et des nerfs (*myasthénie, syndrome de Guillain-Barré*). D'autres encore empêchent les poumons de se dilater pleinement (*épanchement pleural, pneumothorax, hémothorax*). L'*œdème pulmonaire,* généralement attribuable à une défaillance cardiaque ou, occasionnellement, à l'inhalation de substances toxiques, peut provoquer une déficience pulmonaire de nature restrictive.

La dyspnée accompagne souvent les diverses affections cardiaques et pulmonaires, surtout celles qui relèvent de la congestion pulmonaire. Par exemple, le *rétrécissement mitral* se produit quand la valvule située entre l'oreillette gauche et le ventricule gauche est anormalement rétrécie. Au moment où le sang est poussé dans le cœur, la pression s'accumule dans les poumons et provoque une congestion. C'est cette congestion qui cause l'essoufflement.

L'*embolie pulmonaire* se produit quand un caillot de sang se détache de la paroi d'une veine profonde, circule avec le sang, pour ensuite se fixer dans l'artère pulmonaire, à proximité ou à l'intérieur des poumons. Ce caillot réduit le volume de sang frais qui retourne vers le côté gauche du cœur et peut entraîner un certain degré d'essoufflement.

Parmi les autres affections cardio-vasculaires susceptibles de rendre la respiration difficile, on compte la *défaillance du ventricule gauche*, l'*insuffisance aortique*, l'*épanchement péricardique* et l'*arythmie*.

Étourdissements et vertiges

Toute une gamme d'affections tombent dans la catégorie des étourdissements et dans celle des vertiges. L'étourdissement est un terme générique qui peut englober les états de trouble et d'insécurité voisins du vertige, la faiblesse, une sensation de flottement dans la tête et la vision double (diplopie). Le vertige, lui, comporte des sensations plus précises: l'impression que les objets environnants se déplacent par rapport au corps ou inversement, ou l'impression que la tête oscille ou tourne sur elle-même. Les causes physiques de ces deux symptômes sont nombreuses: affections de l'oreille interne ou moyenne, affections dentaires, infections, lésions à la tête, effets des drogues, ainsi que les troubles cardio-vasculaires, neurologiques et ceux du système nerveux central.

L'oreille est l'organe de l'équilibration autant que de l'audition. L'oreille interne comprend le *labyrinthe,* qui surveille la position et le mouvement de la tête, et qui transmet cette information au cerveau. Une perturbation de la fonction du labyrinthe, provoquée par une lésion ou une infection, peut causer le vertige.

Dans le cas du syndrome de *Ménière,* maladie du labyrinthe fréquente chez les adultes, un excès de liquide s'accumule et fait monter la pression dans l'oreille interne, ce qui cause le vertige et, occasionnellement, des bourdonnements ou d'autres bruits dans l'oreille (appelés *acouphènes*). La *labyrinthite* est une infection de cette même région de l'oreille, souvent d'origine virale, quelquefois associée à une infection des voies respiratoires supérieures. Elle peut donner de graves vertiges, occasionnellement accompagnés de nausées et de vomissements au cours de la première phase. Le sujet peut également faire l'expérience d'oscillations rapides et involontaires des yeux (appelées *nystagmus*). Le *vertige de position bénin* est dû au flottement dans le labyrinthe de cristaux de calcium. Dans cet état, tout changement de position — comme se tourner dans le lit — peut causer ultérieurement vertige et nystagmus, pendant moins de trente secondes. Plusieurs types d'*infections de l'oreille,* comme l'otite moyenne et la mastoïdite, peuvent causer le vertige; mais elles provoqueront d'autres symptômes distinctifs comme l'écoulement de fluide, la fièvre et la rougeur du tympan. Les *affections dentaires,* comme l'abcès, la malocclusion ou les anomalies de l'articulation temporo-mandibulaire, sont susceptibles de donner le vertige, en raison de l'extrême proximité entre les dents et les oreilles.

Toute *lésion à la tête* peut causer une commotion cérébrale ou une commotion labyrinthique, lesquelles peuvent provoquer le vertige ou une sensation d'hébétude, de déséquilibre ou de faiblesse.

Un certain nombre de maladies cardio-vasculaires et neurovasculaires peuvent affecter l'équilibre. Souvent, l'*hypertension artérielle* — augmentation de la pression dans le réseau artériel — ne provoque aucun symptôme. Cependant, la sensation de nager ou d'«être dans les vapes» pourrait être le symptôme initial qui incite le malade à consulter un médecin.

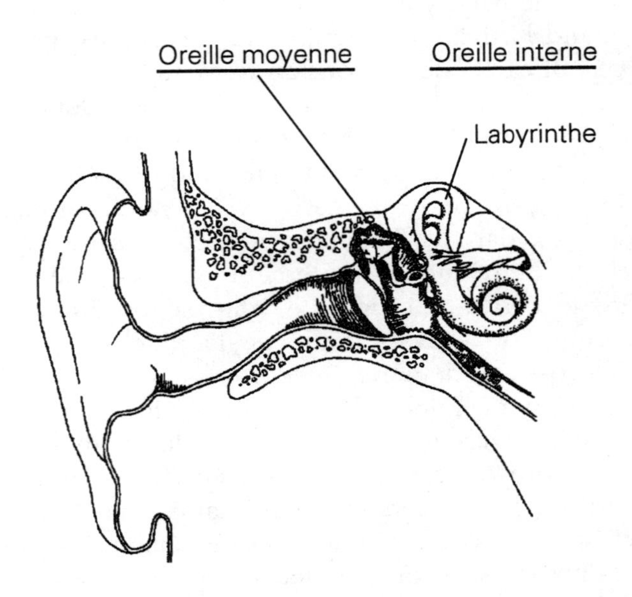

Figure 1. Coupe transversale de l'oreille.

Si les étourdissements et les vertiges se produisent le matin quand on se lève ou lorsque l'on passe de la position couchée à la position debout, la cause pourrait bien être l'*hypotension orthostatique*. Dans ce cas, la tension artérielle est trop faible, ce qui entraîne une mauvaise circulation du sang dans le corps. Normalement, quand le corps change de position, les vaisseaux sanguins se contractent pour maintenir une tension artérielle adéquate. Dans le cas de l'hypotension, ce mécanisme ne répond pas correctement. Comme la tension artérielle nécessaire n'est pas maintenue, l'afflux du sang vers le cerveau est temporairement réduit, ce qui cause des étourdissements et peut même faire perdre conscience. L'hypotension orthostatique peut être causée par le diabète, des complications mineures de la grossesse ou le durcissement des artères. Elle peut également être un effet secondaire des antidépresseurs, des tranquillisants majeurs et même des médicaments prescrits contre l'hypertension artérielle.

L'affection vasculaire la plus grave, qui requiert des soins médicaux immédiats, c'est l'accident *cérébrovasculaire*. Il se produit quand l'irrigation sanguine du cerveau est grandement réduite, ce qui cause des lésions au cerveau même. Trois types d'affections vasculaires sont à l'origine des accidents cérébrovasculaires: la *thrombose,* l'*embolie* et l'*hémorragie* cérébrales. Dans la thrombose, un segment quelconque d'une artère qui conduit le sang au cerveau s'est rétréci. Une accumulation de tissus graisseux dans ce segment permet au sang de se coaguler, ce qui empêche partiellement ou totalement le sang d'atteindre le cerveau. L'embolie, elle, se produit quand un caillot sanguin ou une particule de la plaque produite par l'artériosclérose se détache du cœur ou de la paroi d'une grosse artère pour rejoindre le cerveau, s'y loger et déterminer l'accident cérébrovasculaire. Dans le cas de l'hémorragie cérébrale, une artère du cerveau fuit ou éclate; le sang s'infiltre alors dans les tissus cérébraux environnants.

L'ischémie cérébrale transitoire est généralement causée par un petit caillot de sang ou par une particule de tissu graisseux (embole). En passant dans les vaisseaux sanguins du cerveau, le corps étranger s'y loge brièvement, réduisant ainsi l'afflux de sang dans cette région. Les symptômes sont semblables à ceux de l'accident cérébrovasculaire, mais ils sont temporaires et ne causent aucune lésion grave, car le caillot ou l'embole finit par se détacher. Même si des soins médicaux d'urgence ne sont pas nécessaires, l'ischémie cérébrale transitoire requiert une évaluation médicale et la prise de mesures destinées à en prévenir la répétition.

Les étourdissements à eux seuls ne sont pas assez graves pour justifier la crainte d'un accident cérébrovasculaire. Toutefois, si vous éprouvez un ou plusieurs des symptômes suivants, vous devriez consulter votre médecin: engourdissement ou picotement n'importe où dans le corps, vision trouble, confusion mentale, élocution difficile, perte de mobilité des bras ou des jambes. Ces symptômes peuvent signaler une attaque de panique plutôt qu'un accident cérébrovasculaire. Si vous avez éprouvé ces sensations plusieurs fois, et que votre médecin ne trouve aucun signe de maladie physique, il vous faut penser qu'une perturbation psychologique entraîne ces symptômes.

Symptômes multiples

De nombreuses maladies physiques peuvent engendrer la nervosité chez des individus qui, d'autre part, ne sont pas troublés sur le plan émotionnel. Par contre, certaines autres maladies — celles dont nous parlerons dans cette section — entraînent toute une gamme de symptômes qui ressemblent à ceux de l'attaque de panique.

Le trouble cardio-vasculaire principal susceptible de produire des symptômes multiples, c'est l'*hypertension*, attribuable au rétrécissement des artères. Le cœur, en pompant le sang dans le corps, exerce une certaine pression sur les parois artérielles. Si ces vaisseaux sont rétrécis pour une raison ou une autre, une plus grande force devient nécessaire pour maintenir le débit constant du sang. L'appareil circulatoire entier est alors soumis à un effort. Le diagnostic: hypertension artérielle. Comme nous l'avons déjà dit, cette maladie est souvent exempte de tout symptôme, mais s'il s'en manifeste, ce sera les palpitations, la nervosité, les étourdissements, la fatigue et le sentiment général d'être en mauvaise santé.

Le *prolapsus de la valvule mitrale* n'est pas un état rare; on le trouve chez 5 à 15 p. 100 de la population adulte. Durant la contraction du cœur, il se produit un glissement de la valve dans l'oreillette gauche. La moitié environ des personnes atteintes de ce prolapsus se plaindront de palpitations à un moment ou à un autre de leur vie. Parmi les autres symptômes possibles, on compte la tachycardie, l'essoufflement, les étourdissements et la conscience accrue du fonctionnement du cœur. Il arrive que l'on donne cette affection cardiaque plutôt mineure comme cause unique des attaques de panique. C'est une erreur. Le plus souvent, c'est l'inquiétude de l'individu au sujet du fonctionnement de son cœur qui déclenche la panique. Nous reparlerons plus longuement du prolapsus de la valvule mitrale au sixième chapitre.

Il est de plus en plus prouvé que les changements hormonaux sont susceptibles d'avoir un effet spectaculaire sur l'état physique et l'humeur de l'être humain. Par exemple, environ la moitié des femmes qui traversent la *ménopause* disent connaître certains changements physiques ou émotionnels majeurs. Le quart des femmes ménopausées font l'expérience de symptômes désagréables, souvent pénibles, comme des périodes de palpitations intenses, des sueurs profuses, des bouffées de chaleur et de l'anxiété. Le *syndrome prémenstruel* est un ensemble de symptômes, dont la panique, qui se produisent durant les jours précédant immédiatement la menstruation. Nous en reparlerons plus longuement au cinquième chapitre.

La troisième affection hormonale, c'est l'*hyperthyroïdie,* une suractivité de la glande thyroïde. Celle-ci, située à la face antérieure du cou, est commandée par une hormone (thyréostimuline) produite par l'hypophyse. Dans l'hyperthyroïdie, les mécanismes régulateurs normaux sont perturbés, et la thyroïde continue de sécréter une quantité excessive de sa propre hormone, la thyroxine. Cette suractivité provoque l'accélération générale de toutes les réactions chimiques de l'organisme. Le malade peut se sentir tremblant et anxieux, avoir des palpitations et des sueurs profuses, et être essoufflé — comme s'il était en crise d'angoisse permanente. D'autres symptômes viennent faciliter le diagnostic de cette maladie: augmentation de l'appétit — avec amaigrissement plutôt que prise de poids —, perte de cheveux, tension chronique, impression d'avoir besoin de continuer de bouger malgré la fatigue et l'épuisement physique. Au lieu d'avoir froid, comme ce serait le cas de la personne anxieuse, la personne souffrant d'hyperthyroïdie a chaud, et sa peau est chaude au toucher.

L'hyperthyroïdie se traite de trois façons: par prescription de médicaments antithyroïdiens, par ablation d'une partie ou de toute la thyroïde, ou, ce qui est plus fréquent, par l'administration d'iode radioactif, substance qui enraye la suractivité de la glande.

L'*hypoglycémie,* c'est l'apparition de plusieurs symptômes désagréables, quand la quantité de glucose dans le sang est anormalement faible. Ce manque de glucose dans le sang donne une sensation d'inconfort accompagnée de sueurs profuses; la peau est froide et moite. Parmi les autres symptômes, on compte les étourdissements, la faiblesse, le tremblement, le picotement des lèvres et des mains, les palpitations et la perte de conscience. Cet état se retrouve surtout chez les diabétiques qui utilisent l'insuline. Cependant, nombreux sont ceux qui croient à tort que l'hypoglycémie est la cause de leurs symptômes de panique. Par conséquent, ces gens négligent de prendre en considération d'autres diagnostics possibles. Le cinquième chapitre présente un complément d'information sur l'hypoglycémie et la panique.

Les glandes surrénales, comme leur nom l'indique, sont situées sur le sommet des reins. La médullo-surrénale produit deux hormones qui jouent un rôle important dans la régularisation du rythme cardiaque et de la tension artérielle: l'adrénaline (épinéphrine) et la noradrénaline (norépinéphrine). Dans de très rares cas, une excroissance ou une tumeur se développe dans les surrénales ou près de celles-ci et provoque une augmentation de la production de ces hormones. La tachycardie, les sueurs profuses, l'anxiété, la faiblesse et la pâleur — symptômes semblables à ceux de la panique — peuvent apparaître à la suite d'exercices légers, de l'exposition à de basses températures ou d'un bouleversement émotionnel mineur. En règle générale, la tension artérielle monte en flèche, et le patient peut craindre d'être sur le point de mourir. Cette affection extrêmement rare s'appelle *phéochromocytome* et se guérit par l'excision chirurgicale de la tumeur.

L'*anémie,* c'est la diminution anormale de l'hémoglobine ou des globules rouges (hématies). Les globules rouges transportent l'oxygène des poumons dans toutes les parties du corps. Dans chacun de ces globules se trouve la protéine hémoglobine, qui se combine à l'oxygène dans les poumons, pour ensuite libérer cet oxygène dans les tissus, à mesure que le sang circule à travers le corps. Les symptômes caractéristiques de l'anémie sont les étourdissements, la tachycardie, la dyspnée et la faiblesse. La personne anémique pourrait avoir des palpitations, parce que son cœur tente de compenser le manque d'oxygène en pompant le sang plus vite que la normale. L'*anémie ferriprive* est le signe de ce qu'une carence en fer dans l'organisme limite la production d'hémoglobine. L'*anémie résultant d'une carence en acide folique* et l'*anémie résultant d'une carence en vitamine* B_{12} indiquent que l'organisme ne dispose pas de quantités suffisantes de ces deux vitamines essentielles nécessaires à la production de globules rouges sains. La maladie héréditaire appelée *anémie à hématies falciformes* attaque presque exclusivement les individus d'origine africaine. Dans cette maladie, les globules rouges contiennent une hémoglobine anormale, l'hémoglobine S, qui leur donne un aspect en faucille. Ces hématies de forme anormale tendent à se bloquer dans les petits vaisseaux. La destruction prématurée des globules rouges et l'anémie en résultent. Tous les types d'anémie doivent être diagnostiqués et traités par un médecin.

Les *tumeurs carcinoïdes* sont rares. Elles peuvent se former dans le tube digestif et ailleurs dans le corps. Les symptômes comprennent la rougeur du visage et du cou et peuvent être déclenchés par l'effort physique, les émotions intenses ou par l'absorption d'aliments ou d'alcool. Les autres symptômes sont: la tachycardie, l'hypotension (basse pression artérielle) et la dyspnée (attribuable à la bronchoconstriction).

Les *neuropathies par compression,* comme le syndrome du canal carpien, sont des troubles causés par la compression de nerfs «locaux». Les symptômes peuvent comprendre la paresthésie (fourmillement ou picotement) semblable à celle qui se produit durant l'hyperventilation.

Les symptômes de l'*épilepsie temporale* sont extrêmement divers, mais dans certains cas, ils ne sont ressentis que comme une crise soudaine de terreur ou de panique. Dans 60 p. 100 des cas, c'est la peur qui est l'émotion dominante. Le malade peut également éprouver un sentiment d'irréalité, comme s'il était éloigné de son environnement, ou avoir l'impression que son corps lui est étranger ou qu'il est dans un rêve. De fortes réactions émotionnelles comme celles-là peuvent donner lieu au diagnostic erroné d'une origine psychologique. L'une des caractéristiques particulières de l'épilepsie temporale est la présence possible d'une aura, sensation subjective passagère qui prend souvent la forme d'un arôme ou d'un goût étrange durant le moment de peur.

Le *caféisme,* c'est l'intoxication par le café. Des effets secondaires désagréables peuvent accompagner les abus de caféine, contenue dans le café, le thé, les colas, le cacao et les médicaments vendus sans ordonnance comme Excedrin et Anacin. Les symptômes comprennent l'anxiété, l'irritabilité, l'agitation, l'accélération de la respiration, les palpitations, la tachycardie ou l'arythmie. Ces effets secondaires apparaissent quand la consommation quotidienne de caféine est supérieure à 250-500 mg. De 20 à 30 p. 100 des Américains consomment plus de 500 mg de caféine par jour (cinq tasses de café filtre en contiennent plus de 500 mg). Certaines personnes sujettes à la panique sont extrêmement sensibles à la caféine. Si vous présentez un ou plusieurs des symptômes énumérés, songez à réduire votre consommation de caféine sous toutes ses formes.

Les *amphétamines,* qu'elles soient prescrites pour soulager la dépression ou pour favoriser le maintien du poids, ou qu'elles soient utilisées illégalement à des fins récréatives, peuvent provoquer une anxiété intense, au point de déclencher une attaque de panique. Cette réaction extrême est également possible après la consommation de drogues illégales comme la *cocaïne,* la *phencyclidine* (PCP) et les *hallucinogènes* (LSD, mescaline).

Le *sevrage de l'alcool* peut entraîner la nervosité, la tachycardie, l'hypertension artérielle, la panique et bien d'autres symptômes. Le *sevrage trop rapide des sédatifs ou des barbituriques,* comme les benzodiazépines (Valium, Librium, etc.), peut causer l'anxiété, la tachycardie, l'hypertension et la panique, surtout après une longue période de consommation.

Effets secondaires des médicaments

Il arrive que les médicaments produisent des effets secondaires indésirables en plus des effets voulus. Si ces effets se produisent, consultez votre médecin. En plus d'autres effets secondaires possibles, chacun des médicaments énumérés ci-après peut provoquer des symptômes semblables à ceux de la panique. (Le nom générique des médicaments est utilisé.)

Atropine: sert à dilater la pupille de l'œil. Elle peut provoquer une accélération extraordinaire du rythme cardiaque. (Un certain nombre de médicaments ont des effets semblables à ceux de l'atropine. On les appelle généralement médicaments anticholinergiques.)

Digitale: sert à améliorer la force et l'efficacité du cœur ou à régulariser le rythme cardiaque. Elle peut donner lieu à un ralentissement anormal ou à une irrégularité du pouls.

Prednisone: le plus utilisé des corticoïdes, il sert à soulager l'inflammation. Ses effets secondaires comprennent l'arythmie, la nervosité, la faiblesse musculaire et les changements d'humeur brusques. Les autres corticoïdes causent des symptômes analogues.

Isoniazide: médicament anti-inflammatoire, peut provoquer la tachycardie et des étourdissements.

Cyclosérine: antibiotique, ses effets secondaires comprennent l'anxiété, l'irritabilité, la confusion mentale, les étourdissements et l'agitation.

Éphédrine: médicament utilisé dans les affections pulmonaires. Ses effets secondaires possibles sont la nervosité, l'agitation, les étourdissements, la dyspnée, les palpitations et la tachycardie.

Épinéphrine: sert au traitement des yeux, des poumons et des allergies. Ses effets secondaires possibles sont la faiblesse, les tremblements, la tachycardie, les palpitations, la nervosité et la dyspnée.

Réserpine: sert au traitement de l'hypertension artérielle, de certains troubles émotionnels et de quelques autres affections.

Ses effets secondaires possibles sont les étourdissements, la faiblesse, l'anxiété et les palpitations. Chez certains sujets, on a même vu apparaître des réactions phobiques sous l'effet de ce médicament.

Les *antidyskinétiques:* servent au traitement de la maladie de Parkinson. Leurs effets secondaires possibles sont les étourdissements, l'arythmie et l'anxiété.

Les *hormones thyroïdiennes* synthétiques: servent au traitement de l'hypothyroïdie. Une dose trop élevée de ces hormones peut causer la tachycardie, les palpitations, l'essoufflement, la nervosité, les sueurs profuses et l'anxiété.

Les *nitrates:* servent à améliorer le débit du sang vers le cœur et à soulager les angines de poitrine. Leurs effets secondaires possibles sont les étourdissements et la tachycardie.

Les *inhibiteurs de la monoamine-oxydase (IMAO):* font partie de la famille des antidépresseurs. En plus de soulager les symptômes de la dépression, ils servent à traiter les crises d'angoisse aiguë (voir le dix-neuvième chapitre). Leurs effets secondaires possibles sont les étourdissements, surtout quand le sujet passe de la position couchée ou assise à la position debout, la tachycardie ou les battements forts du cœur.

Les *antidépresseurs hétérocycliques:* servent au traitement de la dépression et, plus récemment, à celui des attaques de panique (voir le dix-neuvième chapitre, sur le traitement de la panique au moyen des antidépresseurs tricycliques). Leurs effets secondaires possibles sont les étourdissements, la tachycardie ou l'arythmie.

3

Panique et troubles psychologiques

Quand les symptômes de la panique persistent, la plupart des malades sont de plus en plus inquiets. Même lorsqu'ils sont en mesure d'identifier ce qu'ils croient être la cause immédiate de ces moments d'anxiété intense, ils continuent de se poser mille questions: «Pourquoi moi?», «Pourquoi maintenant?», «Qu'est-ce que tout cela signifie?», «Est-ce grave?», «Comment puis-je mettre fin à cette situation?»

Seule une infime minorité des symptômes de la panique persistent en raison d'une affection physique. La plupart des états pénibles, même s'ils sont reliés à un trouble physique, sont maintenus à cause d'un schème de pensée renforcé par les expériences passées de la vie (ou par leur absence).

Par exemple, les cardiaques ont souffert d'un traumatisme physique du cœur. Une étude récente révèle que jusqu'à 14 p. 100 de ces malades souffrent également de l'affection psychologique appelée trouble panique. Pour eux, les périodes d'anxiété intense commencent après leur maladie, mais elles ne sont pas causées par celle-ci. Si le traumatisme physique en était vraiment la cause, un plus grand nombre de cardiaques souffriraient d'attaques de panique. En réalité, ces troubles psychologiques sont attribuables à la façon dont chaque individu réagit à sa maladie. Plus le malade craint une répétition de son trouble cardiaque, plus il risque de souffrir d'anxiété extrême ou de panique.

Un certain nombre de réactions types ont été reconnues au cours des années et nous aident à classifier les genres de panique. Les sujets ne sont pas tous dérangés par les symptômes au point de souffrir de l'un de ces troubles psychologiques. Certains traversent tout simplement une période difficile accompagnée des symptômes de l'anxiété, puis s'en sortent. Cependant, si les symptômes persistent dans le temps, ils tomberont généralement dans l'une des six catégories d'affections psychologiques suivantes: trouble panique, agoraphobie, trouble de l'anxiété généralisée, phobies, trouble obsessionnel-compulsif et syndrome de stress post-traumatique.

Trouble panique

Le trouble panique est la seule affection psychologique dont la caractéristique principale soit les attaques de panique récurrentes. Même si la première crise peut se produire dans une situation particulière, les autres crises sont imprévisibles quant au temps et à l'endroit.

Les symptômes physiques en sont les mêmes que ceux que nous décrivons au chapitre premier. L'un ou plusieurs de ces symptômes peuvent se manifester de façon intense durant la crise proprement dite ou exister de façon diffuse à d'autres moments: sécheresse de la bouche; sueurs profuses; tension aiguë dans l'estomac, à l'arrière du cou ou dans les épaules; tachycardie; étourdissements; faiblesse; accélération du rythme respiratoire; tremblement des mains, des jambes ou de la voix; sensation de faiblesse, d'engourdissement ou de froid dans les membres; essoufflement; fatigue corporelle; difficulté à avaler; sensation d'avoir une boule dans la gorge; vision trouble; impossibilité de se concentrer; confusion mentale.

Après un certain nombre d'attaques, il arrive que le sujet craigne d'être devenu la victime impuissante de la panique. Il pourrait hésiter à rester seul, à s'aventurer loin de son foyer ou à se trouver dans des endroits publics. Même quand il n'est pas en proie à une crise, il devient dans beaucoup de cas de plus en plus nerveux et appréhensif. Il tentera de rester en alerte sur le plan physique comme sur le plan psychologique, en prévision de la crise à venir.

Même si la première attaque semble se produire inopinément, elle survient généralement durant une période de stress prolongée. Ce stress n'est pas dû à quelques jours de tension, mais plutôt à quelques mois. Les grands tournants de la vie, comme les déménagements, les changements d'emploi, le mariage ou la naissance d'un enfant sont souvent la cause principale de la tension psychologique.

Chez certains individus, le fait d'apprendre à «gérer» la période de stress ou à alléger les tensions éliminera les attaques de panique. Chez d'autres, c'est un peu comme si le stress du grand tournant ou la situation difficile mettait au jour une vulnérabilité psychologique. Si l'individu sujet à la panique voit ses responsabilités augmenter, à la suite d'une promotion au travail ou de la naissance d'un premier enfant par exemple, il pourrait commencer à mettre en doute sa capacité de répondre aux exigences nouvelles et aux attentes des autres, et à croire qu'il n'a pas le supplément d'énergie nécessaire dans les circonstances. Au lieu de concentrer son attention sur la réussite de la tâche, il s'inquiète de la possibilité d'un échec. Cette préoccupation de l'échec mine son assurance. Par une série d'étapes que nous décrirons dans la deuxième partie du présent ouvrage, il traduit ces craintes en panique.

Agoraphobie

Chaque personne chez qui l'on diagnostique l'agoraphobie (littéralement, peur de la place publique) présente une combinaison unique de symptômes. Mais toutes les victimes de cette phobie craignent et évitent d'une façon marquée d'être seules ou de se trouver dans certains endroits publics. C'est une réaction de l'individu suffisamment puissante pour qu'il restreigne de façon notable ses activités normales.

Pour la personne qui connaît des attaques de panique, la distinction entre l'agoraphobie et le trouble panique dépend de l'intensité de sa réaction d'évitement. Dans le cas du trouble panique, le sujet demeure relativement actif, même s'il évite quelques situations qui lui sont inconfortables. Quand la personne sujette à la panique se met à restreindre sensiblement ses activités à cause de son appréhension, il s'agit plutôt d'agoraphobie.

Dans certains cas, l'agoraphobie résulte du trouble panique. Les attaques de panique répétées entraînent une «anxiété d'anticipation», état de tension physique et émotionnelle imputable à l'attente appréhensive d'une autre attaque. Le sujet commence alors à éviter systématiquement toute circonstance qui semble reliée aux attaques de panique passées, ce qui restreint de plus en plus l'ampleur de ses activités.

Les appréhensions qui tourmentent les victimes d'agoraphobie tournent souvent autour de la peur de *perdre le contrôle d'elles-mêmes*. Elles peuvent craindre l'apparition de symptômes physiques désagréables qu'elles connaissent pour en avoir fait l'expérience dans le passé (comme les étourdissements ou la tachycardie). Ou elles s'inquiètent d'une aggravation possible de ces symptômes par rapport au passé (perte de conscience ou crise cardiaque). Elles peuvent également craindre de se voir coincées dans un endroit physique ou d'être prisonnières d'une situation sociale (restaurant ou fête quelconque). Dans les deux premières situations, la victime a l'impression d'avoir perdu la maîtrise de son corps. Dans la troisième, elle se sent incapable de maîtriser son environnement.

La liste suivante donne les types d'environnements et de situations qui peuvent susciter ces peurs.

Peur de l'environnement et des situations

Peur des lieux publics ou des espaces clos
Restaurants
Théâtres
Rues
Magasins
Restaurants
Théâtres
Églises

Peur des déplacements
En train, autobus, avion, métro, automobile
De traverser ponts et tunnels
De s'éloigner de la maison
De la circulation

Peur des espaces libres
Parcs
Champs
Rues larges

Peur d'être enfermé ou d'être limité dans ses mouvements
Fauteuil du coiffeur ou du dentiste
Queues dans les magasins
Salles d'attente
Longues conversations en personne ou au téléphone
Foules

Peur de rester seul à la maison

Peur des situations de conflit
Disputes, conflits interpersonnels, expressions de colère

L'agoraphobe pourrait éviter une ou plusieurs de ces situations pour se sentir plus en sécurité. Le besoin d'éviter ces situations est si fort que certaines victimes abandonneront leur emploi, cesseront de conduire une voiture ou d'utiliser les transports publics, cesseront de faire leurs emplettes ou d'aller au restaurant, ou, dans les cas les plus graves, refuseront pendant des années de s'aventurer à l'extérieur de leur maison.

Voici maintenant la liste des types de pensées appréhensives associées aux situations redoutées. Ce sont des pensées irrationnelles, improductives et génératrices d'anxiété, d'une durée allant de quelques secondes à plus d'une heure. Elles sont la cause principale du comportement typique de l'agoraphobie et servent à perpétuer la croyance du sujet selon laquelle il sera en sécurité s'il évite telles ou telles situations.

Pensées appréhensives

- Perdre conscience ou s'effondrer en public
- Présenter des symptômes physiques graves
- Perdre le contrôle de soi; être atteint de confusion mentale
- Être incapable de faire face à la situation
- Mourir
- Faire une scène
- Avoir une crise cardiaque ou un autre accident physique
- Être incapable de rentrer à la maison ou de trouver un autre refuge
- Être coincé dans un lieu ou une situation
- Perdre la raison
- Ne plus pouvoir respirer

Certaines victimes de l'agoraphobie ne ressentent aucun symptôme de panique. Elles continuent d'être menées par leurs peurs appréhensives, mais, par un comportement d'évitement, elles ont restreint leur style de vie à un point tel qu'elles ne sont plus mal à l'aise.

Quand les agoraphobes se retirent du monde pour se protéger, ils doivent souvent sacrifier des amitiés, ou abandonner des responsabilités familiales ou une carrière. La perte de relations, d'affection et d'accomplissements ne fait qu'aggraver leur problème; elle mène à la perte d'estime de soi, à l'isolement, à la solitude et à la dépression. En outre, l'agoraphobe peut devenir dépendant de l'alcool ou des drogues, dans une vaine tentative de faire face à sa situation. Nous reparlerons de ce trouble complexe au quatrième chapitre et de l'alcoolisme au cinquième chapitre. La seconde partie du présent ouvrage propose aux victimes d'agoraphobie des moyens pratiques pour enrayer leurs peurs et maîtriser les attaques de panique.

Trouble de l'anxiété généralisée

La caractéristique principale du trouble de l'anxiété généralisée n'est pas la panique. Cependant, ce trouble comporte bon nombre des symptômes de la panique. Au lieu de se manifester par de brefs moments d'anxiété intense, ce trouble provoque des symptômes que le sujet ressent presque toute la journée.

Même si les manifestations de l'anxiété généralisée diffèrent d'un individu à l'autre, cet état de tension chronique affecte six des appareils et systèmes principaux du corps.

Dans l'appareil circulatoire, l'anxiété fait monter la tension artérielle, ce qui entraîne la tachycardie, la constriction des vaisseaux sanguins dans les bras et les jambes, ainsi que la dilatation des vaisseaux entourant les muscles du squelette. Ces changements provoquent des symptômes comme les palpitations, les maux de tête et les doigts froids.

Dans l'appareil digestif, l'anxiété réduit la sécrétion salivaire, produit des spasmes de l'œsophage (long tube musculaire qui relie la bouche et le nez à l'estomac) ainsi que des altérations de l'estomac, des intestins et du sphincter anal. Ces modifications systémiques provoquent des symptômes: sécheresse de la bouche, difficulté de la déglutition, sensation de trac, borborygmes intestinaux (gargouillement produit par les gaz intestinaux dans l'abdomen) et entérocolite muco-membraneuse (inflammation du gros intestin qui cause des spasmes, la diarrhée ou la constipation, et des douleurs semblables à des crampes dans la partie supérieure de l'estomac).

Dans l'appareil respiratoire, l'anxiété mène à l'hyperventilation, qui réduit la quantité de dioxyde de carbone contenue dans le sang et qui s'accompagne des symptômes suivants: besoin d'air, inspirations profondes et picotements.

Pour ce qui est de l'appareil génital et des voies urinaires, il se peut que la personne anxieuse éprouve le besoin d'uriner fréquemment. L'homme aura de la difficulté de conserver l'érection durant les rapports sexuels; l'excitation sexuelle ou l'orgasme seront plus difficiles à atteindre pour la femme.

Dans l'appareil locomoteur, les muscles sont tendus. Des tremblements involontaires du corps, des céphalées (maux de tête) tensionnelles nerveuses et d'autres douleurs pourraient survenir.

En raison des changements qui s'effectuent dans le système nerveux central, la personne anxieuse sera généralement sur le qui-vive, plus appréhensive, plus stimulée, plus vigilante, et plus impatiente ou irritable. Elle pourrait se plaindre de mauvaise concentration, d'insomnie et de fatigue.

Comme vous le constatez, la différence est souvent petite entre le diagnostic du trouble panique ou de l'agoraphobie d'une part, et du trouble de l'anxiété généralisée d'autre part. Trois caractéristiques les distinguent. Première distinction, les symptômes eux-mêmes: si l'individu est anxieux de façon chronique (comme c'est le cas pour le trouble de l'anxiété généralisée) et qu'il connaît également des attaques de panique, alors le diagnostic probable sera celui du trouble panique ou de l'agoraphobie.

La deuxième distinction, c'est le genre de pensées appréhensives. La plupart des personnes souffrant du trouble de l'anxiété généralisée s'inquiètent de leurs interactions avec leur entourage: «Est-ce que je connaîtrai l'échec dans ce milieu de travail?», «Va-t'on m'accepter?», «Je crains qu'il me quitte», «Et s'ils se rendaient compte que je ne connais pas grand-chose?», «Mon rendement ne sera jamais à la hauteur de leurs attentes.»

Dans le cas du trouble panique et de l'agoraphobie, la réaction imaginée des autres est secondaire par rapport à la crainte de la catastrophe personnelle ou de la perte de contrôle, et les interrogations intérieures du sujet refléteront cette appréhension: «Que va-t-il se passer si je perds conscience/deviens hystérique/ai une crise cardiaque/fais une scène... et que les gens me voient?» La personne sujette à la panique se préoccupe surtout de conserver la maîtrise parfaite de toutes ses capacités physiques et mentales. La personne atteinte d'anxiété généralisée, elle, s'inquiète davantage de son incapacité de faire face aux attentes et aux réactions de son entourage.

La troisième distinction porte sur la façon dont le sujet réagit à ses propres craintes. Le sujet anxieux songe à se retirer des situations qui accentuent son anxiété, et il risque de remettre à plus tard les tâches révélatrices de son rendement. Le sujet atteint du trouble panique ou d'agoraphobie, lui, recourt promptement au comportement d'évitement pour alléger sa sensation d'inconfort. En quelques jours seulement, il commencera à reconnaître les situations qui déclenchent des symptômes et il trouvera le moyen de les éviter. Dans le cas du trouble panique, le comportement d'évitement est immédiatement considéré comme la meilleure solution.

Phobies sociales

La phobie sociale est une crainte déraisonnable et excessive que telle activité soit remarquée par les gens. Le seul fait de penser à cette activité remplit le sujet d'anxiété, parce qu'il craint d'être humilié ou embarrassé. Le comportement d'évitement constitue son moyen de défense principal, et il se sent obligé d'y recourir.

Les types de phobies sociales vont de ce qui semble être une exagération de peurs courantes à ce qui paraît être des peurs tout à fait bizarres. La peur la plus fréquente, c'est celle de parler ou de s'exécuter en public. La plupart des gens, parce qu'ils en ont fait l'expérience, comprennent l'anxiété normale que provoque le fait de parler devant un public: tremblements des mains et des jambes, sueurs profuses, serrements d'estomac et inquiétudes de la performance. Non seulement le sujet atteint de phobies sociales sera pris de panique s'il est forcé d'envisager une telle situation, mais il fera tout en son pouvoir pour l'éviter.

Toute situation dans laquelle un «public» peut observer le comportement du sujet risque de se transformer en une préoccupation phobique: uriner dans des toilettes publiques, signer son nom pendant que l'on est observé, être épié pendant que l'on mange. L'une de nos patientes se sentait anxieuse dans presque toutes les situations sociales parce qu'elle craignait que les gens commencent à regarder ses yeux. Cette crainte était si réelle et si accablante pour elle que, aussitôt sortie de la maison, elle se trouvait plongée dans un état d'anxiété permanent.

L'anxiété, qui risque de provoquer la panique, et le comportement d'évitement sont le lien qui unit les phobies sociales au trouble panique et à l'agoraphobie. Ici encore, le trait distinctif, ce sont les craintes qu'éprouve le sujet. La personne atteinte d'une phobie sociale se voit prise d'une anxiété extrême au sujet de la réaction des gens à des comportements tout à fait normaux comme prendre un repas ou marcher sur la plage. La personne atteinte d'agoraphobie éprouve une peur irrationnelle de voir son corps refuser de se comporter de façon normale.

La personne qui souffre du trouble de l'anxiété généralisée est habituellement en train de connaître des changements dans sa vie qui minent sa confiance en elle-même. Par contre, il se peut que la personne atteinte d'une phobie sociale n'ait jamais réussi à maîtriser certaines habilités sociales. Souvent, ces personnes nous disent avoir été des enfants ou des adolescents timides et isolés, longtemps avant que leur problème se manifeste. La phobie peut être considérée comme la manifestation extrême d'une sensibilité de longue date aux opinions d'autrui.

Phobies spécifiques

Nous connaissons tous des gens qui éprouvent pour tel objet ou telle situation une crainte morbide, comme celle des espaces clos (claustrophobie), des endroits élevés (acrophobie), de l'eau (hydrophobie), ou encore celle des serpents, de l'éclair, etc. De la personne qui éprouve une crainte irrationnelle et persistante d'un objet ou d'une situation, et qui ressent un impérieux besoin de l'éviter, on dit quelquefois qu'elle souffre d'une «phobie simple» — réaction extrêmement intense déclenchée par un stimulus *unique*. Les phobies les plus courantes ont pour objets des animaux ou des insectes, des éléments naturels comme l'eau ou l'orage, des lieux élevés ou des espaces clos.

La réaction de la personne souffrant d'une phobie spécifique sera l'anxiété modérée, voire la panique, lorsqu'elle devra faire face à l'objet de sa crainte morbide. Cependant, il ne s'agit pas d'une crainte des symptômes (comme dans le trouble panique ou l'agoraphobie), mais bien de la situation même, qu'elle croit dangereuse.

Certains craignent de perdre la raison et de faire quelque chose d'insensé. La personne qui a peur des lieux élevés, par exemple, pourrait craindre de ne plus savoir ce qu'elle fait et de tomber accidentellement de la falaise où elle se tient. D'autres craignent les circonstances dans lesquelles leur environnement change dramatiquement. La personne qui a peur de prendre l'avion s'imagine que la queue de l'avion va se détacher, que le pilote va s'évanouir aux commandes ou que l'oxygène va manquer en plein vol.

De telles craintes défient la pensée rationnelle. La plupart des personnes souffrant de phobies savent bien que leurs pensées sont excessives et déraisonnables, mais le fait de le savoir ne leur est d'aucune utilité. Les pensées appréhensives leur viennent automatiquement, malgré la logique; ils croient donc que la seule solution à leur problème est d'éviter la situation ou l'objet en question.

Les phobies spécifiques peuvent naître rapidement, comme à la suite d'un événement traumatique, ou graduellement au fil des années, comme à la suite de l'apprentissage et de l'exemple donné à l'enfant par les parents ou par d'autres. Nous trouvons généralement que la personne souffrant d'une phobie n'a pas acquis suffisamment des connaissances et de l'expérience nécessaires pour faire face aux situations nouvelles et effrayantes de la vie, réelles ou imaginaires. Plutôt que d'acquérir une certaine perspective durant les périodes éprouvantes, cette personne devient la victime passive de sa peur. Sa seule réaction est de s'enfuir.

Le juste diagnostic de la crainte constitue un élément essentiel du traitement. Par exemple, celui qui a peur de prendre l'avion pourrait bien souffrir de la phobie des lieux élevés ou de celle des espaces fermés.

Chez la personne atteinte de plusieurs phobies spécifiques, la relation entre celles-ci n'est pas toujours évidente au départ. L'une de nos patientes agoraphobes a fini par éprouver une peur intense des couteaux et des enfants. Au cours d'une séance de traitement, elle nous a raconté que, quelques mois auparavant, elle avait trouvé son fils de sept ans en train de menacer sa sœur avec un couteau. Après l'avoir réprimandé, elle s'est mise à retourner dans sa tête les nombreux dangers que présentent les couteaux. Au bout d'un jour, elle commençait à s'interroger sur sa propre capacité de maîtriser un couteau. Par la suite, une image mentale spontanée lui est apparue: elle blessait un enfant avec un couteau. Quelques jours plus tard, elle se mettait à éviter les couteaux et se sentait anxieuse chaque fois qu'elle voyait de jeunes enfants. La croyance interne qui alimentait sa crainte était: «Je n'ai pas assez de maîtrise de moi-même [pour manipuler des couteaux/être en présence d'enfants].»

Ce cas illustre bien une autre configuration présente dans certaines phobies. La phobie peut découler d'un conflit interne courant ou d'une peur réelle ou des deux. Dans le cas de cette patiente, la peur réelle était de voir son jeune fils blesser quelqu'un faute de pouvoir maîtriser un couteau. Mais à cette peur légitime venait s'ajouter son propre conflit interne. Elle envisageait d'avoir un troisième enfant, mais son union était instable. Son mari était accaparé par ses affaires; elle ne se sentait ni appuyée ni aimée. Au fil de nos conversations, je me suis rendu compte qu'elle n'était pas consciente de l'intensité de ce conflit interne.

Remarquez toutefois à quel point sa phobie l'aidait d'une certaine façon à résoudre son problème, tout en lui causant de la détresse. En donnant naissance inconsciemment à ces peurs appréhensives sur sa capacité de contenir son agressivité, elle pouvait dès lors se dire: «Il est évident que je ne suis pas assez forte pour avoir un troisième enfant.» Cette peur déraisonnable résolvait son conflit interne et lui évitait d'affronter les difficultés de son union.

Par exemple, si elle continuait à désirer un troisième enfant, elle aurait pu avoir tendance à demander à son mari de la soutenir davantage sur le plan émotionnel. S'il refusait? S'il décidait que leur union n'était plus vivable pour lui et proposait le divorce? La peur d'être abandonnée a sans doute joué un rôle important dans l'apparition de la nouvelle phobie de cette femme. En renforçant les doutes qu'elle entretenait sur elle-même, elle n'avait plus assez d'assurance pour imposer des exigences à son mari. Au lieu de cela, elle devenait de plus en plus dépendante et moins apte à faire valoir ses besoins.

Ainsi, les phobies sont souvent plus compliquées qu'elles ne le paraissent de prime abord. Et leur nature «irrationnelle» pourrait, en réalité, être fondée sur la tentative de résoudre un problème réel de la vie. Au bout d'un certain temps, la crainte irrationnelle acquiert une vie propre, tout comme une habitude, sans égard à son objet inconscient initial.

Trouble obsessionnel-compulsif

Les obsessions, ce sont des pensées répétitives et improductives que connaissent à l'occasion la plupart des gens. Il se peut que telle personne, dans sa voiture, à dix minutes de chez elle, en route vers un lieu de vacances, se demande tout à coup: «Est-ce que j'ai débranché le fer après avoir repassé ma dernière chemise?» Ensuite elle se dira: «Je l'ai sans doute fait... mais je n'en suis pas sûre. J'étais si pressée. Est-ce que je me souviens de m'être baissée pour tirer la fiche hors de la prise? Je ne m'en souviens pas. Le petit voyant du fer était-il encore allumé quand je suis sortie de la maison? Non, il ne l'était pas. L'était-il? Je ne peux pas laisser ce fer allumé toute une semaine; la maison va brûler. Tout cela est ridicule!» Finalement, cette personne fera demi-tour et rentrera chez elle pour vérifier la situation — si c'est le seul moyen de dissiper ses craintes —, ou bien elle se convaincra qu'elle a bel et bien fait ce qu'il fallait.

C'est là un exemple de ce qui peut se passer dans la tête de quiconque s'inquiète d'une situation donnée. Mais dans l'esprit de la personne atteinte du trouble obsessionnel-compulsif, ce schème de pensée est excessif et persistant. Les compulsions constituent le second type de manifestations de ce trouble: ce sont des comportements répétitifs et improductifs, qui se déroulent comme des rituels. Comme dans le cas des pensées obsédantes, quelques comportements compulsifs peuvent exister chez la personne normale. Enfants, nous nous amusions avec les superstitions — comme celle de ne pas mettre le pied sur l'espace séparant les bouts de trottoir ou celle de faire demi-tour quand un chat noir croisait notre chemin. Certaines de ces superstitions persistent chez l'adulte: beaucoup d'entre nous refusent encore de passer sous une échelle.

Le trouble obsessionnel-compulsif, toutefois, est beaucoup plus grave. La personne qui en souffre est menée par des pensées négatives involontaires, incontrôlables et dévorantes. Elle est envahie par le doute de soi, l'ambivalence, l'indécision et les impulsions. Les pensées qu'elle nourrit sont un moyen de défense contre le risque de commettre une erreur. Souvent, cette personne se dit en elle-même que, si elle continue de s'inquiéter, elle empêchera telle ou telle chose tragique de se produire. En même temps, elle sait très bien que ces pensées sont irrationnelles et elle tente de leur résister. Mais plus elle leur résiste, plus celles-ci prennent de la force.

Parmi les obsessions les plus courantes, il y a celle de commettre un acte violent (empoisonner son conjoint, poignarder un enfant) ou un acte immoral, celle de douter d'avoir exécuté telle ou telle action (éteindre la cuisinière), ou celle d'être sali ou contaminé (attraper des microbes en ramassant un objet ou en touchant quelqu'un).

Les compulsions semblent aussi être motivées par le besoin de soulager l'anxiété au moyen de règles ou de rituels obligatoires. Parmi les compulsions les plus courantes, on compte celles-ci: se laver les mains — jusqu'à dix fois par heure, toute la journée —, toucher rituellement à tel ou tel objet, vérifier et vérifier sans cesse la même chose. Les anorexiques, par exemple, ont souvent des rituels reliés à leur façon de manger, comme celui de ne pas laisser les aliments sur leur fourchette toucher leurs lèvres. L'une de nos patientes à la personnalité compulsive se sentait obligée de vérifier si elle avait éteint la cuisinière chaque fois qu'elle sortait de chez elle. Elle sortait de la maison et, en fermant sa porte à clé, elle éprouvait le besoin urgent de retourner à la cuisine et de toucher à chaque bouton de la cuisinière pour vérifier s'il était bien en position fermée. Aussitôt ressortie, elle ressentait le même besoin impérieux. Après une bonne douzaine de vérifications, elle se sentait normalement assez rassurée pour sortir de la maison. Cependant, il arrivait quelquefois que sa crainte l'oblige à annuler sa sortie.

La panique se fait sentir aussitôt que le sujet tente de mettre fin au rituel. La tension et l'anxiété atteignent un tel degré que le sujet s'abandonne de nouveau à ses pensées ou à ses comportements. Contrairement à l'alcoolique, qui se sent poussé à boire mais qui aime le faire, le sujet souffrant du trouble obsessionnel-compulsif tire du rituel son soulagement, mais aucun plaisir.

Les obsessions se manifestent quelquefois dans la vie de ceux qui souffrent d'agoraphobie, comme dans l'exemple donné précédemment de la femme qui craignait de poignarder un enfant avec un couteau. Ces obsessions peuvent mener à une réaction phobique d'évitement des objets. On peut voir là un système de défense à deux temps. Les obsessions servent comme moyen de maîtriser telle ou telle chose («Tant que je continuerai de m'inquiéter je ne commettrai pas d'erreur»). Si le sujet commence à ne plus croire que ces inquiétudes suffiront à enrayer la réaction redoutée, alors il doit trouver une autre «solution», et les phobies la lui fournissent: «Si ma pensée ne parvient pas à elle seule à assurer ma sécurité, alors la seule façon d'éviter une erreur, c'est tout simplement d'éviter la situation.»

Syndrome de stress post-traumatique

Le syndrome de stress post-traumatique (SSPT) désigne le trouble psychiatrique précis qui peut résulter d'un événement traumatique majeur sur le plan psychologique. Typiquement, cet événement génère peur et anxiété chez quiconque en fait l'expérience: viol ou agression, catastrophe naturelle, accident grave (témoin ou victime), intervention chirurgicale majeure ou situation de combat durant la guerre. Les symptômes se manifestent immédiatement ou apparaissent six mois, un an ou même plus tard après l'événement.

L'anxiété extrême et la panique pourraient n'être que deux symptômes parmi d'autres. Des images de l'événement traumatique surgiront régulièrement chez le sujet, souvent avec le même degré d'anxiété que durant l'événement même. Ou encore, le sujet aura soudainement l'impression que l'événement se produit au présent. Les cauchemars récurrents sont dramatiques et troublants. Le sommeil peut être perturbé par les rêves, l'anxiété ou la dépression. Le sujet pourrait rester tendu et anxieux toute la journée, et sursauter facilement.

Quand le sujet traumatisé ressent de plus en plus cette expérience sur le plan physique, il commence à se retirer du monde, à manifester moins d'émotion et à se désintéresser des gens et des activités qui naguère lui tenaient à cœur. Il évite les situations susceptibles d'évoquer le souvenir de l'événement traumatisant. Le sentiment de culpabilité, la dépression et des comportements agressifs soudains pourraient apparaître. Souvent, pour contrôler ces réactions, le sujet abuse des drogues ou de l'alcool.

Le sous-groupe le plus important faisant l'expérience du SSPT est celui des anciens combattants. Aux États-Unis, c'est la guerre du Viêt-nam qui a provoqué le plus fort pourcentage de cas de SSPT. En fait, c'est après que les études sur les anciens combattants de cette guerre ont été ajoutées à celles qui portaient sur les victimes civiles du stress post-traumatique que l'American Psychiatric Association a créé, en 1980, une nouvelle catégorie de troubles anxieux: le syndrome de stress post-traumatique (aigu, chronique ou différé).

Sur le chemin de la guérison, la chose la plus difficile à faire pour le sujet, c'est d'intégrer l'événement traumatisant dans sa vision du monde et dans sa compréhension de sa vie personnelle. Il est possible que les cauchemars et les images spontanées du traumatisme soient des tentatives inconscientes de guérir les blessures psychiques.

L'expérience singulière vécue par les anciens combattants du Viêt-nam illustre bien comment, pour l'esprit, les changements traumatisants peuvent être difficiles à «métaboliser», et comment ce travail d'analyse est essentiel. La guerre du Viêt-nam ne ressemblait à aucune autre guerre de l'histoire des États-Unis. L'âge moyen du soldat était de dix-neuf ans et non pas de vingt-six ans comme pour la Seconde Guerre mondiale. Les soldats s'envolaient souvent pour le Viêt-nam en tant qu'individus plutôt qu'à titre de membres d'équipes. Une fois sur place, rien ne semblait simple. Les nouveaux arrivés n'étaient pas facilement acceptés par les soldats déjà au combat. L'ennemi n'était pas aisé à reconnaître et ne portait pas nécessairement l'uniforme: des femmes ou des enfants pouvaient vous tuer dans la rue. Et, par conséquent, il arrivait que des femmes et des enfants civils se fassent tuer par des soldats américains. Il n'y avait pas vraiment de front, le même territoire devait être gagné cent fois. Le commandement était jeune et inexpérimenté. Le but du soldat était de tuer le plus grand nombre de personnes et de survivre.

Le processus de retour du soldat au pays ne satisfaisait pas son besoin profond d'assimiler lentement l'expérience de guerre. Après une période de douze ou treize mois de combat, les soldats étaient ramenés aux États-Unis en quelques heures, encore une fois à titre d'individus et non pas d'équipiers. Cette situation était fort différente de celle qu'ont connue les anciens combattants de la Seconde Guerre mondiale, qui passaient des semaines sinon des mois sur les bateaux les ramenant au pays, en compagnie d'autres soldats qui étaient proches d'eux. Le soldat du Viêt-nam, lui, pouvait en quarante-huit heures quitter son unité qui venait de tuer à la M-16 quatre soldats nord-vietnamiens, pour se retrouver assis sur la galerie de la maison familiale, en plein cœur des États-Unis, tandis que ses compatriotes restés en Asie du Sud-Est rêvaient au jour où ce serait leur tour. Mais ils n'étaient pas préparés à ce retour. Pour la première fois de son histoire, le peuple américain s'était retourné contre la guerre et contre les soldats qui rentraient. Les défilés triomphants étaient remplacés par les marches contre la guerre. Le soldat en uniforme qui se promenait dans les rues d'Amérique risquait de se faire cracher dessus. Les héros étaient devenus les traîtres.

Il ne faut donc pas s'étonner si certains anciens combattants du Viêt-nam souffrent encore d'un état chronique de stress post-traumatique, puisque la cause première de celui-ci, c'est l'incapacité d'intégrer l'expérience traumatisante dans la vie courante. Pour assimiler un événement traumatisant de cette intensité, il faut beaucoup de temps, en plus du soutien et de la compréhension des autres. La personne atteinte du SSPT doit avoir l'occasion de parler de l'expérience traumatisante et, finalement, doit éprouver les émotions en cause. En analysant ses émotions, elle pourra commencer à raccorder le traumatisme au reste de sa vie. Un élément de ce raccord sera la capacité de laisser les événements passés dans le passé plutôt que de les laisser continuellement refaire surface dans le présent. Dans le cas de l'ancien combattant du Viêt-nam, le retour à la vie présente peut encore être facilité par les réactions de son entourage. L'un de mes collègues qui travaillent auprès de ces hommes et de ces femmes déclare que, même vingt ans après leur retour d'Asie du Sud-Est, ces soldats ont besoin qu'on leur dise trois choses qui ne leur ont pas été dites depuis si longtemps: «Bienvenue chez toi», «Merci» et «Grâce à Dieu, tu es encore vivant».

4

Agoraphobie et personnalité sujette à la panique

La nature de l'agoraphobie est si complexe qu'elle doit être considérée comme distincte de toutes les autres phobies. Ce n'est pas le moment de panique qui distingue l'agoraphobie, ni le fait qu'elle englobe une gamme plus vaste de peurs. Les réactions physiologiques du claustrophobe devant la porte ouverte d'un ascenseur peuvent être aussi fortes que celles de l'agoraphobe, et le premier pourrait devoir éviter un nombre aussi grand de situations que le second, de crainte d'être enfermé.

La différence principale réside dans les croyances sous-jacentes à la peur chez le sujet. Ces croyances se fondent sur des expériences vécues par chaque agoraphobe; elles sont entretenues par les relations actuelles et par les souvenirs.

Si vous êtes agoraphobe, vous devez faire davantage qu'apprendre à dominer le moment de panique. Vous devrez saisir toutes les occasions d'en apprendre un peu plus sur vous-même, sur votre relation avec les principaux protagonistes de votre vie et sur la façon dont vous vous êtes développé durant l'enfance. Ce n'est pas simplement ce que vous éprouvez dans les situations que vous redoutez qui est au cœur de l'agoraphobie, mais aussi ce que vous pensez de vous-même, comment vous vous comparez aux autres, comment vous traitez les autres et comment vous les laissez vous traiter.

Apprendre à maîtriser ses pensées et ses sensations physiques à l'approche de la situation redoutée est essentiel, tout comme ce l'est pour tous ceux chez qui la panique provient d'une autre source. En même temps, vous devez en apprendre davantage sur votre perception de vous-même et sur les limites que vous ressentez en tant qu'être humain. Vous aurez besoin de toute la force que vous pourrez rassembler pour surmonter votre état. Dans le présent chapitre, je vous enseignerai comment la perception de soi, les relations actuelles, et les relations et événements passés peuvent favoriser l'apparition de la panique et affaiblir votre résistance à la peur. Vous avez lu dans le troisième chapitre que la crainte principale de l'agoraphobe était de perdre le contrôle de la situation. En lisant le présent chapitre, souvenez-vous-en. J'illustrerai par différents exemples le fait que les gens *apprennent* à sentir qu'ils ont perdu le contrôle, non seulement dans les situations qui provoquent la panique, mais aussi dans toute leur vie. La perte de contrôle durant la panique n'est qu'un reflet des croyances intérieures de chaque agoraphobe.

Puisque 85 p. 100 environ des personnes atteintes d'agoraphobie sont des femmes, je parlerai surtout des difficultés de celles-ci, et j'utiliserai le féminin dans le reste du chapitre.

Les chercheurs n'ont pas encore trouvé pourquoi l'agoraphobie frappe surtout les femmes. Au cours des prochaines années, nous découvrirons sans doute qu'il existe un certain nombre de facteurs d'influence. Voici quelques hypothèses qui ont été formulées, mais pas encore confirmées par la méthode scientifique.

- Traditionnellement, les parents, comme d'ailleurs notre culture en général, se sont souciés fort peu de préparer les jeunes filles à se débrouiller seules après avoir quitté le foyer familial. Les fantasmes de contes de fées — la femme délicate protégée par l'homme qui la domine et prend soin d'elle — peuvent se briser en mille morceaux sous les exigences réelles du mariage et du rôle parental. Si les femmes croient que leurs aptitudes ne sont pas à la hauteur de la tâche qui les attend, elles pourraient devenir vulnérables à l'anxiété et au doute de soi et dépendre exagérément des autres.

- L'agoraphobie apparaît chez la personne qui succombe à la peur de la panique en évitant certaines situations. L'image stéréotypée du «macho» pousse peut-être l'homme à endurer les symptômes de l'anxiété et à faire face aux situations redoutées. Celui qui affronte continuellement l'anxiété se désensibilise à ces symptômes. C'est ainsi que certains hommes acquièrent des techniques qui empêchent l'anxiété de dégénérer en panique.
- De la même façon, les personnes qui travaillent à la maison sont désavantagées par rapport à celles qui doivent se déplacer chaque jour pour conserver leur emploi. Prenons l'exemple d'un couple marié qui a un nouveau-né: le mari travaille à plein temps et c'est la femme qui, des deux, s'occupe le plus de l'enfant. Si le mari commence à ressentir de la panique le matin quand il se lève, il ressent également la forte et concurrente obligation de tolérer ses symptômes et d'arriver au travail à l'heure. Il sent qu'il a la responsabilité de pourvoir aux besoins de sa famille, de gagner le chèque de paie hebdomadaire: il ne lui est pas facile d'éviter le travail. Par contre, si la femme se sent anxieuse à l'idée d'aller faire le marché ce matin-là, elle peut le remettre au lendemain, vu la souplesse de son horaire. Si le fait de se rendre au parc avec son enfant est source d'anxiété, ce jour-là mère et enfant peuvent jouer à la maison. Ainsi, la femme qui jouit d'un horaire souple risque davantage de recourir à un comportement d'évitement pour prévenir la panique, au lieu d'utiliser les méthodes plus efficaces d'affrontement direct. Il se peut que le besoin d'éviter certaines situations commence à prédominer, et qu'apparaisse l'agoraphobie.
- Certaines différences physiologiques pourraient rendre la femme plus susceptible que l'homme de connaître la panique. Les changements qui se produisent dans l'appareil endocrinien sont considérés comme les facteurs d'influence les plus puissants. Par exemple, un grand nombre de femmes souffrant d'agoraphobie en présentent les premiers symptômes après la naissance d'un enfant. C'est précisément durant cette période que surviennent de

grands changements hormonaux. D'autres femmes agoraphobes disent connaître une accentuation des symptômes de l'anxiété ou une augmentation de la fréquence des moments de panique durant la semaine qui précède la menstruation. C'est à ce moment que les taux d'œstrogène et de progestérone tombent temporairement. Ces facteurs hormonaux, croit-on, jouent également un rôle dans le syndrome prémenstruel dont il sera question au cinquième chapitre.

Même si ces facteurs biologiques se révélaient importants dans le développement de l'agoraphobie, les influences psychologiques pourraient jouer un rôle tout aussi important durant le post-partum ou la période prémenstruelle. Par exemple, l'agoraphobie apparaît généralement durant une période de stress prolongée. Toutes les mères sont conscientes du nombre étonnamment élevé de changements auxquels elles font face sur les plans physique, psychologique et économique, ainsi que sur le plan des relations interpersonnelles, à la naissance d'un enfant. Le stress naît de l'intensité des changements qui s'effectuent dans la vie de l'individu, que celui-ci les considère comme positifs ou comme négatifs. Le stress résultant de la naissance d'un enfant peut avoir des effets désastreux. Pour ce qui est des influences de nature prémenstruelle, la femme qui connaît l'inconfort physique et émotionnel durant une semaine chaque mois commencera inévitablement à appréhender cette semaine-là. Et si elle n'a pas trouvé de moyen efficace pour dominer ses symptômes, il est probable qu'elle attendra cette semaine avec anxiété. Autrement dit, l'inconfort réel causé par les facteurs biologiques est intensifié par l'attente appréhensive. Cette situation mène bientôt à une réaction semblable à un réflexe conditionnel: inconsciemment, la femme se prépare à l'inconfort. Le fait d'être ainsi sur le qui-vive accentue sa tension et la rend plus vulnérable à la panique.

Un autre facteur biologique, c'est la différence entre le niveau de testostérone de l'homme et celui de la femme. Cette hormone, présente à plus forte teneur chez l'homme, est associée au comportement de domination. Ainsi, l'homme pourrait bien être moins susceptible d'éprouver la peur et pourrait affronter plus agressivement que les femmes les situations génératrices de peur.

- Il est possible que le rapport disproportionné entre les femmes et les hommes atteints d'agoraphobie soit le reflet d'une sous-estimation des cas d'agoraphobie masculine. L'un des arguments en faveur de cette hypothèse, c'est la théorie selon laquelle les hommes masquent leurs symptômes de panique par un abus d'alcool (voir le cinquième chapitre). Si les femmes admettent plus facilement que les hommes l'origine psychologique de leurs problèmes et qu'elles recherchent plus volontiers l'aide des professionnels de la santé mentale, l'image «macho» des hommes pourrait bien empêcher ceux-ci d'admettre l'existence d'un problème et de se faire aider. L'abus d'alcool est une forme commode d'autotraitement qui apporte un soulagement à court terme. Cependant, quand il voudra se faire aider, l'homme souffrant d'agoraphobie et d'alcoolisme se rendra probablement chez les Alcooliques Anonymes ou dans un centre de désintoxication. Les programmes appliqués par ces centres s'attaquent aux problèmes de la toxicomanie, mais ils ne touchent qu'indirectement aux problèmes de l'agoraphobie.

C'est parce que l'agoraphobie n'a été diagnostiquée que chez un faible pourcentage d'hommes que notre connaissance de leurs difficultés est moins grande. En tant que groupe, les hommes agoraphobes semblent plus extravertis, plus agressifs et plus ambitieux que certaines des femmes dont nous parlons dans le présent chapitre. La plus grande difficulté de ces hommes, c'est d'exprimer franchement leurs émotions, plus particulièrement dans les relations intimes. C'est pourquoi, chez eux, les premiers symptômes pourraient bien apparaître peu après le début de conflits conjugaux. Apprendre à être plus sûr d'eux dans les relations intimes et à accepter l'évolution du rôle de la femme d'aujourd'hui pourrait être un facteur important du traitement de l'agoraphobie des hommes.

J'illustrerai chacun des thèmes psychologiques du présent chapitre au moyen des réflexions et des idées de cinq femmes qui ont souffert d'agoraphobie. Avant de vous les présenter, je voudrais que vous sachiez ceci: premièrement, ces femmes nous ont généreusement permis d'enregistrer les interviews sur bande audio. Tous les noms et détails biographiques ont été changés pour protéger le caractère confidentiel des interviews. Deuxièmement, leurs expériences durant l'enfance sont typiques des formes graves de cette affection. La longue lutte de ces femmes contre l'agoraphobie — d'une durée de douze à quarante-neuf ans — est commune chez les sujets qui ne reçoivent pas les traitements professionnels adéquats. Grâce à nos nouvelles méthodes de traitement conçues spécialement pour l'agoraphobie, personne n'en est plus réduit à souffrir de panique pendant de si longues années. Cependant, les récits de ces femmes nous font mieux comprendre les mécanismes de l'agoraphobie, qui ne pourraient être illustrés si clairement et si brièvement au moyen de cas moins spectaculaires. Troisièmement, les détails du traitement complexe de tous les aspects de l'agoraphobie dépassent les limites du présent ouvrage. Je me contenterai plutôt de décrire chacune de ces femmes comme elle en était au début du traitement et de résumer les tâches thérapeutiques qu'elle devra assumer pour apprendre à vaincre les attaques de panique.

Enfin, je limiterai les détails de la vie de ces femmes à ceux qui servent les thèmes du chapitre. Beaucoup de facteurs influent sur les difficultés psychophysiologiques, et ces facteurs varient selon l'individu.

En lisant le récit de chacune de ces femmes, demandez-vous si vos expériences ou vos émotions sont analogues. Que chaque lectrice saisisse ici l'occasion d'apprendre à mieux se connaître. Chaque thème qui ne fait pas problème pour vous est un signe de votre force. Quand vous vous sentez concernée par telle ou telle question, songez qu'il s'agit là d'un domaine dans lequel vous devrez faire preuve de force. Et n'oubliez jamais ceci: *Chaque fois que vous acquerrez de la force dans votre vie personnelle, vous aurez une arme de plus pour vaincre la panique.*

Corinne L., trente-quatre ans, est mère de deux enfants. Elle a commencé à éprouver de l'anxiété à l'âge de sept ans. Elle se souvient que, à cet âge-là, elle quittait la demeure de ses petites amies pour rentrer précipitamment à la maison, à cause d'un sentiment de peur accablant. Une fois dans sa chambre, elle éprouvait un soulagement temporaire de ces étranges tensions, mais se mettait à pleurer, seule sur son lit. Après plusieurs années d'un traitement psychologique, les symptômes ont disparu. Puis, durant sa dernière année d'études secondaires, Corinne a perdu son père. Les douze mois suivants ont été marqués par une profonde dépression; elle s'aventurait rarement hors de sa chambre. L'année suivante, elle et sa famille ont déménagé dans une autre ville. Au bout de quelques mois, Corinne a commencé à avoir des attaques de panique, d'abord au restaurant, puis au cinéma et en voyage.

Aujourd'hui, treize ans plus tard, Corinne continue de souffrir de panique, particulièrement quand elle se déplace seule. Voici quelques-uns de ses symptômes: tachycardie, vision trouble, serrement des mâchoires, faiblesse, engourdissements, maux de tête lancinants, douleurs dans la poitrine et manque d'équilibre physique. Même si elle peut se déplacer sans problème avec un compagnon, elle s'engage rarement à participer à des activités sociales, de crainte de devoir annuler ses projets.

Il ne fait aucun doute que ce que Corinne a vécu durant son enfance la rend plus vulnérable à la panique. Mais ce qui est plus pertinent dans le contexte du présent chapitre, c'est la façon dont les symptômes de Corinne se fondent sur son image actuelle d'elle-même. Dans les pages suivantes, vous verrez comment elle se sent inférieure à ses pairs, comment elle critique sans cesse ses propres actions et comment elle cherche l'approbation des autres tout en refusant d'accepter leurs compliments. Elle se croit inepte sur le plan social et incapable d'avoir une conversation normale avec ses amies. Et elle craint la colère de son mari au point de multiplier les concessions pour l'apaiser.

Quand nous plaçons les symptômes de Corinne dans le contexte de sa vie actuelle, nous voyons bien comment ils sont le reflet de la méfiance qu'elle a d'elle-même. Elle ne croit pas posséder ce qu'il faut pour faire face au monde adulte. Par conséquent, chaque fois que la vie lui lance un défi, elle prend peur. Même s'ils sont désagréables et affligeants, ses symptômes de panique ne sont qu'un élément de la peur qu'elle a d'être contrainte à assumer des responsabilités d'adulte.

En se guérissant de son agoraphobie, Corinne apprendra à faire face aux déplacements seule. Mais elle apprendra également qu'elle est un membre unique et important de notre monde, qu'elle mérite le respect des autres et le respect d'elle-même. Elle se rendra compte du fait que, si son mariage est solide, son mari ne la quittera pas pour la seule raison qu'elle fait valoir ses besoins. Elle apprendra aussi qu'elle est capable de survivre à la perte d'êtres ou de choses qui lui sont chères, qu'elle peut tolérer ses propres erreurs et qu'elle n'a pas besoin de l'approbation des autres pour se sentir bien dans sa peau.

Cécile W., ménagère de quarante-cinq ans, souffre des symptômes de l'agoraphobie depuis vingt-deux ans. Ses plus grandes difficultés apparaissent quand elle commence à planifier tel ou tel événement, mineur ou majeur. Aussitôt qu'elle envisage d'aller faire ses courses, de pénétrer dans un endroit bondé ou de se rendre à la plage, elle se sent suffoquer, comme si elle était incapable de respirer. Elle a des étourdissements et des nausées, son cœur s'emballe et ses jambes faiblissent. En même temps, toutes sortes de pensées appréhensives se bousculent dans sa tête. Si elle s'aventure à l'extérieur, tout ce à quoi elle pense, c'est à rentrer chez elle. Après plusieurs heures d'anticipation anxieuse, Cécile se sent épuisée sur le plan physique comme sur le plan émotionnel, et elle se refuse à sortir de la maison pendant plusieurs jours.

Les symptômes ont commencé à la naissance de sa fille aînée, Suzanne. Cécile est devenue enceinte au cours de sa lune de miel. Une fois Suzanne née, le mari de Cécile a travaillé sept jours et sept soirs par semaine, pendant que sa femme restait à la maison. La vie de Cécile était changée du tout au tout. Finie la vie insouciante de célibataire: Cécile était seule à la maison tous les soirs. Trois mois plus tard, la maison dont ils étaient les locataires était vendue, et la petite famille était chassée du foyer. C'en était trop. Cécile était dès lors déprimée, anxieuse. Un jour, à la recherche d'un appartement, elle a ressenti des douleurs à la poitrine et cru qu'elle était victime d'une crise cardiaque. Sa mère l'a fait transporter de toute urgence à l'hôpital, mais le médecin a diagnostiqué l'anxiété et lui a prescrit des tranquillisants. À partir de ce moment, les symptômes se sont peu à peu aggravés. Elle commençait à ne plus pouvoir aller à l'église. Puis, c'est le supermarché qui lui faisait peur. Au bout d'une année, elle ne pouvait plus sortir de chez elle, trop effrayée même pour franchir le seuil de sa porte. Au cours des dix-sept dernières années, elle a connu des périodes de rémission suivies de rechutes spectaculaires. Comme dans bien des cas d'agoraphobie, son cas a été évalué par un grand nombre de médecins. Elle a eu recours pendant plusieurs années à la psychothérapie, a essayé bon nombre de médicaments et, sur une période de deux ans, elle a été hospitalisée à maintes reprises. En plus de connaître les symptômes de l'agoraphobie, elle a traversé plusieurs périodes de profonde dépression.

L'agoraphobie, toutefois, n'est pas seulement la crainte de symptômes physiques puissants. C'est aussi la façon dont chacun se voit et voit son rôle dans le monde. Dans le présent chapitre, vous verrez que Cécile se décrit comme étant l'éternelle inquiète de la famille. Elle s'attend toujours au pire; elle est toujours sur ses gardes. Sa peur quotidienne la plus grande, c'est de voir son mari la quitter, même si rien ne laisse croire qu'un tel danger pourrait exister. De façon générale, sa vie tourne autour de son anticipation anxieuse d'une perte quelconque. Sa crainte de perdre le contrôle de la situation au supermarché est symbolique d'une croyance plus profonde qu'elle entretient à propos de sa vie: si je m'abandonne et tire du plaisir de la vie, quelque chose de terrible va m'arriver.

Vous lirez aussi ce que Cécile a à dire de son enfance, de sa vie vécue dans la peur, la confusion et la douleur émotionnelle secrète, toujours inquiète de voir son père alcoolique blesser gravement sa mère durant les fréquentes scènes de violence du samedi soir. Vous apprendrez également comment sa mère la dominait, comment durant l'adolescence elle lui volait son indépendance en prenant toutes les décisions à sa place et en tentant de diriger sa façon de penser.

De telles expériences d'enfance laissent une jeune fille dépourvue devant les responsabilités de la vie adulte. Quand elle vaincra son agoraphobie, Cécile maîtrisera beaucoup de nouvelles techniques. De plus, elle acquerra le sens de l'indépendance. Enfant, elle ne pouvait rien faire d'autre que craindre la violence de son père et suivre les directives de sa mère qui la surprotégeait. Aujourd'hui, cependant, elle apprendra à se faire confiance, ce qui lui donnera le sentiment d'être libre, de pouvoir faire des choix et d'être indépendante.

Diane B., femme mariée de quarante-sept ans, a trois enfants. Elle souffre d'agoraphobie depuis vingt et un ans. Pendant beaucoup de ces années, les symptômes de l'agoraphobie ont été masqués par de longues périodes de profonde dépression. Elle a même été hospitalisée à plusieurs reprises pour le traitement de sa dépression et de ses tendances suicidaires. Ce traitement, toutefois, ne comprenait jamais une psychothérapie poussée. Il se limitait aux médicaments — comme les tranquillisants et les antidépresseurs — et à l'électroconvulsivothérapie (ECT), souvent utilisée dans les cas de dépression profonde. (L'ECT prolongée n'a plus cours désormais. Utilisée judicieusement, comme c'est le cas aujourd'hui, l'ECT peut produire des améliorations spectaculaires dans certains cas de dépression profonde, en trois ou quatre séances seulement. Cependant, sur une période de sept ans, Diane a reçu une centaine de traitements. C'est pourquoi elle se plaint maintenant d'une détérioration permanente de la mémoire.)

Diane a eu sa première attaque de panique trois mois après la naissance de son premier-né. Depuis dix ans, chaque année, pendant environ deux mois, il lui est impossible de sortir de sa maison. Dans les pires périodes, elle est même incapable de sortir de sa chambre sans être prise de panique.

C'est durant les deux semaines qui entourent sa menstruation que Diane est le plus susceptible d'être victime de panique. En crise, elle est étourdie, sa vision est trouble et son pouvoir de concentration médiocre, les muscles de ses jambes sont faibles, ses mains sont moites et ses pieds froids, elle est prise de nausées et ses mâchoires sont serrées. En même temps, Diane fait l'expérience de la dépersonnalisation: elle a l'impression que son esprit se détache de son corps, comme dans un rêve. Elle se met à craindre de perdre le contrôle d'elle-même et de la situation, elle veut s'enfuir: «Si je reste ici, je vais m'évanouir... je serai humiliée... tous ces sentiments vont m'anéantir.» Plus éprouvant encore, elle se demande si elle va devoir vivre une autre période de réclusion chez elle.

Dans le présent chapitre, Diane nous parlera de ses expériences d'enfant, qui ont rapport, à mon avis, avec sa lutte contre l'agoraphobie. Elle était la benjamine d'une famille de cinq enfants, née huit ans après le quatrième. Son père a été tué dans un accident de voiture quand elle avait sept ans. Dès lors, sa mère était devenue une quasi-recluse, refusant de rencontrer les amis et de sortir avec un homme. Elle ne s'est jamais remariée. Diane aussi s'est repliée sur elle-même. Durant les cinq années qui ont suivi le décès de son père, elle allait à l'école, aidait à la préparation du souper avant que sa mère rentre du travail, puis passait le reste de la soirée dans sa chambre.

Diane, pendant son adolescence, a laissé sa mère dominer sa vie. Diane ne discutait jamais, ne disait jamais non. À ses yeux, sa mère avait consenti d'énormes sacrifices. Chaque fois que Diane songeait à s'opposer à sa mère, un sentiment de culpabilité venait faire avorter les efforts qu'elle faisait pour s'affirmer. Son plus grand devoir était de satisfaire sa mère, et le meilleur moyen d'y arriver, c'était de renoncer à prendre des décisions elle-même. Diane nous expliquera comment, plus tard dans sa vie, cette attitude s'est généralisée dans ses autres relations, comment elle a appris à cacher ses propres besoins tout en essayant de satisfaire aux exigences des autres.

Diane adopte cette attitude pour plusieurs raisons, dont l'une est la crainte d'être abandonnée (angoisse de séparation). Rappelez-vous que, après le décès de son père, la seule relation de Diane a été, pendant des années, celle qu'elle entretenait avec sa mère. Il est possible qu'elle ait raisonné ainsi: «Tant que je serai bonne, elle ne me quittera pas.» Et quel comportement adoptons-nous quand nous voulons être «bons»? Nous ne tenons pas compte de nos propres besoins et consacrons toute notre énergie au bonheur des autres. C'est ce que Diane fait encore aujourd'hui.

Le meilleur moyen de ne pas tenir compte de nos besoins, c'est d'ignorer nos sentiments, puisque les émotions déterminent un grand nombre de nos décisions. Jeune fille, Diane a payé cher son désir de conserver l'amour de sa mère: elle a cessé de tenir compte de ses propres sentiments. Après des années de ce régime-là, elle n'est plus capable de distinguer ses émotions ni de les maîtriser.

La lutte de Diane contre la panique est reliée de près à sa crainte d'être abandonnée, à sa dépression, à son besoin de satisfaire les autres, et à l'étouffement de ses propres besoins et sentiments. Il lui sera impossible de vaincre la panique sans affronter ces sujets d'inquiétude enracinés. Avec le temps, elle apprendra que les adultes vivent en dépendant les uns des autres. Chacun de nous a le droit, même le devoir, d'exprimer ouvertement ses émotions et d'essayer d'atteindre les buts qu'il s'est fixés, sans craindre les répercussions de l'isolement ou de l'abandon. Les amis et parents qui nous sont proches et qui ont à cœur notre bien veulent connaître nos sentiments, même si ceux-ci diffèrent des leurs. Ce n'est que par la révélation sincère de nos vrais besoins et sentiments que nous pouvons faire valoir le caractère unique de notre être. À mesure que Diane apprendra à se livrer, elle ne permettra plus que des émotions refoulées s'expriment par le biais de la panique.

Anne C. est une femme de trente-neuf ans, mariée et mère d'un enfant. Ses attaques de panique ont commencé à se manifester quand elle avait vingt ans, un mois seulement avant le jour de son mariage. De retour au travail après sa lune de miel, elle souffrait toute la journée d'une anxiété profonde accompagnée de maux de tête et de crises de panique. Encouragée par sa famille, elle a commencé à voir un psychiatre qui lui a prescrit un tranquillisant. Après plusieurs mois de séances hebdomadaires sans amélioration, Anne a mis fin au traitement.

Quatre ans plus tard, à la naissance de son fils, Anne a commencé à éviter de plus en plus certaines situations, comme une forme d'autotraitement contre la panique. Cette attitude l'aidait à réduire le nombre de ses attaques de panique, mais, en même temps, diminuait grandement sa liberté de déplacement. Aujourd'hui, douze ans plus tard, Anne ne sort jamais de sa ville. Chaque fois qu'elle se déplace, elle doit prévoir un itinéraire de fuite, pour pouvoir, le cas échéant, se réfugier dans un endroit «sûr», comme la maison d'un ami. Elle est capable de se déplacer seule, mais elle sollicite généralement la compagnie de son fils, de son mari ou de sa mère. Le plus difficile pour elle, c'est de rester seule à la maison le soir, d'aller faire son marché et de faire la queue, au cinéma ou n'importe où ailleurs.

Que dire du reste de la vie d'Anne? Nous verrons comment ces difficultés sont reliées à son attitude envers elle-même, à la capacité de faire face aux conflits, et à ses relations avec ses proches. Son perfectionnisme exagéré l'empêche de tirer du plaisir de ses réussites. Elle a également de la peine à voir clair dans ses réactions émotionnelles aux événements. Elle évite à tout prix d'exprimer sa colère et d'être témoin de la colère des autres. Elle ne veut pas laisser la colère monter en elle, de crainte d'exploser. Et elle fera tout en son pouvoir pour empêcher quiconque de se fâcher contre elle.

Le besoin d'Anne de plaire aux autres et sa crainte d'être rejetée expliquent en partie pourquoi elle dépend beaucoup trop de son mari et de sa mère. Elle vous dira comment ils se battent à sa place, comment «ils l'ont toujours sortie du pétrin» quand elle devait faire quelque chose qui la rendait anxieuse. Grâce à cette protection qu'Anne s'était créée, elle pouvait toujours échapper aux conflits. Mais, après chaque fuite, elle se croyait encore plus incapable de faire face à la vie en adulte indépendante.

En plus de maîtriser ses attaques de panique, Anne apprendra à renforcer son amour-propre et sa fierté. Son sentiment d'avoir de la valeur reposera sur autre chose que la perfection ou l'opinion des autres. Avec l'expérience, elle verra qu'elle peut vivre avec ses propres émotions et gérer ses conflits avec les autres. Certains changements s'opéreront sans peine — comme apprendre à dire merci aux gens qui la complimentent plutôt que de refuser le compliment en se dénigrant. D'autres nécessiteront plus de temps, car ils procèdent d'une crainte profonde de la séparation. En guérissant, Anne sera de moins en moins troublée par sa crainte actuelle de voir ses pensées, ses émotions et ses actes lui faire perdre toutes les choses et tous les gens qui comptent pour elle.

Dorothée P. a soixante-douze ans. Elle souffre d'agoraphobie depuis près de cinquante ans, mais n'a eu aucune attaque de panique depuis trente ans. Elle sait depuis longtemps que, en évitant toutes les situations qui la mettent mal à l'aise, elle peut prévenir la panique, et c'est ce qu'elle a toujours fait. Par exemple, elle ne se déplace jamais à l'extérieur de la ville, elle ne conduit pas, elle ne reste jamais seule à la maison et elle ne sort jamais seule. Au cinéma, elle prend le siège proche de l'allée, va faire un tour dans le hall à plusieurs reprises durant le film, et quitte toujours le cinéma avant la fin de la projection. Au restaurant, elle choisit une table proche de la porte qu'elle observe durant tout le repas. En d'autres mots, elle ne s'expose jamais à ses craintes; elle fuit toutes les situations qui lui donneraient l'impression d'être coincée.

Un coup d'œil sur la vie antérieure de Dorothée montre comment le passé d'une personne peut contribuer directement à lui faire redouter plus tard la panique. Son père est mort durant la Première Guerre mondiale, quand elle était toute petite. Quelques années plus tard, sa mère s'est remariée. Dans le présent chapitre, Dorothée nous apprendra que sa mère quittait rarement le foyer (elle souffrait probablement d'agoraphobie), et que son beau-père faisait toutes les courses. Elle nous racontera comment celui-ci la ridiculisait continuellement, elle et ses sœurs, comment il dominait sa mère et la maltraitait, et comment cette mère aimante a fini par se briser sous l'effet des tensions. Dorothée a manifesté très jeune son perfectionnisme, afin de ne pas susciter les attaques verbales de son beau-père. À quatorze ans, son médecin de famille lui prescrivait des tranquillisants pour soulager les symptômes de son anxiété.

Dorothée s'est mariée à dix-sept ans pour échapper au foyer familial. Son mari était aussi solide que son beau-père. Pour Dorothée, il s'agissait là d'un trait de caractère important, parce que, en grandissant, elle n'avait jamais appris à réfléchir par elle-même à ses propres besoins. Il était donc important à ses yeux qu'elle épouse quelqu'un qui prendrait également soin d'elle.

Cette relation a vite joué contre elle. Après la naissance de son second enfant, l'alcoolisme de son mari s'est manifesté; l'alcool le rendait violent. Un beau soir, quand sa fille n'était âgée que de trois mois, le père est rentré à la maison saoul et fou de rage. Dorothée s'est alors retrouvée à l'hôpital, avec une commotion, la mâchoire brisée. Plus tard, elle a déposé une plainte contre son mari, avant d'obtenir la séparation légale et, enfin, le divorce.

Ses difficultés ne se sont pas arrêtées là pour autant. Son ex-mari a commencé à surgir chez elle, à toute heure du jour ou de la nuit, cassant quelquefois une fenêtre ou enfonçant une porte, réclamant un droit de visite. Dorothée vivait dans la peur permanente et angoissante de ces intrusions violentes.

C'est durant cette période traumatisante de sa vie que Dorothée a commencé à présenter les symptômes de la panique. Un beau jour, rentrant de la plage en train avec ses deux enfants, elle s'est soudainement sentie anéantie par la peur et par le besoin impérieux de s'enfuir. En moins de deux semaines, elle limitait ses déplacements à l'intérieur de la ville.

Dorothée nous expliquera comment elle s'est remariée, non par amour, mais par besoin de sécurité, et comment, voulant toujours éviter les ennuis, elle n'a jamais rien exigé de ses enfants ou de son second mari. Elle s'est toujours interdit de manifester sa colère de crainte que l'on veuille la «faire enfermer». Dans sa tête, elle croyait dur comme fer qu'elle était incapable de maîtriser sa colère; si elle se laissait aller, elle serait en colère tous les jours de la semaine. Dorothée nous dira ensuite (septième chapitre) qu'elle n'a jamais voulu conduire une voiture de crainte de perdre la maîtrise d'elle-même: «S'il y avait une déviation ou un embouteillage, il faudrait soit que je sorte de ma voiture et que je m'enfuie, soit que j'enfonce la pédale de frein, soit que je renverse tout le monde, que je renverse le policier, que je brûle des feux rouges...»

Dorothée se guérira de son agoraphobie dans la mesure où elle sera disposée à affronter ce qu'elle évite depuis près de cinquante ans. Sa peur principale, toutefois, ce n'est pas de conduire une voiture ou de rester seule à la maison. C'est la peur de ses émotions. Il y a en elle un certain nombre d'émotions légitimes qu'elle refoule année après année. Elle en vient à bout en s'imaginant des scénarios exagérés dans lesquels elle perd le contrôle d'elle-même ou de la situation.

Dorothée ne réglera pas ce problème toute seule. Elle ne le fera qu'avec le soutien de nouveaux amis et d'un professionnel de la santé mentale qui l'aidera à exprimer peu à peu ses émotions véritables. Ce faisant, elle apprendra comment ses émotions reflètent ses valeurs personnelles et son amour-propre. Elle commencera à revoir l'ordre de ses priorités pour ce qui est de ses relations personnelles. Être protégée par un individu fort sera de moins en moins important pour elle, à mesure qu'elle apprendra à mener sa propre vie. Et le désir d'être entourée d'amis chaleureux et actifs prendra de plus en plus de valeur. Pendant que ces changements s'opéreront, elle commencera à affronter la panique en faisant graduellement reculer ses limites.

Son premier devoir, toutefois, sera de cesser de se dénigrer elle-même. Son beau-père avait tort: Dorothée n'est pas stupide; elle n'est pas une incapable; elle vaut quelque chose. Plus vite elle se débarrassera de ces idées fausses, plus vite elle pourra maîtriser sa panique.

«Je me suis toujours sentie inférieure»

Dans sa vie, la femme agoraphobe qui manque aussi d'estime de soi placera les autres au-dessus d'elle. Elle parlera généralement d'elle-même en termes peu élogieux et se critiquera souvent. Elle pourrait hésiter à relever de nouveaux défis, parce qu'elle doute de sa compétence ou de ses capacités. Quand elle réfléchit à son passé, elle n'y voit qu'une série d'échecs.

Pis encore, la femme qui manque d'estime de soi aura tendance à croire que les autres la voient sous le même jour. «Qui pourrait bien m'apprécier?» se demande-t-elle tout le temps. Comme elle doute que les gens puissent l'aimer pour ce qu'elle est, elle essaiera de se faire aimer pour sa générosité et son abnégation.

L'ennui avec cette attitude, c'est qu'elle essaie de se faire aimer avant même de s'aimer elle-même. S'il était vrai que les autres ont besoin d'être persuadés de l'aimer, le problème ne serait pas si épineux. Mais, en vérité, c'est elle qui est son juge le plus sévère. Quand on lui dit: «Tu as fait du bon travail!» elle se dit en elle-même que ce n'est pas vrai.

Cette façon d'agir et de voir la vie est extrêmement pénible. Ces femmes consacrent tellement de temps à chercher l'approbation des autres, à ruminer et à s'inquiéter, elles gaspillent une telle énergie physique et émotionnelle dans la mauvaise direction, qu'elles ont, en réalité, perdu toute forme de contrôle. Elles laissent leur entourage décider de leur estime de soi. Ce sont les faits et gestes de leur entourage qui déterminent comment elles se sentent, elles.

> CORINNE: Nous perdons confiance en nous-mêmes. C'est ce que l'agoraphobie nous fait. Nous ne le méritons nullement. C'est que nous ne sommes pas à la hauteur. Nous compensons ainsi notre manque de valeur.
>
> Je consacre sans doute la plus grande partie de mon temps à chercher l'approbation des autres, leur reconnaissance, leur attention. Je crois que je me suis toujours sentie

inférieure; j'ai toujours cru que les autres pouvaient faire mieux que moi. J'ai besoin de quelqu'un qui me valorise constamment à mes propres yeux, ce qui est triste, parce que personne ne le fera.
Être acceptée. Voilà le nœud de tout cela. Je suis trop critique avec moi-même. Je ne suis jamais satisfaite de ma performance. Même quand on me fait des compliments, je crois en mon for intérieur que j'aurais pu faire mieux. Aussi étrange que cela puisse sembler, je crois qu'au fond de moi-même je me déteste. Je le crois vraiment.

Dans le prochain passage, Diane parle de la relation qu'elle vit avec sa mère. En l'écoutant, je me rends compte que ses yeux s'embuent et que son visage rougit.

Dr W.: Vous voilà triste encore une fois.
DIANE: Non, c'est du ressentiment. Le ressentiment de m'être laissé bousculer toute ma vie. Je me suis laissé faire; je n'ai jamais dit non à ma mère. Jamais. Aussitôt que j'envisageais de lui refuser quelque chose, je me sentais coupable. Et ce sentiment de culpabilité n'était pas facile à vivre. Même aujourd'hui, elle essaie toujours de me culpabiliser: elle se sent seule, je devrais lui consacrer plus de temps, les autres mères qu'elle connaît sont plus intimes avec leurs filles. Quant à moi, il y a bien des choses en elle que je suis incapable de supporter.
Dr W.: Cette incapacité de dire non, la ressentez-vous dans vos autres relations?
DIANE: Oui, j'ai toujours été du genre qui cherche à plaire aux autres. Si vous vouliez aller dîner à l'extérieur, par exemple, vous décideriez du restaurant. Et moi je dirais «Bon choix», même si je détestais l'endroit.

Corinne parle de son besoin d'être acceptée et approuvée. Même si ce besoin est normal chez l'être humain, Corinne, elle, laisse sa crainte de la désapprobation influencer toute sa vie. En même temps, elle dit: «Je ne suis jamais satisfaite de ma performance.» Avant d'arriver à croire que les autres l'acceptent, elle devra apprendre à s'accepter elle-même.

Elle explique qu'elle continue de donner et de donner parce qu'elle veut compenser le fait qu'elle n'est «pas assez bonne». D'où vient donc cette norme à laquelle elle se mesure? Quels sont ses critères? Pour une raison quelconque, Corinne s'est défini des normes auxquelles elle ne peut satisfaire. Et parce qu'elle ne satisfait pas à ces normes, elle a le sentiment d'être nulle. Croire en sa propre valeur est essentiel pour vaincre la panique.

Diane manifeste une autre forme d'estime de soi déficiente. Elle croit devoir tout se refuser. Elle dira oui à tout le monde dans la vie, se réservant le non pour elle-même.

Voici le raisonnement typique de ceux qui ne savent pas dire non aux autres:

A. Je ne vaux pas grand-chose en tant qu'être humain.
B. Par conséquent, je devrais m'estimer chanceux que cette personne soit restée avec moi si longtemps.
C. Comme je ne mérite pas tout ce que cette personne a si généreusement donné à un être aussi dénué de valeur que moi,
D. Je lui dois beaucoup.
E. Par conséquent, je me sentirais coupable de ne pas accéder à sa demande.

Ce raisonnement boiteux s'appuie souvent sur un autre ensemble de croyances:

A. En outre, je ne dois jamais oublier que je ne vaux pas grand-chose en tant qu'être humain.
B. Si cette personne me quittait parce que je n'arrive plus à la satisfaire, il est plus que probable que je me retrouverais seule au monde.
C. Non seulement je serais seule et isolée, mais je n'arriverais pas à faire face à la vie.
D. Par conséquent, je dois m'oublier et penser aux autres à tout instant.

«Je ne supporte pas de commettre une erreur»

La personne trop critique envers elle-même exigera souvent la perfection, mais d'elle-même seulement.

Dr W.: Vous sentez-vous obligée d'être parfaite en toute chose?

DIANE: Oui, dans le sens suivant: ou bien je réussis quelque chose comme je le veux, ou bien je ne le fais pas du tout. Il faut absolument que je sois parfaite dans tout ce que je fais. Je n'exige pas la perfection des autres, seulement de moi-même. Je dirai toujours aux autres: «C'est bien, tu as fait ton possible.» Mais cela ne s'applique jamais à moi. Et je ne supporte pas de commettre une erreur. Dans mon travail, même si personne ne sait que je me suis trompée quelque part et même si j'ai corrigé mon erreur à la ligne suivante, j'éprouve une frustration énorme: une erreur de ma part est simplement inacceptable pour moi.

Dr W.: Y a-t-il d'autres occasions où ce perfectionnisme vous nuit?

DIANE: Oui, quand j'hésite à essayer de nouvelles choses. Je ne fais pas d'expérience de crainte de me tromper ou de ne pas être parfaite. Je préfère tout simplement éviter les nouvelles expériences.

Notez l'importance des dernières déclarations de Diane. Elle ne parle pas de son hésitation à aller faire ses courses ou à se mêler à une foule. Elle parle de son hésitation à tenter quoi que ce soit de *nouveau,* à s'essayer à des activités créatives qui pourraient la réjouir ou la gratifier, comme peindre un tableau ou écrire un poème. Certaines agoraphobes, même si elles mettent du temps à s'en rendre compte, voient quand même qu'elles n'évitent pas seulement les situations qui les effraient, mais aussi toute occasion de commettre une erreur, parce que l'erreur fait sentir que l'on a perdu la maîtrise de quelque chose. Si elles ne sont pas sûres d'exécuter telle ou telle tâche à la perfection, elles ne l'entreprendront même pas.

ANNE: Je suis incapable de dire: «C'est assez bien comme ça.» Il se peut qu'il s'agisse d'un petit détail que personne ne remarquera. Mais tout ce que je fais qui me reflète, qui me vaudra des louanges, je dois le faire à la perfection. Quelqu'un pourrait le voir et dire: «Comme c'est beau! Tu as tant de talent! Que c'est beau!» Ces compliments, je les entends, mais je n'y crois nullement, j'en ris et je dis: «C'est bête. Tu peux faire la même chose. Tout le monde le peut.» Je dénigre toujours ce que je fais. Ou si je fais quoi que ce soit dans lequel un détail me déplaît, je le fais remarquer à tout le monde: «Tu vois, cela n'est pas si bien.»

Anne travaille de façon compulsive à toute activité susceptible de lui valoir les louanges des autres. Après d'immenses efforts, elle reçoit finalement la reconnaissance et les éloges mérités. Au moment même où on lui fait des compliments, Anne les minimise dans son esprit. Comme si cela ne suffisait pas, elle explique à son interlocuteur que les louanges ne sont pas méritées, puisqu'il y a un défaut dans l'exécution.

Pouvez-vous imaginer un menuisier qui passerait tout le week-end à rénover sa cuisine et qui, le dimanche soir, détruirait tout son travail à coups de marteau? Pouvez-vous imaginer une secrétaire qui passerait toute la journée à taper un rapport de trente pages pour ensuite, sa journée finie, le passer à la déchiqueteuse? Imaginez le menuisier ou la secrétaire qui poseraient ces gestes chaque semaine et vous aurez une idée de la vie que mène l'agoraphobe. Les femmes comme Diane et Anne consacrent toute leur vie à acquérir le sens de leur propre valeur et à le refuser. Voilà un cycle épuisant.

Un fort sentiment d'estime de soi est essentiel quand vous commencez à maîtriser la panique. Si vous croyez en votre propre valeur, vous pourrez croire que les symptômes de la panique nuisent à une personne importante. Vous vous sentirez plus d'énergie pour surmonter les revers et les périodes difficiles. Vous consacrerez plus d'énergie à vous plaire à vous-même et moins à plaire aux autres.

Voici quelques questions qu'il faudrait vous poser:

- Est-ce que je crois être une personne que l'on peut aimer?
- Que dois-je faire pour que l'on m'aime?
- Quels sont mes points forts dans chacun de mes rôles (épouse, amie, mère, employée)?
- Quels sont mes points faibles dans ces mêmes rôles?
- Comment est-ce que je me décris? Quel genre de langage est-ce que j'utilise pour décrire mes points faibles? Est-ce que j'utilise des termes accusateurs pour parler de moi (paresseuse, puérile, stupide, peureuse, bonne à rien, etc.)?

- Les critiques des autres m'anéantissent-elles?
- Ai-je tendance à faire ressortir toutes mes erreurs, pour moi-même et pour les autres?
- Est-ce que j'accepte les compliments? Est-ce que je crois sincèrement les gens quand ils parlent en bien de moi ou de mes réussites?
- Est-ce que tout ce que je fais doit être parfait? Est-ce que j'accepte mes erreurs?
- Si je suis incapable de faire telle chose à la perfection, est-ce que je l'évite?
- M'est-il difficile de m'imposer des limites quand il s'agit de donner aux autres?
- M'est-il difficile de m'imposer des limites en ce qui a trait aux projets que j'entreprends?
- Est-ce que j'hésite à m'essayer à de nouvelles activités par crainte de l'échec?
- Est-ce que je considère l'erreur comme un échec?
- Est-ce que je me surveille tout le temps? Est-ce que j'analyse chacun de mes actes?
- Est-ce que je considère comme très important tout ce que je fais? Ou est-ce que j'use de mon jugement pour faire la différence entre les petites tâches et les grandes, entre les projets importants et les projets insignifiants?
- Combien de fois me suis-je dit oui cette semaine? Cette année?

Personne ne devrait être obligé de gagner le droit d'être aimé; nous sommes tous dignes d'amour. Vos réponses aux questions précédentes vous montreront à quel point vous vous refusez votre propre amour et vous efforcez de gagner l'amour des autres.

Si vous vous rendez compte que votre estime de soi gagnerait à être étoffée, vous devez d'abord apprendre à vous aimer, avec toutes vos faiblesses. Cherchez ensuite autour de vous les gens qui sont aptes et prêts à vous aimer comme vous êtes. Une fois que vous vous aimerez et apprécierez vraiment chaque jour, vous commencerez à remarquer quelles sortes de gens vous aiment et vous apprécient. Vous remarquerez également le grand nombre de personnes qui vous ont toujours appréciée.

Voici quelques conseils à ce sujet:

- Félicitez-vous pour chacune de vos réussites, si petite soit-elle.
- Quand vous commettez une erreur, donnez-vous un bon conseil pour l'éviter la prochaine fois, ou trouvez quelqu'un capable de vous conseiller.
- Évitez de vous rabrouer ou de vous dénigrer parce que vous commettez des erreurs. La vie est déjà assez difficile en soi. Personne ne mérite d'être humilié, pas même en silence par soi-même.
- Songez que vous méritez d'être aimée, pas seulement pour ce que vous donnez aux autres, mais parce que vous êtes un être humain unique.
- Si vous n'arrivez pas à atteindre vos buts, changez-les.
- Si vous n'arrivez pas à satisfaire vos propres normes, rendez-les moins exigeantes.
- Ne cessez jamais de vous établir des normes et des objectifs, mais qu'ils soient accessibles. La réussite entraîne la réussite.
- Établissez-vous un petit objectif, travaillez à l'atteindre, félicitez-vous pour l'avoir atteint, puis établissez-en un autre qui soit accessible.
- Quand quelqu'un vous fait un compliment, devenez comme une éponge: absorbez le compliment, croyez-y, imprégnez-vous-en.
- Quand quelqu'un vous critique, n'avalez pas toute la critique d'un seul coup. Mastiquez-la pour voir si vous pouvez en tirer une leçon. Recrachez les insultes et l'hostilité. Ne digérez que ce qui vous semble bénéfique.
- Réévaluez ce que vous attendez de vous-même. Vérifiez si vos attentes sont bien fondées sur votre propre échelle de valeurs, sur ce que vous croyez bon et juste aujourd'hui. Ne laissez pas les choses apprises il y a des années diriger votre vie aujourd'hui sans les remettre en question. Soyez maître de vos propres attentes et vous serez maître de votre estime de soi.
- Trouvez des moyens de vous dire oui chaque jour de votre vie. Si vous-même n'êtes pas disposée à le faire, pourquoi les autres le seraient-ils?

«Mais si je ne l'avais pas...»

Le doute de soi peut grandement affecter tous les aspects de la vie. Face aux symptômes de la panique, le doute de soi peut faire naître bon nombre de questions. Au cours d'une fête, par exemple, vous pourriez vous demander: «Pourrai-je rester durant toute la fête? Est-ce que je ne me mettrai pas moi-même dans une situation embarrassante? Mes symptômes ne vont-ils pas empirer? Les gens ne me remarqueront-ils pas?» Ce même type de questions soulevées par le doute se pose ailleurs dans la vie de l'individu, et c'est dans le domaine des relations personnelles que le doute de soi aura l'effet le plus spectaculaire.

Songez, par exemple, à une femme qui se considère au fond d'elle-même comme un être foncièrement faible. Si elle croit sincèrement être incapable de s'occuper d'elle-même dans la vie, elle devra trouver quelqu'un qui la protégera. Il se peut qu'elle répugne à dépendre des autres et à être asservie à un autre être humain, mais ces sentiments ne seront jamais aussi forts que la crainte de devoir se débrouiller seule. Si elle se croit impuissante quand elle est seule, sa survie est en jeu. Toutes les autres considérations deviennent secondaires. Elle doit survivre. Par conséquent, elle doit garder des gens autour d'elle, à tout prix.

C'est là un point important pour la compréhension de la panique. Notre système fondamental de croyances prendra toujours le dessus par rapport à toute autre pensée ou émotion. Beaucoup de ces croyances ont été adoptées il y a de nombreuses années et échappent à notre conscience. C'est ce qui provoque la confusion chez les agoraphobes. Elles aimeraient bien ne pas dépendre des autres; elles souhaitent leur indépendance plus que tout au monde. Mais leur système de croyances les pousse à se répéter qu'elles ne pourront pas survivre sans la présence auprès d'elles d'une personne solide. En gardant à l'esprit ce conflit interne important, lisez comment il a causé tant de douleur dans la vie de ces femmes.

DOROTHÉE: Quand j'ai rencontré mon second mari, une petite alarme aurait dû sonner dans ma tête. J'aurais dû savoir qu'il ne serait jamais un ami pour moi. Nous n'avions aucun intérêt en commun, aucun sujet de conversation. Quelque chose me disait — je ne sais pas quoi — que je tomberais malade et que je ne pourrais plus travailler; j'allais avoir besoin d'un toit. J'en avais assez de lutter pour joindre les deux bouts; c'est la sécurité que je recherchais vraiment. Je n'aimais pas cet homme, pas du tout.

Dorothée a pris l'une des grandes décisions de sa vie en se fondant sur la peur. Pour obtenir la sécurité, elle a renoncé à l'amour, au bonheur, à la camaraderie.

CORINNE: Je crois que je ne veux pas devenir adulte; c'est ce que je crois vraiment. Je refuse tout simplement de le reconnaître. Je ne veux pas être âgée de trente-quatre ans et avoir deux enfants; je ne veux pas de mes responsabilités. Je sais que je peux me débarrasser demain de mon agoraphobie, mais alors où irais-je? Je ne suis pas prête à faire face au monde des adultes. Je ne sais pas comment me comporter. Au fond, je ne sais pas comment approcher les gens et leur parler.

ÉLISABETH (à Corinne, au cours d'une thérapie de groupe): Un soir, en sortant d'ici, tu te dépêchais d'aller rejoindre ton mari, alors que moi, j'aurais aimé te parler pendant une minute. Ton mari t'attendait dehors, et tu m'as dit: «Si je le fais attendre trop longtemps, il va se fâcher. S'il me voit pleurer, il va se mettre en colère et me dire que je ne peux plus venir ici.» Moi, je te dis: «Qu'il aille au diable!» Profite de nous et que ton mari aille au diable. Appuie-toi sur nous, c'est cela le but d'un groupe de soutien.

CORINNE: Tu as raison, je le sais bien. Ma vie actuelle est un véritable cauchemar. Mais je ne sais pas quelle sorte de cauchemar elle serait si je ne l'avais plus.

ÉLISABETH (encore en colère): Alors, tu préférerais faire tout à sa façon à lui?

CORINNE: Je me lève le matin en me demandant: «Jusqu'où va tu t'abaisser? Jusqu'où une personne comme moi devra-t-elle s'abaisser? Combien de temps encore vais-je le laisser me traiter comme il le fait?» Mais de là à lui dire de changer d'attitude et à lui faire comprendre que je veux être un être humain à part entière, c'est autre chose. J'ai trop besoin de lui.

Corinne dit qu'elle ne veut pas devenir adulte, sans doute parce qu'elle se croit incapable d'assumer ses responsabilités. Elle avait tellement peur d'échouer dans son rôle de mère qu'elle accordait toute son attention à ses enfants. Elle surveillait chacun de leurs gestes et ne s'accordait aucun instant pour ses propres plaisirs. Elle croit maintenant que le monde lui est passé sous le nez, qu'elle ne sait plus comment communiquer avec ses semblables.

Corinne croit si fort en son incapacité qu'elle se laisse dominer complètement par son mari. Elle n'aime pas ce qu'elle est en train de se faire; je suis persuadé que certaines de ses amies lui ont déjà dit: «Si tu n'aimes pas cela, pourquoi ne changes-tu pas la situation?» Mais, comme Corinne le dit elle-même, elle s'en croit incapable, incapable d'indépendance. Par conséquent, ses gestes continuent de miner son estime de soi. Elle craint de perdre l'appui de son mari, parce qu'elle se croit incapable de s'en tirer sans lui.

> CORINNE: Quand il me faut amener ma fille chez le médecin pour un examen ou si j'ai besoin d'aller au magasin m'acheter des vêtements, je dois dire à mon mari: «Samedi, dans trois semaines, veux-tu avoir la gentillesse de me conduire chez le médecin ou au centre commercial?» Et je dois essayer de le convaincre. Je me garde bien de le contrarier, de crainte qu'il refuse de me conduire. Quelle vie! Je n'ai absolument aucun contrôle sur ma propre vie.
>
> ANNE: Ma mère mène encore mes luttes pour moi, même si j'ai trente-neuf ans. Mon mari aussi en fait beaucoup pour moi. Il est du genre à tout prendre en charge. Alors, j'ai à ma disposition ces deux personnes qui me sortent toujours d'embarras quand je dois faire quelque chose qui me rend anxieuse.
>
> Même aujourd'hui, si je me rends à une réunion de mon groupe, mon mari me demande à quelle heure je vais rentrer. Et si je suis un peu en retard, il s'énerve. Je dis toujours que je suis sa fille aînée, parce que de bien des façons il me traite comme une enfant. Mais je le laisse me traiter comme une enfant; auprès de lui, je ne m'affirme pas. Cela ne semble pas en valoir la peine; je suis bien comme je suis.

Ma mère et mon mari sont toujours là pour m'aider dans ceci ou cela. Je ne veux pas les perdre, mais, au fond de moi, je sais que tout cela n'est pas bien. Pourtant, j'ai peur de ce qui pourrait arriver si je commençais à vraiment gagner mon indépendance.

Comme vous commencez sans doute à le comprendre, la femme qui se sent incapable de répondre aux exigences de la vie cherchera quelqu'un pour le faire à sa place. Il se peut qu'elle excelle à se donner aux autres, qu'elle soit bonne et sensible, mais qu'elle se sente incapable de s'affirmer quand il le faudrait. Dans la logique interne de ce système de croyances, la femme croit sage d'épouser un homme solide et puissant, qui la dominera. Ensemble, ils constitueront «une» personne entière, capable de bonté, de compassion et de don, mais forte et sûre d'elle aussi, quand il le faut.

Malheureusement, il s'agit de *deux* personnes, pas d'une seule. Cette situation est à l'origine de bien des unions malheureuses. Il se peut que les conjoints restent ensemble parce qu'ils satisfont certains besoins de base mutuels. (En d'autres mots, il continue de dominer tout en recevant amour et soins, tandis qu'elle se sent protégée.) Mais d'autres besoins demeurent insatisfaits ou refoulés, parce qu'ils jouent des rôles opposés. Il dirige tout et la domine; elle renonce à tout et se soumet. Ils ne partagent pas une relation commune, entre égaux. Il leur est difficile de s'amuser ensemble, de résoudre leurs problèmes ensemble et de faire des projets d'avenir ensemble.

«Si je cesse de m'inquiéter, quelque chose de terrible va arriver»

Avec le temps, nos rôles et nos perceptions de nous-mêmes commencent à se solidifier dans nos relations. Anne, dans l'exemple précédent, se voyait toujours comme une enfant, par rapport à sa mère et à son mari. Cécile se voit comme l'éternelle inquiète.

CÉCILE: Rien n'inquiète jamais mon mari; et mes enfants tiennent de lui. Rien ne les énerve. Tout semble leur être très facile.

Dr W.: Alors, quel rôle vous reste-t-il?

CÉCILE: Toutes les inquiétudes, c'est pour moi. Il faut bien que quelqu'un s'inquiète dans ma famille! [Rires]
Dr W.: Sinon, qu'est-ce qui arriverait?
CÉCILE: Je n'ai jamais songé aux conséquences. Rien ne se ferait. Tout ce qui intéresse mon mari, c'est son tennis.
Dr W.: «Je dois m'inquiéter à propos des enfants, parce que si je ne le fais pas...?» Complète la phrase, Cécile.
CÉCILE: Eh bien, j'ai peur que quelque chose se produise si je cesse de m'inquiéter de ceci et de cela. Si je me détends et prends les choses comme elles viennent, si je cesse de m'inquiéter, quelque chose de terrible va arriver. Comprenez-vous?
Je suis toujours vigilante. Je suis mariée depuis vingt-trois ans. Pourtant, chaque fois que mon mari rentre le soir, je m'attends toujours à ce qu'il me dise: «J'ai trouvé une autre femme.» C'est comme cela que je vis.
Dr W.: «Je reste toujours vigilante...»
CÉCILE: Je reste toujours vigilante, croyez-moi.

Cécile déclare d'abord qu'elle doit s'inquiéter, car rien ne se ferait à la maison. Mais il ne faut pas la pousser beaucoup pour lui faire révéler un sujet d'inquiétude plus profond, plus important. Cécile a peur que quelque chose de terrible lui arrive; elle a surtout peur d'être abandonnée. Ce n'est pas une crainte négligeable, elle y pense chaque jour. Mais c'est une crainte irrationnelle, fondée sur son système de croyances plutôt que sur la réalité objective. Elle me dit que son mari ne lui donne aucune raison de croire que son mariage est en danger.

Cécile exprime quelque chose de très important, quelque chose dont je doute qu'elle ait compris le sens au moment où elle me l'a dit. C'est un peu comme si elle disposait d'un truc magique pour empêcher le malheur de lui tomber dessus. Elle croit ceci: «Tant et aussi longtemps que je m'inquiéterai, tant que je resterai tendue et vigilante, rien de mauvais ne pourra m'arriver. Si je me détends et prends les choses comme elles viennent, si je cesse de m'inquiéter...»

C'est exactement ce qu'une personne ressent à propos des attaques de panique. Cette personne reste tendue en attendant l'expérience éprouvante (au magasin, en voiture ou dans une foule). Elle reste vigilante; elle s'attend au pire. Pour Cécile et les autres femmes sujettes à la panique, cette peur illustre bien la façon dont elles voient à leur vie en général.

En réfléchissant à la thérapie de Cécile, nous avons pu percevoir plus clairement ce schème de pensée. L'interview que vous venez de lire a eu lieu à la dixième séance. Avant celle-ci, j'avais enseigné à Cécile une technique de relaxation (que vous trouverez au douzième chapitre). Elle était pétrifiée à la seule pensée d'écouter l'enregistrement de l'exercice: «Je ne peux pas me détendre.» Je lui ai demandé d'exécuter quelques corvées domestiques, comme le repassage, tout en faisant jouer la bande à faible volume, en bruit de fond, pour s'habituer au son. Le concept de la relaxation l'effrayait à tel point qu'elle refusait de prendre ce léger risque. À ce moment-là, pour elle, relaxation était synonyme de perte de contrôle.

Après la dixième séance, j'ai appris que sa peur inconsciente était ancienne et d'une nature beaucoup plus puissante que je ne l'avais cru. Elle avait peur d'un grand mal ou d'une perte énorme si elle laissait se dissiper sa tension et ses inquiétudes. Elle croyait que sa tension jouait un rôle protecteur. Malheureusement, cette croyance rendait sa vie bien pénible. Mais, dans sa tête, Cécile croyait en l'efficacité de la tension et de l'inquiétude, parce que ces états lui avaient évité toute difficulté. Comme elle restait toujours tendue, elle présumait de la réussite de cette méthode d'autoprotection. Vous vous souvenez de la plaisanterie suivante? Un homme fait sans cesse le tour de sa maison pour en éloigner les tigres. «Mais il n'y a pas de tigre ici», s'écrie son voisin. «Tu vois comme ça marche», répond l'homme. Le recours par l'agoraphobe à la tension physique et psychologique pour se protéger des erreurs ou de graves dangers est une stratégie semblable à celle de l'homme au tigre de notre histoire même. Le seul fait de se livrer à des expériences de relaxation est perçu comme trop risqué.

«J'ai une peur bleue de la colère»

Peu de gens pourraient dire qu'ils aiment les conflits. La plupart d'entre nous se sentent quelque peu mal à l'aise avant, durant et après une dispute. Pour de nombreux agoraphobes, cependant, les conflits sont quelque chose qui doit être évité comme la peste.

ANNE: L'hiver passé, j'ai trouvé ma voiture coincée dans un stationnement du centre-ville. Quelqu'un s'était garé illégalement derrière elle. J'étais furieuse. C'était une journée très froide, et j'avais emmené un de mes enfants avec moi. Le simple fait de me rendre en ville avec un de mes enfants était en soi toute une affaire, parce que je me sentais confinée à la maison durant cette période-là. Je suis sortie du magasin en me disant: «Comment vais-je sortir ma voiture de là. Quel est l'idiot qui a garé sa voiture derrière la mienne?»

La colère a commencé à monter en moi. J'ai pensé que je devrais rester là et dire au conducteur de la voiture en infraction ce que je pensais de lui, ou encore que je devrais faire venir un agent parce que cette maudite voiture était garée illégalement. Mais tout à coup, je n'ai pu penser à rien d'autre qu'à partir, à quitter cet endroit pour rentrer chez moi. Je ne voulais pas faire face à la situation; je ne voulais pas que cette personne revienne à sa voiture, parce que j'aurais dû me mettre en colère, et je n'étais pas sûre de ce que ce sentiment m'aurait fait.

Dr W.: Vous commenciez donc à ressentir la colère, vous vous voyiez même en train de vous fâcher devant l'autre automobiliste. En même temps, vous vous disiez: «Fuis cette colère.»

ANNE: Oui, mais ce n'est pas toujours le cas, parce que je suis capable de me fâcher. Mais c'était une semaine particulièrement difficile pour moi, je ressentais beaucoup de panique, j'étais très vulnérable.

Les femmes comme Anne dépensent beaucoup d'énergie pour éviter l'affrontement. Il est également possible qu'elles se fixent à un mari qui livrera leurs batailles à leur place. Anne manifeste non seulement la peur du conflit, mais aussi la peur de sa propre colère. D'après mes observations, les commentaires de ces agoraphobes révèlent deux types de peur: la peur du conflit et de ses répercussions possibles (comme la séparation ou la fin d'une relation), et la peur de ses propres émotions intenses. Anne ne souhaitait pas affronter le conducteur de l'autre voiture, «parce que j'aurais dû me mettre en colère, et que je n'étais pas sûre de ce que ce sentiment m'aurait fait».

Un peu plus tôt, dans le présent chapitre, Diane nous disait qu'elle avait toujours été «du genre qui cherche à plaire aux autres»: elle n'exprime jamais ses propres désirs si elle les croit en conflit avec ceux des autres. Voyez comment ce principe s'applique jusque dans ses émotions.

> DIANE: J'ai beaucoup de difficulté avec la colère, j'ai du mal à distinguer mes émotions. Quelquefois, je crois que toutes mes émotions sont enchevêtrées, qu'elles forment une grosse boule: je ne sais plus si c'est de la colère que j'éprouve ou autre chose.
> En fait, je ne me mets pas vraiment en colère. Et si je le fais, je garde tout cela en moi; je ne la dirige pas contre quoi que ce soit. Je suppose que, au fond, je la dirige contre moi-même et que c'est elle que je fuis.
> Mon mari ne sait jamais ce que je ressens. Je ne lui fais jamais part de mes sentiments négatifs. Je suis du genre de celles qui parlent toujours positivement, mais qui éprouvent tout négativement. Je joue toujours le même jeu: je dis aux gens ce qu'ils veulent entendre ou ce que je crois qu'ils veulent entendre. Si je me sens en colère, ils n'en savent rien; je ne le manifeste pas. Je crois même que je ne laisse voir aucun signe non verbal de la colère. J'étouffe bien des choses. Je crois que ce n'est pas vraiment parce que je ne veux pas montrer que je suis en colère, mais plutôt parce que je ne ressens jamais que de la simple colère. C'est de la rage. Et j'ai une peur bleue de perdre le contrôle de ma colère, de blesser quelqu'un. Par conséquent, il est même rare que je hausse le ton dans la maison. Quand je crie quelque chose aux enfants, ils agissent vite, parce que cela m'arrive très rarement.
> Dr W.: Ainsi votre colère doit donc atteindre un plus haut niveau avant que vous-même en preniez conscience.
> DIANE: Oui, je dois la ressentir intensément. Et quelquefois je ne sais pas vraiment ce que je ressens. Quand j'éprouve de la colère ou de la rage, celle-ci est généralement mêlée d'apitoiement sur moi-même. Quand j'éprouve de la peur, c'est plutôt de terreur qu'il s'agit.

DOROTHÉE: J'étais trop indulgente avec les enfants, et je suis encore trop indulgente avec mon mari. S'il dit quelque chose, je pense en moi-même: «Pourquoi créer des ennuis, me disputer? Je vais faire comme si de rien n'était.» Mais une fois de temps en temps, il m'arrive d'exploser.
Dr W.: Et qu'arriverait-il si vous explosiez plus souvent?
DOROTHÉE: Eh bien, j'exploserais chaque jour de la semaine. Pourquoi me donner la peine de m'énerver pour quelque chose qui ne changera pas? J'ai peur que l'on m'enferme dans un asile.

Diane et Dorothée parlent de contenir leurs émotions. Chaque fois que l'on retient trop fort quelque chose, on ressent de la tension. Essayez de serrer très fort le poing pendant une minute et vous comprendrez combien d'énergie psychique il faut dépenser pour contenir ses émotions secrètes. Voilà qui est épuisant sur le plan physique comme sur le plan émotionnel.

Pour intégrer nos émotions à notre vie d'une façon qui soit bénéfique, il importe de procéder ainsi:

1. *Reconnaissez* l'émotion que vous éprouvez.
2. *Respectez* cette émotion comme étant l'expression légitime de qui vous êtes et de votre échelle de valeurs en tant qu'être humain.
3. *Agissez* sur cette émotion d'une manière ou d'une autre. Quelquefois, le simple fait de reconnaître sa présence en vous et de lui permettre d'exister suffit. Si l'émotion est née en réaction au comportement d'une autre personne, vous pourriez devoir la manifester directement à cette personne. Dans d'autres situations, il pourrait être plus bénéfique pour vous d'exprimer cette émotion à quelqu'un d'autre, qui sera plus objectif et vous soutiendra mieux que la personne qui l'a déclenchée en vous.

Vos valeurs et vos émotions sont les deux caractéristiques qui font de vous un être unique. Si vous empêchez les gens de les connaître — ou si vous ne laissez paraître que les valeurs et les émotions qui, selon vous, sont celles que les gens veulent voir —, alors vous vous rendez un mauvais service, à vous et aux autres.

Vous ne donnez pas aux autres l'occasion de traiter avec respect la personne que vous êtes vraiment. Vous agissez de la même façon quand vous vous coupez de vos propres émotions: vous ne respectez pas vos droits ni vos valeurs d'être humain.

En outre, quand vous refusez de reconnaître vos émotions modérées, celles-ci ont tendance à prendre de l'intensité, comme si elles voulaient se faire entendre. Songez à ce que c'est que d'être dans un endroit bruyant et de crier le nom de quelqu'un pour attirer son attention: «Jean», dites-vous d'un ton normal. Pas de réponse. «Jean!» dites-vous un peu plus fort. Il ne tourne même pas la tête vers vous. «JEAN!» criez-vous enfin. Jean sursaute; il vous a entendu.

Il en va de même pour vos émotions. Si vous les ignorez, elles prennent de l'intensité. Quand elles en ont pris suffisamment, vous ne pouvez plus les ignorer; elles vous font peur. C'est ainsi que la peur de Diane se transforme en «terreur».

Dorothée a peur. Si elle exprime sa colère:

1. Cette colère ne finira jamais, elle restera fâchée.
2. Cette colère ne changera rien.
3. Elle deviendra folle et se fera enfermer.

Voici ce que je réponds à celles qui m'expriment ces peurs:

1. *J'ai peur que, si je me permets de ressentir cette émotion, je ne puisse cesser de la ressentir.* Toutes les émotions qui sont vraiment ressenties finissent par disparaître. Aussitôt que vous commencez à exprimer une émotion, vous commencez à la modifier. Bien sûr, si vous vivez une situation qui renouvelle chaque jour votre colère (comme le manque de respect constant d'un patron), vous éprouverez une nouvelle sensation de colère chaque jour. Si vous ne faites jamais face à la colère existante, la nouvelle colère viendra simplement l'aggraver.

2. *À quoi cette colère servira-t-elle? Elle ne fera pas changer l'autre personne.* Manifester votre colère fera rarement changer la personne contre laquelle vous êtes fâchée, mais vous changera, vous. Ne considérez pas la colère comme une arme à utiliser pour changer les autres. Ceux parmi nous qui sont parents savent bien que la colère n'est nullement efficace auprès des enfants. Premiè-

rement, le fait d'exprimer votre colère l'empêchera de s'accumuler en vous, où elle pourrait faire bien des ravages. Elle pourrait vous conduire à vous haïr vous-même ou à vous apitoyer sur votre sort, ou encore être à l'origine d'affections physiques comme les maux de tête, la tension musculaire, les ulcères, la colite ou l'hypertension artérielle. Elle risque aussi de dégénérer en anxiété, en tension émotionnelle ou en dépression. Deuxièmement, en reconnaissant votre colère dans telle ou telle situation, vous apprendrez à mieux savoir ce que sont vos valeurs personnelles, ce qui compte vraiment pour vous, comment vous avez besoin d'être traitée par votre entourage et comment vous avez besoin de vous respecter vous-même. Ces leçons n'ont pas de prix.

3. *Si je me permets de vraiment ressentir mes émotions, je vais totalement perdre le contrôle de moi-même.* L'expression d'un sentiment authentique et honnête n'a jamais fait perdre la raison à personne.

«Et il n'est jamais revenu»

Jusqu'à maintenant, j'ai exposé plusieurs des traits souvent présents dans la personnalité sujette à la panique: estime de soi déficiente, autocritique, doute de soi, inquiétude, besoin d'exécuter les tâches à la perfection, besoin de satisfaire les autres, peur de la colère ou des conflits. Ces traits n'apparaissent pas après que commencent les symptômes de panique dans la vie de l'agoraphobe; ils font partie de sa personnalité.

La plupart de nos schèmes de comportement se forment entre la naissance et l'adolescence. Par conséquent, notre histoire personnelle en dit long sur notre vie actuelle. Les décisions fondamentales que nous prenons en vue de notre avenir, la plupart de nos croyances, et notre façon de nous voir et de voir notre monde proviennent de ce que nous avons appris il y a longtemps. Et nous agissons en fonction de cet apprentissage d'une façon peu ou pas du tout consciente.

À notre naissance, nous sommes tout à fait impuissants et vulnérables. Nous dépendons de nos parents pour la satisfaction de chacun de nos besoins, pour notre survie même. Le processus de développement entre la naissance et la fin de l'adolescence est une maturation progressive, sur tous les plans: physique, affectif, intellectuel et social. Cette maturation est tributaire de l'apprentissage de l'indépendance: penser pour nous-mêmes, se fier à nos instincts, établir nos propres objectifs, faire confiance à nos capacités et être capables de vivre de façon indépendante.

Dans un développement normal, la petite fille de deux ans a déjà commencé à expérimenter sa volonté en s'opposant à ses parents (songez aux premières démarches d'émancipation de l'enfant de deux ans) et en apprenant à se nourrir elle-même. À six ans, elle a appris qu'il n'est pas interdit de manifester son désaccord, de faire valoir ses idées et de poser des questions.

Une fois que l'enfant qui s'est développée normalement atteint l'âge de onze ans, ses interactions avec ses pairs ont atteint un certain degré de complexité. Elle est capable de discuter, de rivaliser, de réussir et de négocier. À seize ans, l'adolescente est en train d'adopter l'identité sexuelle et l'image de soi qui lui conviennent. Elle a appris à faire valoir ses idées et à s'engager dans des activités, tout en assumant une responsabilité d'adulte pour bon nombre de ses gestes. Jeune adulte, la femme a acquis le sentiment de sa propre valeur. Elle peut prendre des risques et consacrer du temps à ses propres activités, même s'il y a conflit avec les activités des autres.

Comme vous le constatez, l'acquisition de l'indépendance est un processus de développement qui se déroule étape par étape, et dont l'intensité et l'importance sont égales à celles du développement physique qui s'opère durant les dix-huit premières années de la vie. Si nous ne réussissons pas à franchir certaines étapes de développement durant notre jeunesse, notre capacité de connaître l'indépendance à l'âge adulte en sera réduite. Aucun d'entre nous n'a eu des parents parfaits; aucun d'entre nous ne peut être parfait dans son rôle de parent. Il ne sert à rien de blâmer qui que ce soit pour le passé. Tous les parents font de leur mieux; rares sont ceux qui font délibérément du mal à leurs enfants.

Nous sommes tous capables de surmonter une quelconque déficience de notre développement. En tant qu'adultes, nous avons le pouvoir de reconnaître les points forts qui nous font défaut et de nous entraîner nous-mêmes à la pensée, à l'émotion et à la vie indépendantes. Les expériences vécues durant l'enfance ne doivent pas nous servir d'excuses pour nos difficultés d'adultes.

Je remonte au passé avec mes patientes surtout pour découvrir les nouveaux apprentissages requis. Pour la patiente, toutefois, ce retour en arrière l'aide à éclairer certaines de ses croyances actuelles à la lumière des expériences passées. Le passé aide mes patientes à découvrir comment elles doivent changer leur façon de penser, de ressentir les émotions et d'agir. L'analyse du passé en soi ne change rien. Seule l'action positive d'aujourd'hui change ce que nous pensons, ressentons et faisons, et ce n'est qu'en pensant, ressentant ou faisant quelque chose de nouveau aujourd'hui que nous changerons.

Certaines de mes patientes agoraphobes sont des femmes qui ont vécu des expériences traumatisantes dans le passé. Si je vous fais connaître leurs récits, c'est parce qu'ils illustrent bien la manière dont se produit un certain apprentissage inconscient. Je ne dis pas que toutes les agoraphobes ont eu une enfance malheureuse; je ne le crois pas. Ce que je veux montrer, c'est que certaines des croyances des agoraphobes peuvent être irrationnelles et acquises de façon inconsciente. Bon nombre des leçons que nous recevons durant notre vie, nous les recevons sans le savoir. Néanmoins, elles déterminent nos croyances, et c'est ce que nous croyons qui détermine comment nous agissons.

> DIANE: Mon père est mort quand j'avais sept ans. Je ne me souviens pas vraiment des cinq années qui ont suivi son décès; j'ai passé beaucoup de temps dans ma chambre durant cette période. J'allais à l'école, je rentrais, je participais aux corvées, puis je montais dans ma chambre pour écouter la radio.
> J'étais la plus jeune de cinq enfants; mes frères et sœurs étaient beaucoup plus âgés que moi. Quand je suis née, ils étaient déjà à l'école secondaire. Alors, je passais beaucoup de temps seule avec ma mère. Elle n'entretenait aucune relation sociale et ne fréquentait pas d'homme. Elle ne s'est jamais remariée. Elle travaillait dur, toujours aimante et généreuse.
> DOROTHÉE: Mon père s'est enrôlé durant la guerre. Il n'en est jamais revenu. Je me souviens du jour où j'ai appris qu'il avait été tué.

> Je pense que c'est peut-être à ce moment-là que tout a commencé; à partir de ce jour-là, ma mère s'est mise à nous consacrer toute sa vie.

Chacune de ces femmes a connu un deuil ou une perte importante durant son enfance. Diane et Dorothée ont toutes deux l'esprit marqué par une scène traumatisante, dans laquelle leur père disparaît pour ne jamais revenir. À sept ans, Diane n'a reçu aucune explication du concept de la mort ni aucune aide pour apprendre à vivre avec ses sentiments face à celle-ci. Elle est devenue déprimée et l'est restée durant de nombreuses années, repliée sur elle-même, ayant une impression de «néant». Aujourd'hui, elle n'a gardé aucun souvenir de ces années, mais nous pouvons penser qu'elle a eu beaucoup de difficulté à comprendre et à exprimer ses émotions, en partie à cause de cette expérience vécue durant son enfance.

Durant l'enfance, les parents sont des modèles qui nous montrent comment nous comporter dans la vie. La mère de Dorothée s'est isolée du monde après le décès de son mari. Dorothée a été témoin de cet isolement; elle a vue sa mère se négliger et confiner dans la maison. La mère de Diane a pris la même décision. Les deux filles ont vu leur mère renoncer à leur vie personnelle pour se consacrer entièrement à leur enfant.

Quatre grands points sont essentiels à notre compréhension de l'apprentissage durant l'enfance. Premièrement, la perte d'un être cher est un grave traumatisme pour un enfant. Quand une personne disparaît de sa vie, l'enfant ne comprend pas les raisons de cette disparition. La mort, le divorce et la séparation peuvent pousser l'enfant à se demander: «Est-ce de ma faute?» L'enfant peut alors avoir peur de ses propres comportements, ne sachant pas exactement lequel a été le «mauvais». Dans la logique enfantine, quand on est abandonné une fois, on peut l'être une deuxième fois. C'est là une pensée terrifiante. Il y a une multitude de décisions que l'enfant peut prendre pour se protéger d'une autre perte ou séparation. Elle peut décider de ne se rapprocher de personne, afin de ne plus jamais être blessée. Ou encore, elle peut décider d'être extrêmement bonne, de ne pas faire d'histoires, parce que, si elle est mauvaise, les gens pourraient l'abandonner.

Ce sont là des exemples de décisions inconscientes que peut prendre l'enfant et qui peuvent rester en elle jusqu'à l'âge adulte. Ces comportements reposent sur un système de croyances et un cadre logique qui échappent à la pensée consciente. Ils ont été «implantés» dans notre cerveau sans que nous nous en rendions compte. Mais toutes ces croyances influencent nos décisions d'adultes et peuvent pousser l'agoraphobe à penser: «J'ai intérêt à toujours satisfaire mon entourage, sinon je me retrouverai seule.»

Deuxièmement, quand l'un des parents part ou meurt, il peut se développer chez l'enfant un fort attachement au parent restant. Cet attachement devient une force inconsciente puissante qui désorganise complètement la vie future de l'enfant. En tant qu'adultes, nous assumons des responsabilités qui exigent de nous pensées, émotions et comportements autonomes. Les adultes qui n'ont pas résolu les problèmes que pose cet attachement risquent de connaître un intense conflit interne. Beaucoup de mes patientes agoraphobes me parlent de leur ressentiment à l'endroit de parents qui sont trop proches d'elles sur le plan émotionnel ou qui essaient de régenter leur vie. En même temps, ces patientes se sentent incapables d'imposer des limites à la relation et de conquérir leur autonomie d'adultes. Elles disent, par exemple: «Je suis fâchée de voir ma mère me traiter comme elle le fait, pourtant elle est ma meilleure amie. Je ne sais pas ce que je ferais sans elle.» Ce type de relation peut exister avec le conjoint de l'agoraphobe, plutôt qu'avec le parent.

Troisièmement, la perte d'un être cher peut susciter une multitude d'émotions. Pour l'enfant, ce peut être la première fois qu'elle ressent un si grand nombre d'émotions si intensément: tristesse, peur, surprise, choc, voire colère. Ces nouvelles sensations feront que l'enfant se sentira déconcertée et accablée. Si on ne l'aide pas, il est possible qu'elle ne vienne jamais à bout de ces émotions. Je crois que Diane, par exemple, a été noyée dans cette confusion pendant de nombreuses années. Les agoraphobes comme elle, qui a entrepris un traitement quelque trente ans plus tard, pourraient bien ne pas être encore en mesure de maîtriser quelque émotion extrême.

Quatrièmement, entre en jeu le concept de «modeling», c'est-à-dire l'apprentissage par imitation. Quand nous sommes jeunes, nos parents constituent tout notre monde. Ils servent sans doute de modèles à 90 p. 100 de tous nos comportements appris. En grandissant auprès de nos parents, nous apprenons, en observant leur façon d'agir, comment partager des sentiments d'amour et d'affection, comment résoudre nos problèmes, communiquer avec les autres, nous respecter nous-mêmes, faire face au monde. La plupart de ces leçons sont absorbées de façon inconsciente. Nous nous mettons, automatiquement, à imiter les façons de faire de nos proches. Diane et Dorothée ont toutes deux vu leur mère s'isoler sur le plan social et se replier sur elle-même. Ce qu'elles *n'ont pas vu,* c'est une femme pleine de fierté et d'estime de soi qui considère la vie comme un défi à relever. En même temps, toutefois, elles ont toutes deux reçu beaucoup d'amour et d'affection de leur mère. Je suis sûr que cela a été une expérience positive et enrichissante, dont elles se souviennent aujourd'hui et qu'elles apprécient. L'enfance n'est jamais tout à fait heureuse ni tout à fait malheureuse.

DIANE: Ma mère a dû se trouver un emploi après la mort de mon père, même si elle n'avait jamais travaillé de sa vie. J'avais l'impression d'être un fardeau, alors j'essayais de ne pas trop déranger. Je ne lui ai jamais donné de raison de se fâcher. J'ai toujours fait tout ce que j'ai pu dans la maison pour l'aider. Je remerciais le ciel: nous pouvions garder la maison de mon enfance, nous n'étions pas obligées de déménager, de changer d'environnement.
Dr W.: Pourquoi croyez-vous que votre mère vous considérait comme un fardeau?
DIANE: Parce qu'elle était obligée de travailler à l'extérieur pour garder notre maison familiale, qu'elle n'avait jamais travaillé de sa vie, et ainsi de suite.
Dr W.: C'est donc vous qui avez décidé que c'était le cas; votre mère ne vous a donné aucun signe qu'il en était ainsi?
DIANE: Je le crois. Je ne me souviens d'aucun signe particulier qu'elle ait pu me donner.

Diane, ici, décrit sa croyance (elle était un fardeau pour sa mère) et sa décision (ne pas déranger), fondée sur cette croyance. Notez que cette croyance ne reposait sur rien que sa mère ait pu dire ou faire. Diane était aussi reconnaissante de ce que rien d'autre ne lui ait été enlevé après la mort de son père. Elle veillait à être bonne, pour que sa mère ne la quitte pas. Maintenant, dans sa vie adulte, Diane applique ces décisions d'enfance à toutes ses relations. Elle cache ses besoins s'ils sont en conflit avec ceux des autres et s'efforce de satisfaire les gens qui l'entourent. Même avec ses amis les plus intimes, elle affiche un sourire quand, en fait, elle est triste ou blessée. C'est comme si les mêmes peurs de son enfance continuaient de la hanter: «Si j'exprime mes besoins, je deviendrai un fardeau pour les autres, et ils m'abandonneront.»

«J'ai vécu dans la crainte que quelque chose arrive»

Dr W.: Parlez-moi de ce qui se passait chez vous.

CÉCILE: Le samedi soir, je me réveillais et j'entendais mon père qui battait ma mère, et... je ne sais pas... [Sa voix s'éteint; elle regarde fixement le sol.]

Dr W.: Vous ne voulez pas en parler?

CÉCILE: C'était une tension perpétuelle. Que puis-je vous dire de plus? C'était terrible. J'étais fâchée parce que les autres familles que je connaissais semblaient s'entendre si bien, tandis que moi, je devais endurer cette situation à la maison. J'éprouvais toujours une certaine peur. Je pense que je vivais dans la crainte constante que mon père fasse quelque chose à ma mère. Ne vous méprenez pas. C'était le week-end qu'il était le plus terrifiant. Le reste de la semaine, il en endurait beaucoup: ma mère était une femme agressive à sa façon.

Je ne me sentais pas en sécurité à la maison. J'avais toujours l'impression que quelque chose de terrible allait arriver; qu'un beau samedi soir, le pire se produirait. La situation a atteint son paroxysme durant mon adolescence. Peut-être qu'aller à l'école, devenir meneuse de claque et me joindre à toutes sortes de clubs, c'était ma façon à moi d'oblitérer tout cela. Je ne sais pas.

Longtemps avant que l'agoraphobie apparaisse chez Cécile, elle vivait dans la peur. Elle n'avait aucun contrôle sur son environnement et avait raison de craindre «que quelque chose de terrible se produise», puisque son père agressait physiquement sa mère. Mais ce n'était pas quelque chose que, jeune fille, Cécile pouvait empêcher. Sa seule avenue était de fuir la situation, de rester à l'extérieur du foyer autant que possible.

Ici encore, notez comment cela ressemble à la réaction de l'agoraphobe à l'endroit des situations dont il a peur: redouter que quelque chose de terrible se produise dans une situation sur laquelle le sujet n'a aucun contrôle, et fuir la situation autant que possible. L'expérience qu'a vécue Cécile durant son enfance lui a donné sa première leçon d'un tel comportement.

> CÉCILE: Enfant, j'étais très désorientée. Il m'arrivait de souhaiter que mon père nous quitte ou que ma mère se reprenne en main. C'était très difficile. Mais je faisais toujours comme si tout allait bien. Les gens de l'extérieur n'auraient jamais pu deviner qu'il se passait quelque chose à la maison.

Cécile avait pris la décision généreuse de protéger le secret de sa famille. Elle cachait à ses amis ses vrais sentiments, pour qu'ils ne découvrent pas les difficultés qui déchiraient son foyer. Mais elle le faisait à son propre détriment. Elle prétendait être une enfant active et insouciante, alors qu'elle était une enfant triste, déboussolée, tendue et effrayée. Puisque personne ne connaissait son tourment émotionnel, personne ne pouvait y réagir avec attention et amour.

Cécile a décidé très jeune de contenir ses émotions. Cette décision et toutes ses répercussions ont été à la base de beaucoup des difficultés personnelles qu'elle allait connaître plus tard.

> CORINNE: Je souffre d'anxiété depuis l'âge de huit ans. Je me souviens d'avoir plusieurs fois dû rentrer chez moi en courant à cause de sentiments accablants que ne pouvait pas logiquement comprendre la petite fille de cinq ans que j'étais. À partir de ce moment, on m'a collé une étiquette: j'étais une enfant troublée sur le plan émotionnel. En plus, je souffrais d'asthme. J'y faisais face comme je le pouvais. Je

me contentais d'accepter mon état et, si je ne me sentais pas bien durant une visite à une amie (ceci se passait quand j'avais huit ans), je rentrais chez moi. Je savais toujours quoi faire. Une fois rentrée, je me sentais soulagée. Mais je me retirais dans ma chambre pour pleurer; j'étais très déprimée. Au primaire et au début du secondaire, beaucoup de choses allaient bien pour moi. Puis, à l'adolescence, je suis allée voir un analyste dans une clinique, parce que ma mère me croyait déprimée.

Dr W.: Pourquoi?

CORINNE: À la réflexion, je me souviens d'avoir passé beaucoup de temps dans ma chambre — toute une année, en fait. Je n'avais aucun but, aucune ambition, rien.

Dr W.: Quand cela?

CORINNE: Exactement à l'époque du décès de mon père. J'achevais mes études secondaires. L'année qui a suivi sa mort, je me suis repliée dans ma chambre. Je voulais m'évader du monde, être seule avec moi-même. J'ai sûrement causé ma propre dépression. En fait, quand j'étais déprimée, je n'étais nullement anxieuse, je m'éloignais tout simplement de tout le monde.

Je me souviens de ma première attaque de panique, quand nous avons déménagé. J'ai quitté l'endroit où j'avais grandi. Ma mère s'était remariée, nous allions vivre dans une autre région. Il me fallait quitter mon ami de cœur. Tout cela arrivait en même temps. Toutes des choses importantes: ma maison, ma sécurité...

Dr W.: Quel âge aviez-vous alors?

CORINNE: Dix-huit ans. Peu de temps après, j'ai commencé à avoir mes crises. Au restaurant, au cinéma, au théâtre, durant les excursions de ski...

Dans cette brève conversation, Corinne décrit trois traits qui sont courants chez certaines agoraphobes:

- Elle avait depuis longtemps une tendance à l'anxiété.
- Elle souffrait aussi de dépression. En fait, son année de réclusion à la maison tenait plus d'une réaction dépressive au décès de son père qu'à une manifestation d'agoraphobie.

- Ses attaques de panique ont commencé au moment où sa mère s'est remariée et où sa famille a déménagé loin des gens et des choses qui comptaient le plus dans sa vie. Voilà qui est tout à fait conforme à ce que nous avons vu jusqu'à maintenant: l'agoraphobie a tendance à se manifester durant une période de stress.

Une nouvelle et importante dimension psychologique est illustrée par l'histoire de Corinne. Beaucoup de femmes agoraphobes ont de la difficulté à faire face à la séparation, pas seulement durant l'enfance, mais toute leur vie. Acquérir une indépendance d'adultes par rapport à leurs parents ou décider de rompre un mariage malsain, cela peut générer des sentiments accablants d'anxiété. Même si, intellectuellement, elles peuvent croire en la nécessité d'un changement dans leur relation, c'est, psychologiquement, une tâche insupportable. En tant que psychologue, je suis souvent en mesure de deviner les expériences que mes patientes agoraphobes ont connues durant l'enfance et l'adolescence, expériences qui témoignent de cette difficulté à faire face à la séparation.

Les réactions extrêmes de Corinne à la mort de son père et au déménagement de sa famille sont de bons exemples. Cette difficulté à elle seule peut constituer un obstacle de taille sur le chemin de la guérison.

«Alors, je la laissais me dominer»

DIANE: Quand je me suis mariée, je n'ai absolument rien eu à dire à propos du mariage: je n'ai pas choisi ma robe, ni ma demoiselle d'honneur. Ma mère voulait telle fille en particulier, c'est tout. J'essayais toujours de plaire à ma mère, parce que je sentais qu'elle avait fait bien des sacrifices pour moi. Alors, je la laissais me dominer.

CÉCILE: Ma mère a toujours été une femme dominatrice. Elle voudrait contrôler le monde entier. C'est elle qui doit tout diriger. Adolescente, je n'avais jamais la permission de faire quoi que ce soit, elle faisait tout à ma place. Je n'ai jamais eu d'autonomie. Elle me dit que c'est parce qu'elle était la plus jeune de neuf enfants et qu'elle était obligée de tout faire à la maison. À mon avis, elle ne devrait pas s'en prendre à moi pour cela.

Même dans ces brefs témoignages, nous pouvons conclure que ni Diane ni Cécile n'ont appris à penser et à agir de façon indépendante durant leur adolescence. Quelle que soit la raison de cette déficience, elles sont sorties de leurs années de développement manquant d'une habileté essentielle, et toutes deux en ont cruellement souffert depuis.

Pour vaincre la panique, chacune d'elles doit apprendre aujourd'hui ce qu'elle aurait dû apprendre à ce moment-là. Si elles n'arrivent pas à acquérir l'indépendance de pensée, de sentiment et d'action, elles resteront prisonnières de leurs symptômes, parce que ceux-ci sont déterminés par la peur, l'hésitation à agir et le doute de soi.

> DOROTHÉE: Mon beau-père, quoi qu'il fasse, nous menait toujours par le bout du nez. Nous ne pouvions jamais rien faire de notre propre chef. Si nous agissions comme ceci, «nous étions stupides», si nous agissions comme cela, «nous avions tort». Ma mère souffrait de phobie, je pense, parce que c'est son mari qui prenait tout en main. Il faisait les courses, tandis que ma mère restait à la maison. Il la menait au doigt et à l'œil, comme il me menait moi. Il était bien intentionné, c'est sûr, nous vivions dans l'abondance matérielle grâce à lui. Mais, en grandissant, j'ai beaucoup entendu ma mère pleurer dans son lit le soir.
>
> Mon beau-père voulait toujours avoir raison. Ma mère essayait de lui résister; quand j'étais enfant, je les entendais souvent se disputer. Mais s'il n'avait pas le dernier mot, il la frappait. Ma mère a déjà été une femme charmante et solide. Elle a fini par faire une dépression nerveuse. Aujourd'hui, elle n'est plus rien: elle se gave de pilules.
>
> Ma mère laissait mon beau-père nous dominer. Elle nous répétait: «Fais-lui plaisir. Fais ce qu'il te dit.» En d'autres mots, nous n'avons jamais pensé librement. Nous ne pouvions jamais dire que nous faisions quoi que ce soit parce que nous le voulions.

> Après un bout de temps, je pense que cette attitude s'est enracinée en moi. Même enfant, j'étais perfectionniste, et je m'en faisais pour tout. On m'appelait l'«anxieuse». J'étais plutôt émotive. J'avais quatorze ans quand le médecin m'a prescrit un tranquillisant.
> Je me suis mariée à dix-sept ans pour fuir la maison familiale. Mon mari était aussi fort que mon beau-père, lui aussi aimait dominer les autres. Je n'ai donc jamais eu l'occasion de trouver ma propre voie.

Ces extraits d'une séance avec Dorothée contiennent une mine de renseignements sur ses limites d'aujourd'hui. Premièrement, Dorothée a fait un apprentissage par imitation de sa mère. Il semble que sa mère aussi ait été agoraphobe; son monde ne s'étendait pas au-delà des quatre murs de sa maison. N'oubliez pas que la simple *observation* par l'enfant de ses proches et des événements lui fournit une grande partie de ses croyances. Dorothée voyait aussi sa mère tenter de résister à son beau-père, sans y parvenir. Faire valoir ce qui lui semblait juste ne lui causait pas seulement de la douleur physique, mais aussi de l'humiliation. Dans l'esprit de Dorothée, l'indépendance de pensée et d'action était constamment associée à l'inconfort. Dans ce contexte, il était naturel pour Dorothée, même intelligente, de devenir passive et dépendante.

Dorothée a pris deux autres décisions, dans sa tentative de faire face à sa vie familiale. Elle est devenue perfectionniste et s'est mise à s'inquiéter de tout. Se peut-il qu'elle se soit dit: «Si je fais tout à la perfection, il va cesser de me critiquer»? Est-elle devenue anxieuse parce qu'elle ne savait jamais ce qui lui pendait au nez? «Va-t-il se mettre en colère? Comment va-t-il réagir si je fais cela?» Quoi qu'elle fasse, son beau-père ne lui permettait jamais de contrôler la situation. Dans ces conditions, il convenait donc que Dorothée tente d'échapper à ses critiques.

Ce qui fait problème, c'est que les stratégies d'adaptation de Dorothée enfant (passivité, dépendance, inquiétude, perfectionnisme) sont devenues des modèles inconscients qu'elle continue d'appliquer à sa vie d'adulte, même si la situation qui avait rendu ces stratégies nécessaires n'existe plus. Pour changer, Dorothée devra de nouveau croire aux avantages de l'activité, de l'indépendance et de l'acceptation de ses propres erreurs.

Les leçons que nous apprenons ne proviennent pas nécessairement d'expériences importantes ou traumatisantes; elles peuvent résulter d'influences presque imperceptibles, comme l'illustrent les commentaires d'Hélène, une autre de mes patientes agoraphobes: «J'étais fille unique, et je pense avoir toujours voulu plaire à mon père. Quand je faisais quelque chose de mal, jamais il ne me grondait, ne me frappait ou ne s'emportait. Mais il me jetait un regard bien particulier, c'était suffisant. Ma mère était une femme passive, qui cherchait à maintenir la paix à tout prix. Je pense que c'est ce que moi aussi j'ai toujours voulu: maintenir la paix à tout prix.» Quoi qu'il se soit réellement passé à la maison, c'est ce que l'enfant a appris et décidé de croire en réponse aux faits qui détermine son comportement ultérieur. Nous ne sommes pas menés par notre passé, mais par des croyances apprises. Hélène observait sa mère qui tentait de «maintenir la paix à tout prix» en restant une femme silencieuse et peu exigeante, qui ne se disputait jamais. Hélène a aussi vécu dans une famille remplie d'amour et elle a été témoin d'une union heureuse entre son père et sa mère. Elle a donc acquis la conviction que, en «maintenant la paix», son mariage serait heureux, et elle a décidé de suivre cette règle dans sa vie adulte.

Gérer le présent

La panique n'arrive jamais sans raison dans la vie de quelqu'un. Chez certains, les causes sont plus évidentes que chez d'autres. La personne souffrant d'une phobie, par exemple, a appris à avoir peur à cause de traumatismes passés ou de l'apprentissage par imitation des autres. Celui qui a été victime d'un infarctus du myocarde en craint un second. Cependant, l'expérience de la panique chez l'agoraphobe est la manifestation physique d'une constellation complexe dans sa personnalité.

Bien sûr, une foule d'êtres humains vivent des événements traumatisants, que ce soit la mort d'un être cher ou la violence physique. Encore plus d'hommes et de femmes traversent des périodes de stress durant leur vie qui entraînent de brèves montées d'anxiété ou de la panique. Nous connaissons tous des époques où nous doutons de nous-mêmes, où nous nous critiquons, où nous voulons plaire aux autres et éviter les conflits.

Alors, qu'est-ce qui détermine l'agoraphobie? Comme pour la plupart des autres troubles psychologiques, nous ne le savons pas et ne le saurons sans doute jamais avec certitude. La compréhension de la personnalité n'est pas une science exacte. Cependant, les schèmes de comportement illustrés dans le présent chapitre reflètent certaines des expériences communes du présent et du passé qui forment et entretiennent la personnalité sujette à la panique de l'agoraphobe.

Il est impossible de revenir en arrière pour changer le passé, et de recevoir aujourd'hui ce que nous aurions dû recevoir quand nous étions jeunes. Ce qui est fait est fait. Mais, heureusement, on peut, sans connaître les causes de l'agoraphobie, en connaître le remède. La panique est entretenue par nos attitudes et croyances actuelles, nos émotions actuelles et nos comportements actuels. Ces trois composantes de notre personnalité peuvent être modifiées, quel qu'ait été notre passé.

La différence entre l'agoraphobe souffrant de panique et les personnes sujettes à la panique, c'est que l'agoraphobe pourrait se sentir «enlisée» et avoir l'impression qu'elle ne pourra jamais changer. Tant de variables entrent en jeu dans le traitement de ce trouble! Chez l'agoraphobe, on pourrait dire que le moment de panique ressemble un peu à une pointe d'aiguille qui serait suivie par une locomotive. C'est pourquoi la plupart des experts en la matière s'entendent pour dire que, pour vaincre la panique, les agoraphobes ont besoin de l'aide d'un professionnel de la santé mentale spécialement formé.

Dans la deuxième partie du présent ouvrage, nous traiterons des nombreuses difficultés auxquelles doit faire face l'agoraphobe qui souffre de panique. Plus importante encore, cette deuxième partie reflétera la conviction selon laquelle, en s'attaquant aux croyances, aux émotions et aux comportements actuels, chacun peut surmonter n'importe quel obstacle sur son chemin.

5

Quatre complications

Le syndrome prémenstruel, l'hypoglycémie, la dépression et l'alcoolisme peuvent rendre plus difficiles le diagnostic et le traitement de la panique. En effet, les symptômes de la panique ressemblent beaucoup à ceux du syndrome prémenstruel et de l'hypoglycémie. Voilà qui brouille les cartes et qui risque de causer quelques difficultés de diagnostic. Dans certains cas, une erreur de diagnostic peut retarder le traitement adéquat. La dépression et l'alcoolisme perturbent grandement le déroulement du traitement, en minant la motivation et en ajoutant des problèmes à une situation déjà complexe. Dans la plupart des cas, la dépression ou l'alcoolisme doivent être traités avant que des progrès sensibles soient réalisés dans le contrôle de la panique.

Syndrome prémenstruel

Le syndrome prémenstruel, c'est l'ensemble des symptômes physiques et psychologiques qui se manifestent chez la femme durant les jours ou les semaines qui précèdent la menstruation. Des études ont révélé que de 30 à 95 p. 100 des femmes en bonne santé connaissent durant cette période une crête de dépression, d'irritabilité et d'anxiété, en plus du malaise physique. Le type de symptômes et la période durant laquelle ils se manifestent sont les deux critères de diagnostic de ce trouble.

Dans le syndrome prémenstruel, la femme connaît des symptômes physiques ou émotionnels dont l'intensité peut varier de modérée à très forte, et qui peuvent se manifester jusqu'à quatorze jours avant la menstruation, mais de cinq à sept jours avant seulement, dans la plupart des cas. L'inconfort accompagne presque chaque cycle, et seulement durant la phase prémenstruelle. Les symptômes disparaissent au cours de la semaine suivant le début de la menstruation.

Le cycle menstruel est l'une des fonctions les plus complexes de l'organisme. Malgré une cinquantaine d'années de recherches, nous ne comprenons pas encore parfaitement ce processus. Aucune cause pour ce syndrome n'a encore été prouvée par des recherches à grande échelle; aucun traitement n'a fait l'unanimité non plus. Aujourd'hui, cependant, nous pouvons affirmer qu'il s'agit d'un trouble physique et non psychologique.

Étant donné que les types possibles de symptômes sont nombreux et peuvent varier d'une femme à l'autre, je ne parlerai ici que des symptômes psychologiques et comportementaux qui se manifestent fréquemment durant la phase prémenstruelle. Si vos symptômes sont graves au point de perturber votre vie, et si vous connaissez quatre ou plus des symptômes suivants, vous devriez consulter votre médecin à ce propos:

- irritabilité, hostilité, colère;
- tension, agitation, dysphorie, nervosité, incapacité de se relaxer;
- efficacité réduite, fatigue;
- dépression, pleurs inusités, labilité de l'humeur;
- manque de coordination, maladresse, tendance aux accidents;
- distractibilité (attention qui fluctue rapidement au gré de stimuli externes futiles), confusion, manque de mémoire, difficulté de concentration;
- changements dans les habitudes alimentaires, généralement des envies ou des excès;
- augmentation ou diminution du désir sexuel.

Même si la plupart des femmes souffrant de ce syndrome présentent des symptômes physiques et psychologiques, ce sont ces derniers symptômes qui risquent d'être les plus dévastateurs.

Le syndrome prémenstruel est l'une des nombreuses affections dont nous parlons dans le présent ouvrage et qui échappent souvent au diagnostic. Comme une grande partie de ses symptômes sont d'ordre psychologique, la femme, sa famille et les professionnels de la santé peuvent conclure qu'il s'agit d'un produit de l'imagination. L'absence d'un diagnostic juste et rapide peut compliquer grandement la situation.

Nous savons que le stress a un effet direct sur le cycle menstruel; il peut retarder ou éliminer une menstruation. Quand les difficultés et les tensions montent dans la vie de la femme atteinte du syndrome, elles font des ravages en accentuant les symptômes comme l'irritabilité et la dépression.

La panique peut être l'un des symptômes du syndrome prémenstruel; les tensions de la vie et le stress relié à l'expérience de symptômes non diagnostiqués ne font que multiplier les risques de panique. En fait, les professionnels qui négligent de tenir compte de ce syndrome pourraient bien diagnostiquer à tort une attaque de panique. Le meilleur moyen de distinguer l'un de l'autre, c'est pour la femme de garder un journal quotidien des symptômes qu'elle ressent sur une période d'au moins deux mois. La comparaison de l'apparition des symptômes avec le cycle menstruel fera apparaître un rapport évident, si le syndrome prémenstruel est présent.

Le traitement du syndrome doit être personnalisé, puisque la science médicale n'en connaît pas encore les causes exactes. Plusieurs traitements sont considérés comme ayant des effets bénéfiques. La recommandation la plus générale, c'est d'accorder une attention spéciale à l'alimentation, aux vitamines, à l'exercice et aux émotions. Il faut éviter les aliments riches en sucre, en sel ou en matières grasses, de même que les aliments trop raffinés et ceux qui contiennent des produits chimiques. La maîtrise des fringales et le maintien du poids réduisent les risques d'apparition du syndrome. Parmi les aliments qui contribuent à l'allégement des symptômes, on compte les aliments riches en protéines et ceux qui sont faits à partir de grains entiers, les légumineuses, les graines et les noix, les légumes et les fruits, ainsi que les huiles végétales non saturées. Les vitamines B, surtout la vitamine B_6, et la vitamine A pourraient être nécessaires. L'augmentation de l'activité physique contribuera à accélérer le métabolisme. Finalement, il est important que la femme reçoive des conseils professionnels pour mieux faire face au stress.

D'autres traitements en sont encore au stade expérimental, mais les recherches ne sont pas assez nombreuses ou leurs résultats pas assez concluants pour qu'on puisse en recommander l'application sur une grande échelle. Parmi ceux-ci, on compte l'utilisation de suppositoires de progestérone (en cas de déséquilibre hormonal) et d'autres médicaments tels que les diurétiques (pour réduire la quantité d'eau retenue dans l'organisme), les contraceptifs oraux, et la biomocriptine ou danazol (pour les symptômes se manifestant dans la région des seins).

Vous trouverez peut-être que, même si vos symptômes ne sont pas identifiables au syndrome prémenstruel, ils s'intensifient avant la menstruation. Un certain nombre de mes patientes ont noté qu'elles étaient davantage sujettes à la panique durant cette période-là. Leurs commentaires étayent mon opinion selon laquelle les changements hormonaux peuvent influencer la susceptibilité aux attaques d'anxiété. Plus particulièrement, on a trouvé que l'hormone féminine progestérone accentue la sensibilité de certains récepteurs chimiques de l'organisme. La progestérone est sécrétée durant la phase prémenstruelle du cycle féminin. Il est donc possible que ces systèmes d'alarme que sont les récepteurs chimiques deviennent trop sensibles, entraînant ainsi le cerveau à répondre à un signal mal interprété. Cela pourrait expliquer, en partie du moins, pourquoi la panique est plus fréquente chez la femme que chez l'homme, et pourquoi la phase prémenstruelle s'accompagne d'une accentuation de l'anxiété et de l'irritabilité.

Le symptôme de panique chez la femme atteinte du syndrome prémenstruel peut commencer à se manifester seul, causant ainsi maintes complications. Dans la seconde partie du présent ouvrage, vous apprendrez à «désensibiliser» ce système d'alarme, de façon à pouvoir dominer vos symptômes. Vous apprendrez comment gérer la panique et, finalement, l'éliminer de votre vie, quand vous trouverez le meilleur traitement pour vos autres symptômes du syndrome prémenstruel. Même si une certaine anxiété risque de persister, personne n'est obligé de se laisser accabler par la peur d'une attaque de panique inattendue et incontrôlable.

Hypoglycémie

Comme nous l'avons vu au deuxième chapitre, l'hypoglycémie (diminution du sucre dans le sang), c'est l'expérience de symptômes physiques désagréables durant les périodes où le taux de glucose dans le sang est inférieur à la normale. C'est une affection assez rare que l'on observe surtout chez les personnes atteintes de diabète sucré. Les autres causes de l'hypoglycémie «réactionnelle» comprennent les fortes fièvres, la maladie de foie, la grossesse, la chirurgie de l'estomac, certains types de cancer, une réaction à certains aliments ou médicaments, et l'anorexie mentale.

Dans le diabète sucré, le pancréas sécrète une quantité insuffisante d'insuline, l'hormone qui active l'utilisation du glucose dans l'organisme. Il en résulte dans le sang un taux de glucose supérieur à la normale. On peut traiter cette maladie par injection quotidienne d'insuline ou par un régime alimentaire particulier. Si le diabétique absorbe trop d'insuline ou ne s'en tient pas au régime alimentaire prescrit, ou s'il s'engage dans des activités physiques vigoureuses et prolongées, le taux de glucose de son sang pourrait tomber, ce qui ferait apparaître les symptômes de l'hypoglycémie.

Quand ces symptômes sont graves, on ne peut les distinguer des symptômes de l'attaque de panique: tremblements, vertiges, sueurs profuses, anxiété, irritabilité, tachycardie, manque d'équilibre et faiblesse. Cette similarité des symptômes n'est pas une simple coïncidence. Pour lutter contre le faible taux de glucose, la glande médullo-surrénale sécrète l'hormone adrénaline, qui contribue à libérer rapidement dans le sang un complément de sucre (stocké dans le foie). Mais l'adrénaline a d'autres effets. C'est un stimulant de la branche sympathique du système nerveux autonome. Durant les urgences, la peur, la colère ou devant une menace, l'adrénaline prépare le corps en accélérant le rythme cardiaque, en élevant la tension artérielle, en intensifiant la transpiration, en tendant les muscles et en provoquant un certain nombre d'autres changements rapides. (Ce phénomène est décrit en détail au huitième chapitre.) Au cours d'une attaque de panique, le sujet se croit menacé d'une certaine manière. Cette croyance suffit à donner au cerveau le signal de sécréter l'adrénaline.

Comme l'hypoglycémie et l'attaque de panique ont des effets semblables, les erreurs de diagnostic sont possibles. Dans le passé, les médecins diagnostiquaient l'hypoglycémie au moyen d'une épreuve de tolérance au glucose d'une durée de cinq heures, précédée par trois jours d'un régime à haute teneur en hydrates de carbone. Même une évaluation si rigoureuse se révèle insuffisante, puisque de 23 à 48 p. 100 des individus sains connaîtront occasionnellement des périodes où leur taux de glucose sanguin sera faible. Un diagnostic juste sera déterminé par le fait que le sujet présente des *symptômes* durant ces périodes et éprouve le *soulagement de ces symptômes* quand son taux de glucose sanguin remonte.

L'évaluation de vos attaques de panique peut toutefois vous fournir des renseignements précieux:

Vous éveillez-vous en proie à des attaques de panique? C'est le matin que le taux de glucose sanguin est le plus faible, parce que le corps a passé une longue période sans repas. Si les symptômes apparaissent *chaque matin,* vous pourriez souffrir d'hypoglycémie.

Vos attaques de panique surviennent-elles selon une certaine configuration? Le taux de glucose sanguin est le plus bas juste avant le déjeuner, juste avant le dîner, et deux ou trois heures après chacun de ces repas. Si vos attaques de panique coïncident toujours avec l'un ou l'autre de ces moments, l'insuffisance du taux de glucose sanguin pourrait contribuer à déclencher les attaques.

Le sucre, sous une forme ou une autre, fait-il disparaître complètement vos symptômes? Si vous êtes sujet à la panique aux moments décrits précédemment, faites une expérience: consommez un aliment sucré (petit gâteau, jus de fruit, bonbon ou sucre) aussitôt que l'attaque survient. Si vos symptômes diminuent chaque fois quinze ou vingt minutes plus tard, demandez à votre médecin de considérer l'éventualité d'une hypoglycémie.

Un certain nombre d'ouvrages populaires ont prétendu que l'hypoglycémie se cachait derrière un grand nombre d'affections physiques et psychologiques. En réalité, ce pourrait être exactement l'inverse. Les méthodes de diagnostic médiocres des professionnels de la santé et l'autodiagnostic des sujets expliquent le nombre exagérément élevé de faux cas d'hypoglycémie. Par exemple, au cours d'une étude récente portant sur 135 patients qui prétendaient souffrir d'hypoglycémie ou chez qui on soupçonnait l'existence de cette affection, le diagnostic n'a été confirmé que dans quatre cas seulement. Quatre-vingts pour cent des autres sujets présentaient une quelconque forme d'affection psychologique, surtout la dépression et la somatisation (traduction d'un conflit psychique en affection somatique).

Le diagnostic erroné d'une hypoglycémie est grave, car la fausse confirmation de cette maladie empêche l'identification de l'affection réelle et son traitement. Il pourrait s'agir d'affections physiques sérieuses, comme l'hypertension et l'hyperthyroïdie (toutes deux décrites au deuxième chapitre), ou de troubles psychologiques qu'on peut traiter.

Chez la personne sujette à la panique, les diagnostics qui risquent d'échapper au médecin sont, en plus de la dépression, le trouble panique et l'agoraphobie. Plusieurs facteurs expliquent cela. Premièrement, bien sûr, c'est le fait que les symptômes de la panique peuvent accompagner l'hypoglycémie. Il y a aussi une relation avec les moments où les attaques de panique se produisent. Si le sujet subit ses attaques quand il fait la queue dans une épicerie ou quand il attend qu'on le serve dans un restaurant, s'agit-il du trouble panique ou de l'hypoglycémie? Si cette personne n'a pas mangé depuis quelques heures, elle pourrait ressentir la même nervosité et les mêmes symptômes que nous tous, quand notre corps réagit à la faiblesse du taux de glucose sanguin.

La personne sujette à la panique non seulement remarquera ses symptômes à l'épicerie ou au restaurant, mais y réagira avec crainte. La consommation de sucre pour alléger les symptômes physiques ne soulagera pas son inquiétude, seul le fait de quitter les lieux aura un tel effet.

Bon nombre de personnes souffrant du trouble panique s'acharnent à croire qu'elles souffrent plutôt d'hypoglycémie.

Cette attitude, qui leur apporte beaucoup d'avantages, est une forme d'évitement. En décidant qu'elles sont atteintes d'une maladie physique, elles évitent de faire face aux difficultés psychologiques et au stress de leur vie. Les affections psychologiques continuent d'être mal vues dans notre culture. Leur traitement requiert également un effort de tout instant de la part du malade. Le fait de croire en une hypoglycémie offre une certaine forme de soulagement, parce que des symptômes complexes et ambigus sont ainsi étiquetés clairement, et présente une solution facile: le sujet n'a qu'à surveiller son alimentation. Mais certains malades ne se contentent pas de restreindre leur alimentation, ils commencent aussi à limiter leurs activités sociales. Voilà qui pourrait être un indice de ce que ces personnes s'acharnent à croire en une hypoglycémie, pour éviter de regarder en face des réalités encore plus terrifiantes.

Comme nous l'avons vu, pour en arriver au diagnostic d'une hypoglycémie réactionnelle, le médecin doit observer que les symptômes du patient se manifestent quand son taux de glucose sanguin est le plus bas, et qu'ils sont soulagés quand ce taux remonte. Se contenter d'effectuer une épreuve de tolérance au glucose sur les sujets qui souffrent d'attaques de panique spontanées ne suffit pas, puisqu'une bonne minorité d'hommes et de femmes en bonne santé peuvent voir leur taux de glucose sanguin tomber de temps à autre.

Si le diagnostic d'hypoglycémie est positif, il se pourrait que la personne sujette à la panique soit quand même obligée d'essayer de maîtriser sa réaction émotionnelle aux moments où le taux de glucose est insuffisant. Voici quelques suggestions. Ayez toujours un aliment sucré sur vous. Quand vous sentez les signes avant-coureurs d'une attaque, consommez calmement de cet aliment, jusqu'à ce que vous vous sentiez de nouveau bien. Expliquez à vos amis comment ils peuvent vous aider si tout à coup vous leur semblez désorienté. Dites-leur qu'ils doivent vous donner du jus de fruit ou un autre aliment sucré, jusqu'à ce que vous puissiez le faire vous-même. Un régime général d'entretien et toute précaution nécessaire vous seront expliqués par votre médecin. La seconde partie du présent ouvrage vous aidera à contrôler vos réactions physiologiques durant la crise d'hypoglycémie et à garder votre calme émotionnel, afin de réduire au minimum l'intensité de vos symptômes.

Dépression

Il ne faut pas s'étonner que les victimes d'attaques de panique deviennent déprimées. Quand nous voyons notre monde se refermer sur nous, quand nous ne sommes plus capables d'affronter des situations qui ne nous causaient naguère aucune anxiété, quand nous ressentons des symptômes physiques qui ne semblent pas avoir de cause claire, le doute de soi, le découragement et la tristesse sont des effets secondaires bien compréhensibles.

Bon nombre de victimes de la panique se plaignent également de symptômes reliés à la dépression: perte d'énergie, sentiment de désespoir, manque d'estime de soi, crises de larmes, irritabilité, difficulté de concentration, perte marquée d'intérêt pour les activités habituelles, diminution du désir sexuel, troubles du sommeil, variations du poids.

La relation entre le trouble panique et la dépression a été bien établie grâce à de nombreuses études. En même temps, les recherches indiquent que le trouble panique (et l'agoraphobie) et la dépression sont deux affections distinctes qui coexistent par hasard chez le même sujet. La vaste majorité des personnes atteintes de trouble panique ou d'agoraphobie connaissent des périodes de dépression profonde. Une étude a révélé que la moitié des personnes souffrant de trouble panique ou d'agoraphobie, qui commençaient un traitement et qui avaient été dépressives dans le passé, avaient connu au moins une période de dépression majeure avant l'apparition du trouble panique ou en dehors des périodes de panique. Autrement dit, la dépression n'apparaît pas simplement en réaction à des luttes prolongées contre la panique. Et la dépression peut disparaître même si la panique continue d'affecter le sujet.

Dans le cas de la personne souffrant de panique, le problème le plus important que cause la dépression, c'est qu'elle complique et retarde le processus de guérison. Songez un instant aux pensées qui assaillent la personne anxieuse en proie à des attaques de panique. Elle pense à tel événement prochain et s'inquiète. «Est-ce que je serai à la hauteur?» Elle imagine la possibilité d'un échec: «Il se peut que j'échoue.» Elle souhaite agir, mais hésite: «J'ai trop peur.» La personne sujette à la panique aimerait s'engager activement dans son monde, mais doute de pouvoir exécuter avec compétence telle ou telle tâche. Quand la panique dure trop longtemps dans la vie de l'individu, sa perspective et son auto-évaluation pourraient prendre les couleurs de la dépression. L'individu surtout anxieux envisagera l'avenir avec incertitude. Il ne sait pas à quel point ses tâches futures seront difficiles, si oui ou non il sera à la hauteur et s'il pourra contrôler la situation. Le doute sur son avenir plane dans son esprit.

S'il commence à céder à une attitude encore plus dépressive, cette incertitude se transforme en attentes fatalistes. Il imagine tel événement à venir et se dit: «Je ne serai pas à la hauteur de la situation.» Il songe à un échec possible: «Je vais échouer.» Cette lutte interne entre le désir d'agir et la crainte dégénère. Plutôt que d'entretenir des doutes sur l'avenir, il devient convaincu de ce qui se passera: «Je ne réussirai pas.» Une attitude encore plus destructrice pourrait poindre: «Ça ne me fait pas grand-chose de toute façon.»

Ces prédictions négatives et ce manque de dynamisme sont entretenus par l'autodévalorisation, comme si l'individu n'avait pas les traits essentiels qui feraient de lui un être humain complet et compétent. Plutôt que de penser: «Je ne suis pas préparé pour *ce travail*» ou «Je doute de pouvoir entrer dans *cet immeuble*», il commence à se dire: «Je ne suis pas à la hauteur. Je n'ai pas ce qu'il faut. Je ne peux pas m'adapter.» En réfléchissant à son passé, il trouve la justification de ce sentiment: «La situation n'a pas changé par rapport à autrefois. Rien n'a jamais fait beaucoup de différence. Mes limites sont irréversibles.»

Il est difficile d'aider la personne faisant face à la panique quand elle a cédé à cette attitude déprimée, pour des raisons évidentes. Quand l'individu se croit foncièrement incompétent, pense que rien ne va jamais vraiment changer dans sa vie et que demain ressemblera à aujourd'hui et à hier, pourquoi se donnerait-il la peine d'envisager une solution de rechange à l'état actuel des choses? À son avis, cela ne servirait à rien.

Si vous ressentez ce genre de dépression, vous devez prendre conscience de l'attitude enracinée en vous et la modifier, afin d'affronter les défis que présente la panique. Vous devez faire passer votre attitude de la certitude («Rien ne changera rien à quoi que ce soit») à l'incertitude. Même une attitude empreinte d'anxiété («Je ne sais pas si j'y arriverai ou non») constitue une amélioration. En fait, c'est l'attitude que je souhaite voir adopter par mes clients quand ils commencent à affronter la panique. Nul besoin d'affecter une confiance ou une assurance quelconque, parce que l'incertitude est un élément majeur de la vie adulte. En disant «Je ne suis pas sûr», vous ouvrez votre esprit à la possibilité du changement («Peut-être que je ne pourrai pas relever ce défi particulier, peut-être le pourrai-je»).

Il y a deux façons de mettre fin à cette attitude dépressive; nous parlerons des deux dans la seconde partie du présent ouvrage. La première, c'est de lutter directement contre vos croyances négatives: écouter comment vous formulez ces croyances dans votre esprit, apprendre comment ces énoncés influencent vos actions et explorer les autres attitudes susceptibles de vous aider à atteindre vos objectifs. La seconde façon, c'est de commencer à changer vos activités avant même de changer vos attitudes. Essayez quelques petites activités bien déterminées, sans croire qu'elles vous aideront nécessairement. Modifiez votre comportement durant la journée, brisez la routine, faites une chose que, selon vous, quelqu'un trouverait «bien pour vous». Nul besoin de croire que ces activités vous seront bénéfiques. Au début, contentez-vous de vous y engager à fond. Ne prédisez pas comment vous êtes censé vous sentir avant ou pendant leur exécution — vous vous exposeriez à prouver, une fois de plus, que «rien ne peut changer». Modifiez simplement vos façons d'agir, afin de vivre des expériences propres à vous faire remettre en question vos croyances, ne serait-ce qu'un tout petit peu.

Permettez-moi d'illustrer le but de cet exercice en montrant son utilité dans un autre type de difficulté. Dans ma pratique de psychologie clinique, je me spécialise dans le traitement des troubles anxieux et dans le soulagement des syndromes de douleur chronique. Il y a bien des années, j'ai travaillé comme thérapeute à la Clinique de la douleur de Boston, centre de traitement de la souffrance chronique pour patients hospitalisés. N'y sont admis que les patients qui ont essayé tous les traitements médicaux connus et qui souffrent encore d'inconfort physique important, à cause d'une blessure ou d'une maladie.

La personne atteinte de douleur chronique et celle qui souffre de trouble panique ont en commun la prédominance de la dépression. Pensez au patient qui entre au centre de traitement se plaignant d'un mal de dos chronique. Il se décrit comme quelqu'un qui «végète devant le téléviseur toute la journée, depuis cinq ans». Il se perçoit comme un être inutile, parce qu'il est incapable de travailler depuis cinq ans, et que c'est sa femme qui fait vivre la famille. Il ne peut même pas tondre le gazon ou sortir les poubelles à cause de ses douleurs au dos, encore moins retrouver un travail productif et rémunéré. Tous les médecins ayant «abandonné tout espoir» dans son cas, comment l'avenir pourrait-il ne pas être identique au passé, voire être pire?

Le programme d'hospitalisation des patients le sort de sa routine quotidienne au foyer et lui offre toute une gamme d'activités destinées à ébranler son attitude dépressive. Pendant quatre à six semaines, il vit parmi vingt autres patients souffrant de problèmes analogues. Il est obligé de se lever tôt le matin, de faire son lit, de manger dans le réfectoire et de participer à quatre réunions de groupe de thérapie ou de soutien par semaine, en plus des séances médicales, des réunions communautaires et des sorties spéciales. Pour enrayer sa douleur physique, il se soumet à des séances individuelles ou collectives de physiothérapie et reçoit d'autres traitements: massage, application de glace, coussin chauffant, baignoire d'hydrothérapie, et ainsi de suite. On lui enseigne le biofeedback et des techniques de relaxation. On diminue graduellement le dosage de ses médicaments analgésiques, jusqu'à les éliminer quand il aura appris d'autres façons de faire face à la douleur.

C'est là le fonctionnement typique d'une «communauté thérapeutique», où le personnel médical et les patients travaillent ensemble à la recherche du meilleur traitement pour chacun des patients. Nous ne nous attendons pas à ce que toutes les méthodes soient efficaces avec tous les patients. Nous offrons plutôt une gamme de méthodes, afin de trouver la combinaison qui aura les meilleurs effets.

L'une des premières choses qui doivent changer, c'est l'attitude du patient, puisque sa perspective de dépression l'empêche d'apprendre. Qu'est-ce qui fait changer cette attitude? Le plus souvent, c'est le fait que le patient commence à connaître des expériences qui ne correspondent pas à ses attentes négatives.

Par exemple, il se peut que le patient souffrant d'un mal de dos chronique se plaigne de ne pouvoir rester assis ou debout plus de vingt ou trente minutes à la fois. (Il doit ensuite s'étendre pour soulager son inconfort.) En modifiant ses habitudes d'activité, la communauté thérapeutique lui donne l'occasion de faire des expériences qui feront changer cette croyance. Le cinquième jour de son hospitalisation, il découvre qu'il vient d'assister, assis, à une séance de thérapie de groupe d'une heure et demie, sans avoir eu à se lever ou à s'étendre. Puis il se souvient que c'est la troisième fois en deux jours qu'il est resté assis pendant plus d'une heure. C'est ce genre de prise de conscience qui peut le porter à se dire: «Peut-être suis-je en mesure de faire quelque chose pour m'aider moi-même. Les choses peuvent changer.»

C'est généralement le point tournant pour les patients du Centre de la douleur. Une fois qu'ils se rendent compte que le changement est possible, ils ont tendance à envisager avec espoir tout nouveau traitement. Ils cessent d'être persuadés de l'échec et commencent à évaluer leurs avenues. L'essai de chaque nouvelle technique comporte un certain élément de curiosité: «Quels avantages pourrais-je tirer du biofeedback?», «Je me demande quels résultats j'obtiendrais si j'exécutais ces exercices de physiothérapie tous les jours pendant deux ou trois mois.»

Si vous souffrez de dépression, c'est le genre de curiosité auquel vous devez aspirer. Dans la seconde partie du présent ouvrage, je vous proposerai de nouvelles techniques et activités auxquelles vous pourrez vous exercer. Je m'attaquerai directement à votre attitude dépressive, en vous proposant d'autres façons de penser à vous-même et à votre avenir. Chemin faisant, n'oubliez pas la nécessité de lutter contre votre perspective négative. Pendant un certain temps, vous devrez peut-être mettre mes propositions en œuvre même si votre esprit vous demande: «À quoi bon?» Par-dessus tout, vous devez agir. Quelle que soit l'intensité de votre dépression, il demeure toujours une partie de vous qui croit que vous pouvez vous aider vous-même. Même s'il s'agit d'un petit tison d'espoir enfoui profondément en vous, donnez-lui l'occasion de faire jaillir en vous l'étincelle de la curiosité.

Alcoolisme

L'alcool peut avoir des effets spectaculaires sur l'organisme. C'est avant tout un dépresseur du système nerveux central, comme les tranquillisants mineurs et majeurs, les barbituriques, les narcotiques et les somnifères non barbituriques. Il crée une dépendance tout comme ces drogues, dans le sens qu'un sevrage psychologique et physique devient nécessaire après un usage prolongé.

En tant que dépresseur du système nerveux central, l'alcool ralentit et engourdit les centres nerveux — cerveau, cervelet et moelle épinière. Ce sont certaines structures sous-corticales qui sont les premières affectées; le premier effet de l'alcool est donc l'élimination des tensions et des inhibitions. C'est la raison principale qui explique pourquoi les personnes atteintes d'anxiété, de peurs ou de panique se mettent à boire. Grâce à l'alcool, elles ressentent chaleur, détente et sensation générale de bien-être. Avec la consommation de quantités plus importantes d'alcool, toutefois, tout le système nerveux central se déprime, ce qui mène à des troubles de jugement, de coordination, d'élocution, de vision et d'équilibre. Bien entendu, si le jugement est perturbé, la personne qui a trop bu est incapable de percevoir l'altération de son comportement.

L'abus d'alcool peut entraîner une réaction hypoglycémique, généralement de douze à seize heures après l'abus. Pendant que le foie métabolise l'alcool, il cesse de produire le glycogène (principale réserve de glucose pour l'organisme). Le taux de glucose dans le sang se maintient grâce à l'utilisation du glycogène emmagasiné. Une fois cette réserve épuisée, le taux de glucose sanguin tombe, ce qui produit une réaction hypoglycémique. Comme nous l'avons dit dans la section qui traitait de l'hypoglycémie, il pourrait être impossible de distinguer cette réaction de la panique. Certaines personnes sujettes à la panique sont plus touchées que d'autres par une chute de leur taux de glucose sanguin. Par exemple, l'alcool peut réduire l'intensité de leur anxiété durant une sortie en soirée. Une douzaine d'heures plus tard, le lendemain matin, elles ressentent les symptômes de la panique «de façon inattendue». Cette situation, bien entendu, renforce leur sentiment d'avoir perdu la maîtrise d'elles-mêmes et pourrait bien les inciter à prendre un autre verre, «pour se calmer les nerfs».

De nombreuses études ont porté sur l'alcoolisme et les phobies et mis en lumière des faits intéressants. On estime que de 5 à 10 p. 100 de toutes les personnes souffrant de phobies ont une dépendance envers un produit chimique quelconque, comme l'alcool. Des études menées auprès d'alcooliques révèlent une corrélation élevée entre le degré de dépendance de l'alcoolique et l'existence d'une phobie.

Par exemple, une étude portant sur 102 alcooliques hospitalisés dans un centre de traitement, en Angleterre, a révélé qu'un tiers de ceux-ci souffrait d'agoraphobie ou d'une phobie sociale. Un autre tiers manifestait des symptômes d'origine phobique mais moins invalidants. Une seconde étude effectuée par les mêmes chercheurs a montré que, dans un groupe de 44 alcooliques atteints de phobies, la majorité d'entre eux avait commencé à présenter des symptômes d'origine phobique avant de devenir dépendants de l'alcool.

Il semblerait donc que non seulement les personnes sujettes à la panique boivent pour alléger leur anxiété, mais aussi que cette béquille pourrait bien leur causer des problèmes encore plus graves. Souvent, les habitudes de consommation deviendront autonomes, c'est-à-dire que le sujet éprouvera encore les mêmes peurs et évitera encore les situations inconfortables, mais qu'il sera en plus rongé par l'alcoolisme.

Je prédis que dans les années à venir la recherche continuera de confirmer cette corrélation importante: pour un sous-groupe d'alcooliques, les anxiétés relatives à leur capacité de faire face à telles situations précises les poussent à boire. À court terme, ils ont l'impression que l'alcool les aide en allégeant leurs peurs. Pourtant, avec le temps, l'alcool prend un rôle plus important et plus indépendant dans leur vie. Ils augmentent leur consommation d'alcool, ce qui multiplie les difficultés reliées à leur travail, en plus d'intensifier leur instabilité émotionnelle et leur isolement par rapport à leur famille et à leurs amis.

En raison des graves problèmes que cause l'alcoolisme, les symptômes phobiques du patient passent de plus en plus inaperçus, même dans un programme de traitement professionnel. Puisque les symptômes de la désintoxication sont semblables à ceux de l'angoisse, le patient comme le personnel soignant pourraient négliger d'envisager la présence d'une phobie ou du trouble panique. Au retour des peurs anxieuses, cependant, le patient pourrait bien revenir à la seule solution qu'il connaisse. Plus le personnel soignant deviendra expert dans l'identification des problèmes d'alcool reliés à l'anxiété, et plus les patients pourront s'attaquer directement à ces problèmes, moins nombreux seront les cas d'admissions répétées dans les centres de désintoxication.

La dépendance de l'alcool renforce le système de croyances négatives de la personne sujette à la panique. Cette personne voit l'alcool comme une forme d'automédication, mais, en même temps, sa dépendance lui fait croire davantage qu'elle n'a pas la maîtrise d'elle-même. Elle ne se sent en sécurité qu'après quelques verres. Toute situation difficile devient le signal qu'il faut consommer. Avec le temps, cet enchaînement se substitue à l'assurance, à la confiance en soi et à la fierté.

Comme vous pouvez l'imaginer, la dépression est un autre état qui est entretenu par l'alcool chez la personne sujette à la panique. Le scénario peut se dérouler de multiples façons. Voici un exemple hypothétique. Un jour, à mon grand étonnement, je subis une attaque de panique juste avant de faire un exposé, au cours d'une réunion d'affaires. Dans les semaines qui suivent, je m'inquiète de perdre encore une fois le contrôle de cette façon. Je me sens tendu ces jours-ci, à cause de mes fonctions qui se sont alourdies et de la concurrence que me livrent certains collègues. Avant l'exposé suivant, je prends un verre de whisky, rien que pour me calmer un peu. Et cela marche: je suis plus calme avant l'allocution, et durant aussi. Mais je continue d'être tendu le reste de la semaine.

Avant un dîner, la semaine suivante, je suis de nouveau pris de panique. Encore du whisky, pour que la soirée soit plus agréable. Je me rends compte que je peux venir à bout de mes tensions avec le whisky, même si je m'aperçois que je suis encore plus anxieux le lendemain matin.

Le temps passe — quatre mois d'oscillations entre la tension et le soulagement. Quatre mois de doute sur ma capacité de faire face aux tensions de mon travail. Quatre mois de distorsion de ma pensée normale sur mon travail, ma famille, mes capacités. Mon anxiété commence à évoluer. Maintenant, au lieu de penser «Comment vais-je donc faire face à ces obligations?», je commence à me dire: «Cela ne me fait pas grand-chose de toute façon.» La consommation constante d'alcool fait ses ravages: mes sentiments d'anxiété s'enrobent d'une indifférence dépressive. Je pourrais bien penser que mon travail n'est pas si important après tout. Mais sous tout cela, je commence à penser que je ne suis plus l'homme que je croyais être, que je n'ai pas ce qu'il faut pour être maître de ma vie, que je suis enlisé et que je ferais bien d'abandonner la lutte. Rien ne pourra résoudre mon problème, il me faut donc apprendre à l'endurer.

À cause de la combinaison explosive de l'alcool et de la dépression, les symptômes de la panique ont entraîné l'apparition d'un syndrome complexe, fait de déni, de comportements qui vont à l'encontre du but recherché, d'évitement, de perte de l'estime de soi, et de détérioration physique.

Si l'alcool est devenu pour vous une béquille, vous devez vous méfiez de son attrait. Il peut sembler plus difficile d'affronter vos peurs sans son aide, mais vos réussites en dehors de lui vous ouvriront la seule voie possible vers le changement permanent. Si vous croyez être dépendant de l'alcool, ou si votre entourage s'entend pour dire que l'alcool est un problème pour vous, cherchez l'aide de professionnels ou celle du mouvement des Alcooliques Anonymes. La personne sujette à la panique qui dépend de l'alcool devrait commencer par traiter son alcoolisme avant de s'attaquer à ses réactions de peur.

6

Panique et maladies cardiaques ou pulmonaires

Il est facile de trouver comme allant de soi toutes les merveilles du corps humain. Son fonctionnement est si complexe et extraordinaire qu'il nous est presque impossible de l'imaginer, encore moins de l'apprécier à sa juste valeur. Si on le nourrit et l'entretient, le corps fonctionnera sans difficulté majeure pendant des décennies. Tous les appareils et systèmes de l'organisme travaillent ensemble dans un but commun: maintenir l'équilibre de tout le corps en lui-même et avec son environnement.

L'appareil circulatoire et l'appareil respiratoire sont les forces premières de la vie. Grâce à son action rythmique et uniforme, l'appareil respiratoire veille à ce que l'organisme ait à sa disposition une quantité suffisante d'oxygène en toute circonstance, et il maintient le délicat équilibre acido-basique du sang. L'appareil circulatoire, lui, garantit que chaque cellule humaine reçoit éléments nutritifs et oxygène, et qu'elle est nettoyée de ses déchets. Le cœur pompe chaque minute presque six litres de sang dans tout le corps, ce qui l'aide à conserver une température constante et confortable.

Étant donné que ces deux appareils sont si importants pour la vie, le corps et l'esprit réagiront plus vite que l'éclair si l'un ou l'autre est menacé. Ce système d'alarme automatique s'est formé au cours de centaines de milliers d'années; il coordonne toutes nos capacités humaines dans un seul but: les poumons doivent continuer de respirer et le cœur de battre.

Il y a à peine deux mois, un moment dramatique est venu me rappeler ces faits. Je me tenais sur la galerie de la maison de mes parents, dans les montagnes de la Caroline du Nord. Mon père tenait dans ses bras ma fille de douze mois, pendant que nous bavardions de tout et de rien. Mon regard s'est posé un instant sur Joanna: ses yeux semblaient exorbités, elle avait cessé de respirer. Je me suis élancé vers elle et je lui ai tapé sur le dos; trois autres façons de dégager ses voies respiratoires me sont venues instantanément à l'esprit. En moins de cinq secondes, le glaçon qui s'était logé dans sa gorge avait fondu un peu et passé à travers l'œsophage.

Joanna, trop petite, s'est à peine rendu compte de ce qui s'était passé. Moi, j'ai fait l'expérience de la vitesse et de l'habileté remarquables de mon instinct inconscient de préservation de la vie. Mon corps et mon esprit ont subi les répercussions de cette réponse psychophysiologique. Aussitôt après avoir constaté que Joanna respirait de nouveau, j'ai eu l'impression que ma tête allait éclater à cause de tout le sang qui y avait été précipité. Je dis bien «précipité»: mon appareil circulatoire a pompé une quantité abondante de sang vers les vaisseaux cérébraux dès les deux premiers battements de mon cœur.

Ce n'était, bien sûr, qu'une crise mineure, parce qu'elle n'a pas eu de conséquences graves. Mais le corps n'attend pas qu'un quelconque groupe d'experts votent sur la gravité de la crise. Si le cerveau signale «crise», le corps réagit. C'est cet instinct qui nous sauve la vie.

La personne atteinte d'une maladie cardiaque ou pulmonaire chronique doit faire face à bien des difficultés. L'une de celles-ci, c'est de régler les signaux émis par le cerveau de telle sorte que les symptômes mineurs de la maladie ne soient pas interprétés comme des menaces à la vie. Si le sujet souffrant d'une maladie cardiaque réagit avec crainte à chaque sensation d'oppression dans la poitrine, il impose alors un effort inutile à son cœur en voie de guérison. Le sujet atteint d'emphysème, que chaque nouvelle activité angoisse, perturbe directement sa respiration. Pourtant, le cerveau a été entraîné pendant des centaines de siècles à déclencher dans le corps un signal de crise chaque fois que le cœur ou les poumons semblent menacés. Par conséquent, apprendre à vivre avec des maladies chroniques peut constituer un véritable défi.

Dans les cas de troubles cardiaques ou pulmonaires, la panique survient quand le corps et l'esprit réagissent à un symptôme relativement mineur avec les armes qui servent généralement à échapper à une situation qui menace la vie même. Le présent chapitre abordera cinq de ces états: le prolapsus de la valvule mitrale, les suites d'un infarctus du myocarde, l'emphysème, la bronchite et l'asthme.

Prolapsus de la valvule mitrale

La valvule mitrale est une structure du cœur qui contrôle l'ouverture située entre l'oreillette et le ventricule gauches. Dans le prolapsus, le feuillet gonfle légèrement dans l'oreillette gauche, durant les contractions. (La Figure 2 montre l'emplacement de la valvule mitrale et son changement d'apparence après le prolapsus.) Cette anomalie cardiaque mineure affecte de 5 à 15 p. 100 de tous les adultes, surtout les jeunes femmes. La plupart des sujets ne se rendent même pas compte de leur condition, puisque la moitié d'entre eux ne présentent aucun symptôme. Généralement, même si ce prolapsus est diagnostiqué, aucun traitement médical n'est requis.

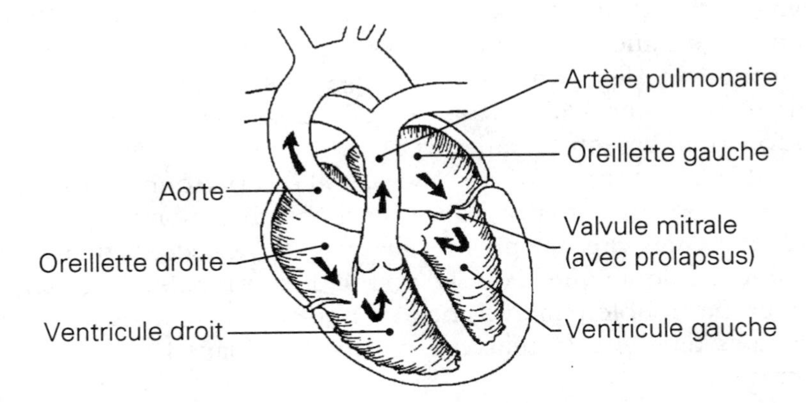

Figure 2. Situation de la valvule mitrale et changement d'apparence après le gonflement.

Chez la moitié des sujets qui ressentent des symptômes, le plus courant, ce sont les palpitations, qui sont des battements de cœur perceptibles et incommodes. Le sujet peut être conscient des contractions prématurées des cavités cardiaques — appelées extrasystoles — ou du battement accéléré du cœur (tachycardie). Les autres symptômes possibles sont l'essoufflement ou la difficulté à respirer (dyspnée), les étourdissements, les douleurs dans la poitrine, la fatigue, l'évanouissement et les attaques de panique.

À la lumière de ces symptômes, quel est donc le rapport entre le trouble panique et le prolapsus de la valvule mitrale (PVM)? D'un point de vue démographique, ils semblent reliés. Leur fréquence est la même: on les trouve tous deux dans 5 à 15 p. 100 de la population. Tous deux frappent surtout les femmes, les symptômes apparaissant au début de l'âge adulte. Les recherches indiquent que chez certaines personnes, le PVM est héréditaire. Ainsi, il pourrait y avoir un lien génétique entre ces deux affections chez certains individus, mais ce n'est pas encore prouvé.

Il y a de plus en plus de preuves que le PVM ne cause pas le trouble panique. C'est plutôt que les personnes sujettes à la panique sont trop attentives aux sensations physiques qu'elles éprouvent. C'est l'observation inquiète de l'activité cardiaque qui suscite l'anxiété. Plus le sujet s'inquiète, plus les symptômes s'aggravent, jusqu'à l'apparition de la panique. Songez au fait que la moitié des personnes atteintes de PVM n'éprouvent aucun symptôme. D'autres sujets en ont, mais ce ne sont que des perturbations mineures, et ils poursuivent leurs activités normales, sans se livrer à une analyse exagérée du fonctionnement de leur corps.

Il semblerait que de 10 à 20 p. 100 des personnes atteintes de PVM connaissent la panique. Les recherches montrent que le PVM n'est pas présent plus fréquemment chez les victimes du trouble panique que dans la population normale. Et le traitement du trouble panique chez les personnes atteintes de PVM n'est pas différent de celui qui est appliqué dans la population normale.

Le point central de la relation entre ces deux affections, c'est la façon de réagir du sujet à sa conscience des symptômes.

Pour paniquer, il ne faut pas seulement éprouver une nouvelle sensation dans le cœur, mais il faut aussi avoir peur de ce que cette sensation signifie. Le système nerveux autonome réagira alors aux pensées appréhensives du sujet, et non pas aux palpitations. Ce processus, décrit en détail aux septième et huitième chapitres, entraînera des symptômes encore plus spectaculaires, comme la tachycardie, les étourdissements, l'essoufflement et même l'attaque de panique.

Comme le PVM peut produire des palpitations à tout moment, il contribue à faire croire à la personne sujette à la panique qu'elle doit toujours rester vigilante pour se défendre contre les attaques de panique qui «viennent de nulle part». L'un des avantages du diagnostic clair du PVM, c'est qu'il peut rassurer la personne sujette à la panique en lui faisant comprendre que ces symptômes ne signalent pas un danger. En allégeant l'inquiétude et l'anxiété, on réduit automatiquement les probabilités d'apparition des symptômes.

Le diagnostic du PVM est posé par le cardiologue au moyen de l'échocardiographie (enregistrement de la position et du mouvement de la valvule par l'écho des ondes ultrasonores transmises à travers la poitrine). On recommande une évaluation médicale aux personnes chez qui se manifestent soudainement des symptômes physiques comme le vertige, la perte de conscience, les douleurs à la poitrine ou les palpitations.

Si on a diagnostiqué chez vous le prolapsus de la valvule mitrale, la seconde partie du présent ouvrage vous aidera à apprendre à maîtriser vos symptômes. Il importe de bien comprendre quelques points. Premièrement, les changements du rythme cardiaque sont fréquents chez la plupart des gens, et ils sont rarement dangereux. En apprenant à les accepter, à les endurer ou même à les ignorer, vous allégerez votre anxiété. Deuxièmement, ne laissez pas ces symptômes vous effrayer au point de renoncer à certaines activités. En évitant ceci ou cela, vous mettez le doigt dans un engrenage qui nuira inutilement à la richesse de votre vie. Troisièmement, vous pouvez réduire vos symptômes à quelques sensations ennuyeuses mais non accablantes en apprenant à accepter l'activité normale du prolapsus de la valvule mitrale et en prévenant la panique.

Suites de l'infarctus du myocarde

La crise cardiaque fournit certainement une bonne raison de réfléchir. C'est un coup traumatique assené au moi qui force la victime à sortir de ses habitudes banales et à prendre conscience de la vulnérabilité de la vie. Sur le plan physique, la guérison est lente et régulière pour ceux chez qui il n'y a pas de complications. Sur le plan psychologique, la guérison comporte presque toujours une lutte contre deux facteurs d'agression, deux «stresseurs»: la dépression et l'anxiété. Le patient déprimé lutte contre des pensées et des émotions de résignation: «Ma vie ne vaut plus la peine que je lutte pour elle.» Le patient anxieux se pose continuellement la même question angoissée: «Quand vais-je mourir?»

Le passage du temps et la manipulation habile de l'esprit guérissent ces coups psychologiques chez la plupart des patients qui ont subi un infarctus du myocarde. Par exemple, deux ou trois jours après l'infarctus, beaucoup commenceront à nier l'importance de l'événement. Ils deviennent de plus en plus animés et joyeux devant le personnel de l'unité de soins coronariens. Même si la durée normale de l'hospitalisation est de deux semaines, ils se disent prêts à rentrer à la maison et à retourner au travail immédiatement.

Pour les membres de la famille qui sont inquiets, ce discours semble inopportun, comme si le patient ne faisait pas face à la gravité de la situation. En fait, cette négation ou déni de la réalité semble être une ruse de l'esprit pour donner au corps quelque repos aux premiers stades de la guérison. Permettre à la victime de faire l'expérience de la réalité crue impose un stress indu à l'appareil circulatoire et ralentit le processus de guérison. Au bout d'un certain temps, cependant, ce déni doit céder la place à l'acceptation de la réalité, faute de quoi le patient ne prendra pas les précautions nécessaires et ne suivra pas les conseils de son médecin. En affrontant la réalité, la première question qu'il se posera sera: «Jusqu'où doit aller ma prudence?» Après une crise cardiaque, c'est une question à laquelle il est difficile de répondre, puisque la réponse touchera des centaines de petites décisions qui seront prises quotidiennement dans les années à venir. Il ne faut donc pas s'étonner de voir ces patients continuer à limiter leur style de vie et à hésiter à s'engager dans des activités pendant des mois, voire des années, après la fin de la phase aiguë de leur maladie. «Vais-je mourir au même âge que mon père? Pourrai-je jamais me risquer dans des activités sexuelles? Est-ce que je ne vais pas mourir durant mon sommeil cette nuit? Je ne dois pas m'énerver comme cela. N'est-ce pas une douleur que je ressens dans la poitrine quand j'inspire?»

La personne qui a subi un infarctus du myocarde peut choisir l'une de ces trois attitudes de vie fondamentales:

L'attitude saine. Connaissant bien mes limites et les possibilités que j'ai, je travaille de façon à les élargir. Ne dit-on pas que la liberté, c'est ce que l'on fait avec ce qui nous est donné? Pour faire l'expérience de la liberté, le patient doit travailler de concert avec son médecin et avec les autres professionnels de la santé pour comprendre ses capacités et son état physique actuels. Il apprend ensuite quelles sont les activités permises même à ce stade initial de sa guérison. Il agit mû par son désir de vivre pleinement sa vie à l'intérieur de ces limites, tout en adoptant un programme médical qui l'aidera à les repousser. C'est la seule attitude de vie qui réussira à maîtriser la panique.

L'attitude propice à la panique. Je dois toujours rester sur mes gardes puisque la moindre provocation pourrait entraîner ma mort. La panique survient parce que le patient ne connaît pas ses limites ni les possibilités qui s'offrent à lui. Il remarque un symptôme réel ou potentiel et ne dispose d'aucun plan précis pour le surveiller et l'enrayer. Ce manque de préparation fait que son corps se tourne contre lui. Sans le signal rassurant adéquat du cerveau, le corps réagit en sonnant le branle-bas de combat, ce qui aggrave les symptômes. Cette attitude favorise l'anxiété chronique et les attaques de panique, qui mettent le cœur à dure épreuve.

L'attitude dépressive. Il ne sert à rien de continuer la lutte, puisque ma route est déjà déterminée. Le patient renonce à son propre pouvoir de guérison. Parce qu'il est disposé à devenir dépendant des autres, impuissant et limité dans ses activités, on l'étiquette: c'est un «cardiaque invalide». Souvent, il s'éloigne de ses amis et prend sa retraite du travail. Cette attitude détruit son envie de vivre. En devenant physiquement passif, il aggrave son état, parce qu'il affaiblit son appareil circulatoire et son appareil respiratoire, du fait que l'exercice régulier est nécessaire à la bonne santé de tous les organes et appareils du corps.

Quelquefois, l'attitude propice à la panique mène à l'attitude dépressive de la façon suivante: si je continue de faire face aux situations qui, selon moi, fatiguent mon cœur et que je ne mets pas au point un plan pour «gérer» ces situations, je serai bien obligé de changer ma façon d'agir. Ma seule solution, alors, c'est d'éviter ces situations. Bientôt, j'adopte en tous cas un comportement d'évitement. Comme la prévention d'une autre crise cardiaque compte plus pour moi que quelque plaisir éphémère, je cesse aussi de m'adonner à mes activités préférées. Je suis certes moins anxieux, mais je ne m'amuse plus. La dépression s'installe dans ce vide.

Si vous sortez d'une crise cardiaque, votre médecin vous aidera à comprendre vos limites physiques et établira pour vous un plan de réadaptation qui vous ramènera à votre niveau de fonctionnement le plus élevé. Il vous aidera aussi à comprendre tout symptôme inusité et à y réagir adéquatement. Avant de lire la deuxième partie du présent ouvrage, vous devriez discuter avec votre médecin de la façon de réagir à divers symptômes.

La deuxième partie de l'ouvrage donne de l'information et propose certaines techniques à utiliser dans le cadre de votre traitement médical. Vous apprendrez comment penser clairement dans les situations d'urgence médicale, comment votre attitude envers votre santé affecte votre réaction aux symptômes, et comment vous calmer si vous devenez anxieux ou êtes pris de panique. La recherche et de nombreux rapports d'études cliniques nous enseignent que la simple maîtrise de quelques techniques élémentaires de relaxation est l'un des facteurs de guérison principaux de toutes les maladies cardiovasculaires, y compris l'hypertension et la maladie coronarienne. Plus important encore, vous apprendrez à reprendre sans risque vos activités physiques et sociales qui donnent à votre vie sa signification et son plaisir.

Bronchopneumopathie chronique obstructive

«Je n'arriverai jamais à reprendre mon souffle.» C'est ce que je me criais en moi-même. Et pendant un instant j'y ai cru de tout mon cœur, de toute mon âme et de tout mon esprit. Je n'avais pas le moindre espoir de survivre. On ne peut pas survivre sans air. Je ne pouvais pas inspirer, je n'avais plus d'air dans mes poumons à ce moment-là. J'allais mourir: adieu!

Cet incident s'est produit durant la seconde moitié d'un match de soccer, l'été passé. En tant qu'arrière défensif, je m'étais placé devant l'avant à l'attaque au moment même où il frappait le ballon de toutes ses forces. Le ballon m'a frappé la poitrine de plein fouet. La puissance du choc a vidé mes poumons de tout air. Le jeu s'est poursuivi pendant que je suis resté là, immobile, penché un peu vers l'avant, incapable de respirer et de parler. Voici ce qui a marqué le moment de panique pour moi: j'ai cru, d'après ce que je ressentais physiquement, que j'avais perdu le contrôle qui m'aurait permis de sauver ma propre vie.

Dans cette situation, ma panique a duré environ vingt secondes. Au bout de trente secondes, le jeu s'était arrêté, deux coéquipiers m'avaient aidé à m'étendre au sol, et j'avais goûté pour la première fois à cet air si précieux que je croyais perdu à jamais.

Avec le recul, je peux maintenant rire de ma réaction excessive à une situation si bénigne. D'autre part, c'était la deuxième fois en trois mois que je perdais le souffle en pratiquant un sport. Et chaque fois, je m'étais dit: «Je n'arriverai jamais à reprendre mon souffle.» La panique que l'on éprouve quand le cœur ou les poumons sont concernés est tout à fait particulière. Ce n'est pas une expérience fugace, mais l'expérience du dernier moment.

La panique joue le rôle le plus néfaste chez les personnes atteintes de bronchopneumopathies chroniques obstructives (BCO). Ces maladies, en elles-mêmes, nuisent au déroulement normal de la respiration et affectent la vitalité et l'endurance. Chez certains, les symptômes s'aggravent au fil des années. Avec l'évolution de la maladie, le patient devient de moins en moins apte à travailler et à s'engager dans des activités sociales ou physiques, puisque tout effort ou toute émotion risquent de déclencher un trouble respiratoire. Ainsi, le malade apprend à se préparer au premier signe de malaise et choisit souvent d'éviter les activités, pour se sentir plus en sécurité. C'est une attitude craintive très propice à la panique.

La caractéristique principale de nombreuses maladies respiratoires, c'est le rétrécissement des bronches. Dans le cas de la bronchite chronique, la muqueuse qui tapisse les voies d'air principales des poumons (les bronches) devient enflammée. Ceci mène à l'essoufflement, à la toux qui fait expectorer du mucus, et à un risque accru d'infection. Dans l'asthme chronique, les muscles des parois des bronches se contractent, ce qui obstrue partiellement bronches et bronchioles (voies d'air plus petites). Le patient a des crises de respiration sifflante et de difficulté respiratoire, déclenchées par des substances allergènes, l'activité physique ou le stress psychologique. Dans le cas de l'emphysème chronique, les alvéoles (vésicules d'air) situées à l'extrémité des bronchioles sont endommagées. Comme c'est là que s'effectuent les échanges respiratoires entre l'oxygène et le dioxyde de carbone, les poumons remplissent de moins en moins bien leur fonction. Le symptôme principal, c'est la difficulté respiratoire, qui s'aggrave au fil des années. La Figure 3 montre les divers éléments de l'appareil respiratoire qu'affectent ces maladies.

Comme la respiration est l'un des deux processus les plus importants pour le maintien de la vie (le second étant le fonctionnement du cœur), les personnes souffrant de BCO seront sans doute en proie à l'anxiété, à la panique et à la dépression, à cause de leur incapacité de maîtriser cette fonction vitale. Le problème qui suscite le plus de craintes est la difficulté de respirer. Quand cela se produit, ces malades réagissent avec panique, croyant qu'ils mourront par suffocation. Cette brève panique se grave dans leur esprit. Les séquelles de ce traumatisme sont entretenues par le vif souvenir de l'attaque, par des cauchemars dans lesquels ils ne peuvent respirer, et par la pensée que la prochaine attaque pourra se produire n'importe quand et n'importe où. Les résultats d'une étude illustrent bien les répercussions de ces expériences répétées: les chercheurs ont trouvé que 96 p. 100 des personnes souffrant de BCO présentent une anxiété «invalidante».

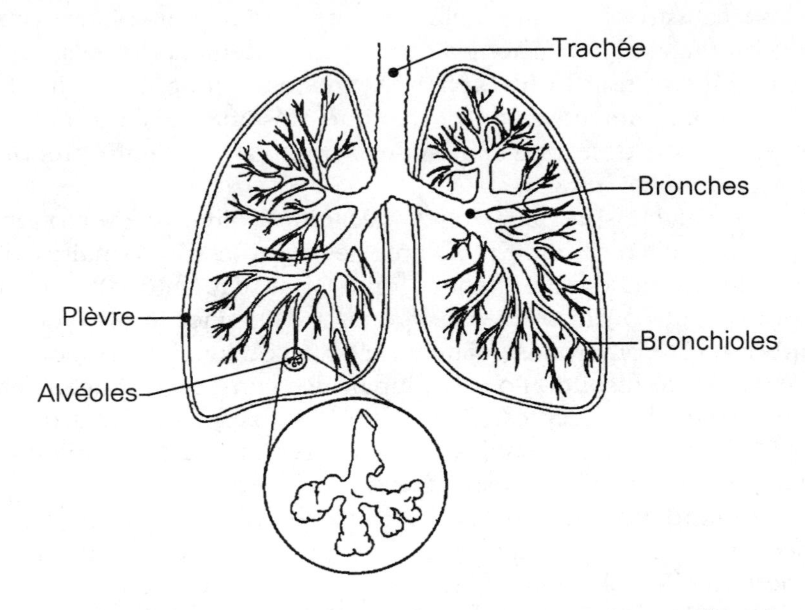

Figure 3. Éléments de l'appareil respiratoire affectés par les bronchopneumopathies chroniques obstructives.

Au moment où ces personnes se retirent du monde pour se protéger de tout ce qui pourrait leur faire perdre le souffle, l'intensité moyenne de leur angoisse pourrait diminuer, mais elles risquent la dépression. La personne qui s'isole sur le plan social, qui se coupe des activités agréables, qui évite les conflits, les émotions fortes ou les nouvelles expériences s'expose à sombrer dans la dépression.

Le docteur Donald Dudley, de l'Université de Washington, avait raison de dire que beaucoup des sujets atteints d'une bronchopneumopathie chronique obstructive qui les rend invalides vivent dans une «camisole de force émotionnelle». Cela n'est pas étonnant, puisque tout changement d'émotion, que ce soit vers l'anxiété, la joie ou la dépression, peut déclencher une réaction physiologique. Si cette réaction commence à inquiéter le sujet, celui-ci pourrait se plaindre de nervosité, de faiblesse, de respiration trop rapide et de difficulté à se concentrer. Le sentiment d'une catastrophe imminente peut se traduire en obsessions, en compulsions, en phobies et en comportements rituels. Certains sujets craindront même les visites à leur médecin. La dépression, alimentée par un manque d'estime de soi et par un sentiment de désespoir, émousse la motivation d'entreprendre des traitements importants.

Je veux insister sur l'effet mécanique direct des émotions sur l'appareil respiratoire. Comme les réserves pulmonaires du malade atteint de BCO sont limitées, sa capacité d'approvisionner tout l'organisme en oxygène et d'éliminer le dioxyde de carbone est compromise. Chaque état émotionnel correspond à une façon de respirer. Pour la plupart des gens, ces changements sont facilement acceptés. Cependant, les malades atteints d'une BCO grave sont incapables de s'adapter même aux moindres changements dans leur respiration.

Quand nous avons peur, par exemple, que nous nous mettons en colère ou que nous sommes anxieux, ces réactions émotionnelles plus actives exigent une augmentation du métabolisme. L'appareil respiratoire accélère donc la respiration, pour augmenter la quantité d'oxygène fournie et éliminer le dioxyde de carbone excédentaire. Le malade pourrait être physiquement incapable de produire cette intensification de la respiration. Au lieu d'inspirer une plus grande quantité d'air, il commence à avoir de la difficulté à en inspirer assez. L'oxygène dans son organisme diminue, tandis que le dioxyde de carbone augmente. La difficulté persistant, il est bien sûr pris d'anxiété ou de panique, ce qui provoque d'autres symptômes. C'est un cercle vicieux: des symptômes provoquent la panique qui provoque des symptômes qui provoquent la panique...

Le même phénomène peut se produire chez le sujet qui traverse une période de tristesse, de dépression ou d'apathie. Ces états émotionnels ralentissent le rythme respiratoire, ce qui fait diminuer la quantité d'oxygène dans l'organisme et augmenter la quantité de dioxyde de carbone.

Même si le malade atteint de BCO est capable d'inspirer une quantité d'air suffisante, il pourrait s'angoisser, parce qu'il se rend compte de l'effort accru imposé à ses poumons par son état émotionnel. Normalement, la respiration s'adapte aux besoins nouveaux de l'organisme. Si je m'engage dans des activités physiques vigoureuses, la quantité supplémentaire d'oxygène fournie par mes poumons est utilisée efficacement durant le métabolisme. Dans les moments d'anxiété, toutefois, il arrive souvent que le corps soit incapable d'utiliser l'oxygène aussi rapidement qu'il apparaît dans le sang. En même temps, les poumons éliminent plus de dioxyde de carbone qu'il ne le faudrait. C'est l'hyperventilation, qui provoque un certain nombre de symptômes désagréables en plus des symptômes de la maladie. Le onzième chapitre contient une étude complète de la respiration et de l'hyperventilation.

Si vous souffrez d'une bronchopneumopathie chronique obstructive grave, faire face à la vie quotidienne présente plus d'un défi. Souvent, votre situation vous semble désespérée. Mais il existe une attitude bénéfique et un ensemble de techniques propres à vous aider à relever ces défis. Je crois que ceux qui souffrent des inconvénients d'une BCO pourront se sentir de nouveau en sécurité, et s'engager plus avant dans leur vie et dans leur collectivité, s'ils tiennent compte des suggestions énoncées dans le présent ouvrage et pratiquent les techniques qui y sont décrites. Voici quelques conseils qui vous aideront à tirer le meilleur parti de la seconde moitié du livre:

- Votre principal objectif devrait être de trouver le plus de moyens possibles de rester physiquement actif et de préserver vos champs d'intérêt dans la vie, sans vous faire de mal. En établissant des objectifs réalistes et en essayant de les atteindre graduellement et prudemment, vous aurez meilleur moral, votre appareil respiratoire prendra de la force, et vous éprouverez moins de peurs déraisonnables.
- Dans votre vie sociale, trouvez des façons de vous sentir à l'aise. Certaines personnes se fatiguent plus rapidement que d'autres et doivent écourter leurs soirées. Les personnes souffrant de bronchite chronique pourraient être prises d'une quinte de toux et devoir se débarrasser d'expectorations en public. Pour rester actif, vous devrez apprendre à vivre ces situations sans vous croire obligé de vous retirer sous l'effet de l'embarras.

- Si vous prenez des médicaments, demandez à votre médecin si ceux-ci sont susceptibles d'accentuer votre nervosité ou votre irritabilité. Par exemple, certains médicaments font ouvrir les bronches en activant le système nerveux sympathique. Ce faisant, ils pourraient vous rendre un peu plus nerveux. Si vous le saviez, vous pourriez mieux vous préparer à ces symptômes mineurs.
  Trois classes de médicaments pour le traitement des BCO ont généralement des effets secondaires désagréables. Les médicaments oraux servant au traitement des bronchospasmes — l'aminophylline et les agents adrénergiques bêta-Z — peuvent provoquer une anxiété généralisée et la tachycardie. Les versions à inhaler de ces agents, comme l'Isoproterenol et le Metaproterenol, peuvent causer l'anxiété généralisée et le tremblement des mains. Les corticostéroïdes, comme le Prednisone, peuvent exalter brièvement l'humeur du sujet, pour ensuite le déprimer.
- Les difficultés de votre vie ne s'évanouiront pas simplement parce que vous les évitez. Ce que vous avez de mieux à faire, c'est de trouver le moyen d'y faire face et de vous adapter aux changements qui vous stressent. Si vous ne répondez pas aux difficultés que vous lance la vie, vous finirez par renoncer à la maîtrise de votre propre existence.
- Si vous souffrez d'une grave maladie pulmonaire, vous trouverez peut-être nécessaire d'éviter toute situation qui vous cause de l'anxiété ou qui peut vous faire changer rapidement d'état émotionnel. C'est souvent un équilibre délicat qu'il faut maintenir pour rester un participant actif dans le monde tout en ne se laissant pas trop affecter par les drames de la vie.
- Quand la nervosité, l'inquiétude et la dépression apparaissent, apprenez à les soulager en appliquant des techniques comme celles qui sont décrites dans la seconde partie du présent ouvrage. Moins vous vous inquiéterez, moins de difficultés respiratoires vous éprouverez, et moins vous devrez recourir aux soins d'urgence.

- Plus important encore, apprenez de meilleures façons de penser, de sentir les émotions et d'agir durant les crises. Vous pouvez apprendre des techniques précises pour réduire au minimum les symptômes et vous aider à reprendre une respiration normale. Les difficultés respiratoires auxquelles font face les malades atteints de BCO sont assez uniques en leur genre. L'organisme et l'esprit humain ne répondent pas instinctivement à ces crises d'une façon positive. En fait, il semblerait que certaines de nos réactions instinctives accentuent les symptômes. Il est donc nécessaire d'étudier votre idiosyncrasie pour la modifier, afin d'alléger votre anxiété et d'améliorer votre bien-être. Vous devez acquérir la capacité de constater vos symptômes sans y réagir sur le plan émotionnel. En adoptant une nouvelle gamme de techniques de réponse, en vous créant un plan pour savoir quand et comment les utiliser, vous commencerez à redevenir maître des symptômes de votre maladie. N'importe qui réagirait avec anxiété à la pensée de ne pas pouvoir respirer. Votre devoir, c'est d'alléger votre anxiété une fois que vous la sentez, puis de mettre en œuvre des techniques destinées à améliorer votre façon de respirer.

DEUXIÈME PARTIE

Maîtriser les attaques de panique

7

L'anatomie de la panique

L'agression de la panique ne se limite pas aux quelques secondes ou minutes que dure l'attaque de panique. Plus souvent vous êtes victime d'attaques de panique sans parvenir à les maîtriser, plus elles sembleront envahir d'autres territoires. Songez un moment que la panique est un ennemi qui veut vous voler le contrôle de votre propre vie. Les envahisseurs les plus rusés viendront à bout de leurs victimes en sapant leurs fondations, en les empêchant de se nourrir, en détruisant leur assurance. Et c'est exactement ce que fera la panique si vous lui en laissez l'occasion.

Une attaque de panique peut venir comme une surprise et être par la suite oubliée: c'est un «accident de parcours». Deux attaques de panique peuvent être considérées comme une «coïncidence». Vous y trouvez des justifications; selon vous, un excès de stress en serait la cause. Vous vous dites que vous devez ralentir, vous reposer, ne pas vous énerver. Cependant, si les attaques se répètent, la panique aura fait ses premières percées dans votre vie. Vous commencez à vous poser des questions, à douter de votre force, à vous demander si vous arrivez à faire face à la vie. C'est là l'arme la plus puissante de la panique. C'est ce qui commence à ébranler vos fondations. En semant le doute en vous, la panique installe son premier bastion dans votre vie. Au bout d'un certain temps, l'attaque de panique joue même un rôle dans la bataille en cours. Aussi rusée qu'un magicien, la panique apparaît dans votre vie; avec une rapidité et une force extraordinaires, elle s'empare de votre énergie mentale et la retourne contre vous. Sans que vous vous en rendiez compte, vous vous êtes ligué contre vous-même. Plus vous luttez contre la panique, plus vous semblez perdre le combat.

Est-ce que j'exagère dans ma description de la panique? Je ne le crois pas. En général, les patients qui appellent à mon cabinet pour la première fois ont déjà eu des attaques de panique, certains depuis six mois, d'autres depuis des douzaines d'années. Voici quelques-unes des façons dont la panique, après un certain temps, peut utiliser vos pensées, vos sentiments et vos croyances comme autant d'armes contre vous.

- Un souvenir quelconque vous fait hésiter quand vient le temps de vous aventurer dans la même situation que celle où s'est produite la dernière attaque.
- Chaque fois que vous envisagez de vous engager dans telle ou telle activité, le besoin d'éviter d'être «coincé» passe avant tout.
- Vous vous demandez avec anxiété quand surviendra la prochaine attaque: «Ici? Maintenant?» Le simple fait de vous poser cette question semble déclencher les symptômes.
- Vous pensez nerveusement à la dernière attaque, puis vous doutez de pouvoir maîtriser votre propre corps.
- Vous craignez qu'une maladie physique inconnue ou une affection émotionnelle soit la cause de ces attaques.
- Si on a diagnostiqué chez vous une maladie physique, vous redoutez tout stress indu ou toute émotion forte.
- Vous commencez à éviter certaines personnes ou certains endroits comme seul moyen de défense contre l'attaque de panique.
- Vous devenez de plus en plus réservé et replié sur vous-même sur le plan social, vous vous sentez peut-être pris au piège des rendez-vous à respecter, des rôles à jouer et des attentes des autres à satisfaire.

- Vous ruminez, vous êtes inquiet, vous vous critiquez et vous vous découragez.
- Il se peut que vous cessiez de vous faire confiance et que vous vous en remettiez à l'alcool, aux drogues ou aux consultations médicales pour réussir à «passer au travers» de vos journées.

Pour faire l'anatomie de la panique, par conséquent, il faut une planche beaucoup plus large que vous ne l'imaginiez au début. Comme chacun d'entre nous est unique, les façons dont la panique nous affecte seront différentes. Il n'y a rien d'absolu ici, pas de zones noires et blanches bien démarquées, pas de droites ni de courbes bien dessinées. Beaucoup de zones grises, beaucoup d'ombres terrifiantes. Selon l'individu, on verra différer l'intensité, la durée et la profondeur du problème. Pour présenter toutes les façons possibles dont la panique peut affecter la vie d'un être humain, je décrirai souvent les problèmes graves que connaissent mes patients. Loin de moi l'intention de vous faire croire que aurez à faire face aux mêmes difficultés qu'eux. Essayez de lire ces passages avec l'esprit ouvert et curieux. Demandez-vous si tel ou tel aspect du problème a un rapport avec votre propre expérience. Par exemple, le fait que vous n'arriviez pas à comprendre pourquoi vous êtes victime d'une attaque de panique à tel moment peut grandement accentuer vos symptômes d'anxiété. Je parlerai de cette difficulté et des façons d'y faire face à plusieurs reprises dans le présent ouvrage. Par contre, les lecteurs atteints de bronchite chronique, d'emphysème ou d'asthme savent pourquoi ils paniquent: ils ont peur de manquer d'air. Ces lecteurs n'auront pas besoin de concentrer leur attention sur cette question. Par conséquent, pour être en mesure d'améliorer votre situation, vous devez d'abord en faire le portrait le plus précis possible. C'est alors que vous saurez ce que vous devez changer à ce portrait pour reprendre votre vie en main.

Le premier changement que vous provoquerez sera sans doute une meilleure compréhension de la manière dont la panique vous affecte en tant qu'être humain. Mais cette connaissance à elle seule ne sera jamais suffisante. Vous devrez évaluer votre façon de penser (à vous-même et au monde que vous vous êtes créé), et évaluer vos croyances (sur vous-même et sur vos rôles), vos émotions (surtout celles que vous craignez) et vos actions (ce que vous faites et ce que vous ne faites pas). La panique envahit ces quatre plans; il vous faut donc récupérer le contrôle de chacun pour arriver à reprendre votre vie en main. Remettre en question votre attitude à l'endroit de votre vie actuelle, trouver l'origine de beaucoup de vos croyances, apprendre à partir de vos réactions émotionnelles et expérimenter de nouvelles actions — tout cela mis ensemble constitue la clé du changement permanent.

L'une des ressources les plus efficaces que vous ayez à votre disposition pour vaincre la panique sera la connaissance, puisque les plus grands alliés de la panique sont le doute, l'incertitude et la crainte de l'inconnu. À ce moment-là, vous devriez savoir si la panique pour vous est une difficulté assez sérieuse pour mériter l'évaluation et le diagnostic d'un médecin ou d'un professionnel de la santé mentale. Si on diagnostique une affection physique ou mentale, apprenez tout ce que vous pouvez à son sujet: Quelle en est la cause? Y a-t-il d'autres problèmes qui y sont associés? De quelle aide professionnelle aurez-vous besoin? Comment vous aider vous-même? C'est sur la connaissance la plus large de votre situation que reposera votre réussite.

Le présent ouvrage traite de toutes les grandes questions qui sont au centre des attaques de panique. Commençons par disséquer la panique. Comment perturbe-t-elle votre confiance en vous-même? Comment fait-elle de vous la victime de ses attaques-surprise?

L'élément central de la panique, bien sûr, ce sont ses symptômes, que j'ai décrits dans le chapitre premier. Inutile de dire que le présent ouvrage, pour vous aider, doit vous montrer comment faire face à ces symptômes. Dans le huitième chapitre, vous apprendrez à connaître la physiologie de la panique et, dans les chapitres suivants, vous acquerrez les outils dont vous avez besoin pour reprendre le contrôle de votre corps. Maintenant, cependant, je veux que vous réfléchissiez sur les façons dont les brèves périodes d'anxiété peuvent faire des ravages en vous, en perturbant vos pensées.

La panique use d'intimidation

La seule façon dont la panique peut vous dominer, c'est par l'intimidation psychologique. L'attaque de panique ne dure que très peu de temps. Même si vous en aviez une chaque jour et qu'elle durerait cinq minutes, leur durée totale ne représenterait quand même qu'*un tiers de un pour cent de votre vie*. Pourtant, certaines personnes se laissent totalement dominer par les répercussions de ces moments.

Songez un instant au concept de la «perte de contrôle». Qu'est-ce que cela signifie pour vous? Pour la plupart des gens, c'est perdre la sécurité, la protection. Quand nous avons l'impression de perdre le contrôle, immédiatement et presque instinctivement nous commençons à chercher quelque petit moyen de retrouver l'équilibre, que nous ayons perdu le contrôle parce qu'un tuyau a éclaté, parce que le verglas nous a fait déraper un instant, ou parce que notre enfant a échappé à notre surveillance dans le centre commercial.

Après avoir perdu le contrôle une fois, que faites-vous? Il est probable que vous vous mettrez à vérifier *tous* les tuyaux de la cave pour être sûr qu'il n'y aura pas d'autre éclatement. Quelques heures plus tard, il se peut que vous descendiez de nouveau à la cave «rien que pour vérifier si tout va bien». Après avoir perdu le contrôle de votre véhicule sur l'autoroute, vous serrerez un peu plus le volant; vous vous réprimanderez même pour avoir fait preuve de témérité en tenant le volant d'une seule main. Une fois votre enfant retrouvé dans le centre commercial, vous vous mettrez sans doute à le surveiller constamment. *Quand l'esprit craint de perdre le contrôle, il commence à penser plus intensément aux moyens nécessaires pour éviter de le perdre à l'avenir.*

Les attaques de panique — surtout celles qui sont spontanées — font naître le sentiment d'avoir perdu le contrôle. Soudainement, vous n'êtes plus maître de votre corps: cœur, poumons, gorge, tête, jambes semblent se rebeller. C'est une situation terrifiante dont la seule pensée peut vous rendre anxieux.

C'est comme cela que tout commence, que la panique envahit peu à peu votre vie. Vous craignez que les symptômes physiques désagréables se produisent de nouveau. Et comment seront-ils? Pires qu'avant? Vous ne le savez pas. C'est cet «inconnu» qui est la pire arme tournée contre vous: «Comme je n'ai pas pu surmonter la dernière attaque, comment diable viendrais-je à bout de la prochaine?»

L'attaque-surprise

Pour ajouter à la confusion, les attaques ne se déroulent pas toujours de la même manière. Il se peut que les symptômes apparaissent un soir au cours d'un souper au restaurant, mais que tout aille bien les trois fois suivantes où vous retournerez au restaurant, mais que, la cinquième fois, vous ayez l'impression d'être coincé, comme la première fois. C'est un peu comme si vous jouiez à la roulette russe. Mentalement, et même physiquement, vous vous préparez pour le pire. Vous êtes constamment sur vos gardes. Chez certains, ces peurs se traduisent en un besoin désespéré de ne pas se sentir «coincé», parce qu'être coincé, c'est avoir perdu le contrôle, et que garder le contrôle reste l'objectif primordial.

Catherine M., célibataire de vingt-neuf ans, est réviseur chez un fabricant de logiciels. Quand nous nous sommes rencontrés la première fois, elle souffrait déjà d'attaques d'anxiété depuis neuf mois.

Son premier moment de panique s'est produit de façon inattendue, à la sortie du métro, pendant qu'elle se rendait à pied au travail. Comme c'est souvent le cas, ce matin-là avait été précédé de quelques mois de stress: son ami de cœur venait de rompre avec elle, son supérieur immédiat avait été muté, un de ses meilleurs amis venait d'apprendre qu'il souffrait d'une maladie incurable, et Catherine songeait sérieusement à quitter sa Philadelphie natale pour aller vivre en Californie.

Au cours des neuf mois ayant précédé sa première attaque de panique, ses peurs et les limites qu'elle s'imposait avaient graduellement rétréci au minimum le monde de Catherine.

Voici comment elle a parlé de certaines de ses inquiétudes à notre première entrevue: «Je travaille au centre-ville, mais je refuse de m'y promener quand j'y suis. J'ai peur de m'évanouir. Si j'allais déjeuner au restaurant, j'aurais peur de perdre conscience sur le chemin du retour. J'ai aussi de la difficulté à conduire ma voiture. J'ai peur de rester prise sur l'autoroute si je roule dans la file de gauche ou s'il n'y a pas de sortie tout près. Les restaurants me troublent. J'ai encore l'impression d'être coincée: une fois que j'ai commandé, je ne peux plus partir.»

Catherine et des millions d'êtres humains comme elle souffrent du trouble panique. Ils font l'expérience d'attaques d'anxiété inattendues et cherchent un refuge pour se protéger de l'impression qu'ils ont d'être comme enfermés ou pris au piège. Avant de s'aventurer à l'extérieur de leur refuge, ils évaluent mentalement chaque nouvel environnement. S'ils entrevoient un risque quelconque d'être «enfermés», ils éviteront la situation. Quand ce comportement d'évitement commence à dominer leur vie, il faut envisager le diagnostic de l'agoraphobie.

Il ne s'agit pas seulement de la peur d'être coincé, mais de toute expérience susceptible de donner l'impression de perdre le contrôle. Au quatrième chapitre, je vous ai présenté *Anne C.*, la jeune femme de trente-deux ans qui souffre d'agoraphobie depuis douze ans. Voici une anecdote révélatrice à son sujet:

> Quand j'ai subi une intervention chirurgicale pour une biopsie, on a voulu me faire une anesthésie générale. Le pire pour moi dans toute cette aventure, c'était de me faire endormir. J'ai demandé au médecin de s'en tenir à une anesthésie locale. Il m'a dit: «Vous êtes bien brave. La plupart de mes patients me supplient de leur faire une anesthésie générale.» Je me suis dit en moi-même: «Il ne se rend pas compte que ma peur à moi, c'est de me laisser endormir, de *m'abandonner.*»

Pourquoi Anne craint-elle l'anesthésie générale? Parce qu'elle croit que, pour garder le contrôle de sa vie, elle doit toujours être vigilante, surveiller chacun de ses gestes et parer à toute menace potentielle. Cette croyance, en fait, lui fait du tort sur le plan physique comme sur le plan psychologique. Le corps et l'esprit sont incapables de tolérer la tension que suscite l'anticipation permanente d'une urgence. Il n'est donc nullement étonnant qu'elle se plaigne de se sentir tendue, anxieuse et vidée sur les plans physique et émotionnel.

La panique joue des tours à l'imagination. Elle acquiert toute sa force grâce aux pensées et aux images que vous créez vous-même dans votre esprit. Le sujet qui craint les ascenseurs n'est pas seulement anxieux durant les moments où il se tient devant un ascenseur. Quand il songe à prendre rendez-vous avec son médecin, il se rappelle que le cabinet est situé au quinzième étage. Sa peur lui revient immédiatement à l'esprit. Ensuite, de longues semaines avant le rendez-vous, il a peur. Assis dans son salon, il s'imagine debout devant l'ascenseur. Il éprouve une drôle de sensation au creux de l'estomac, ses poings se serrent et blanchissent, il se sent un peu étourdi, et il change d'idée: il n'appellera pas le médecin. Il est probable qu'il essaiera de justifier sa décision, en l'attribuant à autre chose que sa peur. («Je n'ai pas encore besoin d'un rendez-vous; je vais attendre un bout de temps.»)

Dorothée P. est une autre agoraphobe dont j'ai parlé au quatrième chapitre. Dans les commentaires suivants, voyez comment elle s'attend à perdre le contrôle. Elle imagine les pires scénarios, et ce sont ces images mentales qui l'effraient et l'empêchent de conduire.

> Je ne veux pas perdre mon permis, donc je ne conduis pas du tout. Si, en route, j'étais prise d'une attaque de panique — s'il y avait une déviation ou un embouteillage —, il faudrait soit que je sorte de ma voiture et que je m'enfuie, soit que j'enfonce la pédale de frein, soit que je renverse tout le monde, que je renverse le policier, que je brûle des feux rouges... Il me faudrait m'échapper. Je semble incapable de me dire: «Calme-toi. Tu sais que tu peux rester immobilisée ici. Il n'y en a que pour quelques minutes.» Je ne peux pas user de logique. Je ne peux pas penser.

Dorothée a raison: *elle ne pense pas* rationnellement à ses aptitudes en matière de conduite automobile. Le fait est qu'elle n'a jamais eu un seul accident et n'a jamais eu de réaction hystérique au volant. Mais elle en imagine la *possibilité,* et cette image suffit à lui faire renoncer au volant.

La panique contrôle l'esprit

Pour la victime de panique, la panique contrôle plus que quelques moments d'anxiété physique. Elle fait le lien direct entre les sensations physiques et vos pensées, de sorte qu'en imaginant telle chose, vous stimulez une réaction physique.

Par exemple, la *pensée* de mordre dans un citron peut suffire à vous faire grimacer. La *pensée* d'un crime violent peut tendre vos muscles de colère. La *pensée* de plonger dans un bain chaud, doux, tranquille et reposant... peut commencer à détendre ces mêmes muscles raidis.

Dans le cas de la panique, le corps réagit à l'esprit d'une façon analogue. Par exemple, j'ai demandé à Catherine ce qui se passe au restaurant, une fois qu'elle a commandé et qu'elle commence à se sentir «coincée».

> Je deviens extrêmement anxieuse, prise de panique. Je reste assise et je mange, pour que personne ne me remarque. Mais je deviens mal à l'aise physiquement, étourdie même. La même chose se produit quand je fais la file au guichet de la banque. Une fois arrivée au guichet et mes papiers remis à la caissière, je deviens très nerveuse, parce que je me dis: «Jusqu'à ce qu'elle me donne mon reçu, je ne peux pas partir. Je suis prise ici.» Je commence à imaginer que je vais perdre conscience.

Catherine garde le contrôle d'elle-même dans ces files pour la seule raison qu'elle se dit: «Je ne peux vraiment pas sortir de la file et partir.» Mais, une fois à la caisse, elle pense qu'elle ne peut pas s'en aller sans provoquer une «scène».

Une autre de mes patientes, *Michelle R.*, était directrice régionale d'une grande société nationale; elle avait des attaques de panique depuis six ans.

Michelle a eu sa première attaque de panique dans sa voiture: elle s'est sentie étourdie et faible, comme si elle allait perdre conscience. À la suite de sa seconde attaque, quatre mois plus tard, elle s'est rendue chez son médecin de famille, qui a attribué ses problèmes «aux nerfs». Durant les mois qui ont précédé la première attaque, elle s'était engagée dans une liaison extraconjugale. En moins d'un mois, c'était la séparation pour Michelle et son mari. Malgré ses attaques de panique et le diagnostic de son médecin, Michelle restait calme et sans émotion devant le processus de séparation; elle ne voyait aucune relation entre ses symptômes et ses problèmes conjugaux. Au cours des six années suivantes, elle s'est accommodée du trouble panique sans aide professionnelle. Elle a divorcé et, deux ans plus tard, s'est remariée avec l'homme qu'elle avait pris pour amant.

À son premier rendez-vous à mon cabinet, elle avait déjà cessé de conduire. Elle ne faisait jamais de promenade, ne restait jamais seule à la maison, ni ne faisait ses courses seule. Au travail, elle se trouvait toujours une excuse pour éviter les réunions à l'extérieur de la ville. En outre, je la soupçonne d'avoir subrepticement saboté toutes ses chances d'obtenir une promotion.

Au cours de l'une de nos séances, Michelle a dit comment elle avait vu certains des ravages que cause la panique dans l'esprit. À la séance précédente, je lui avais demandé d'écouter les exhortations silencieuses qu'elle se fait juste avant l'attaque de panique. Elle est arrivée à cette séance arborant un sourire satisfait.

> Je sais maintenant ce que vous voulez dire. Je suscitais ma propre attaque d'anxiété. Je participais à une réunion du personnel, ce matin, et je l'ai fait sans m'en rendre compte. Je me suis demandé: «Que va-t-il se produire si tu te sens dépassée ou si tu éprouves un sentiment de panique?» Aussitôt, j'ai commencé à paniquer. Mon cœur s'est mis à battre à tout rompre. J'ai été prise d'une nervosité intense.

Michelle avait toujours dit que ses attaques de panique se produisaient inopinément. En fait, c'était là ce qu'il y avait de pire dans l'expérience: ne jamais savoir quand ni pourquoi ces attaques survenaient. Après avoir appris que certains schèmes de pensée peuvent influencer les symptômes physiques, elle a commencé à être plus attentive à certaines de ses pensées. Elle a pu ainsi mettre au jour un schème de pensée typique: d'abord, elle envisageait seulement l'apparition possible de symptômes, puis ceux-ci semblaient commencer à se manifester. Dans le passé, elle n'avait pas été consciente de ces pensées, elle ne remarquait donc que ses réactions physiques. Aussitôt qu'elle a découvert que sa façon de penser pouvait provoquer l'apparition de symptômes désagréables, son état s'est amélioré rapidement. Elle s'est rendu compte que si des pensées pouvaient déclencher la panique, d'autres pouvaient l'éliminer.

Prédire l'avenir

Cécile W., de qui nous avons parlé au quatrième chapitre, est devenue agoraphobe après la naissance de son aîné, il y a vingt-deux ans. Elle a commencé par se sentir mal à l'aise à l'église et à l'épicerie. Puis les attaques d'anxiété ont commencé.

> Quand je panique, le battement de mon cœur s'accélère. Je fais de l'hyperventilation, je me sens étourdie, j'ai les jambes faibles, surtout si je subis beaucoup de stress. À la seule pensée d'aller à la plage ou dans un autre endroit bondé, je me sens comme étouffer, j'ai de la difficulté à respirer. C'est ce qui fait naître toutes les autres sensations.

Ses commentaires illustrent le même schéma de déroulement dont parlent Catherine et Michelle. Aussitôt qu'elles commencent à voir l'avenir d'une façon négative, elles tombent dans le piège de la panique.

C'est un peu comme si la panique avait introduit une petite voix dans votre tête. Supposons que vous vous soyez déjà sentie anxieuse à la pensée de conduire sur une longue distance d'autoroute. Aujourd'hui, vous décidez de vous rendre chez votre sœur qui habite à trente kilomètres de chez vous. À mesure que l'heure de votre départ approche, la petite voix vous dit: «Peux-tu te rendre là sans subir une attaque de panique? Honnêtement, le peux-tu?» C'est tout ce que la petite voix doit dire, parce que cette seule question sème le doute en vous. «Êtes-vous sûre à 100. p. 100 de pouvoir vous rendre chez votre sœur? Et si vous étiez prise d'une soudaine attaque de panique?» Ce genre de questions vous laisse entendre que vous ne pouvez pas vous rendre chez votre sœur sans être anxieuse, et que vous ne pouvez pas affronter cette anxiété.

Comment la panique atteint-elle le corps à travers l'esprit?

Premièrement: vous envisagez de vous aventurer dans un type de situation qui vous a causé des difficultés dans le passé. («Je crois que je vais aller faire mes courses aujourd'hui.»)

Deuxièmement: vous vous rappelez que cette situation pourrait provoquer des symptômes physiques. («Oh non! La semaine passée, quand j'y suis allée avec les enfants, j'étais si étourdie que j'ai cru m'évanouir.»)

Troisièmement: vous doutez de votre capacité d'affronter ces symptômes. («Qui sait ce qui pourrait arriver si j'y allais seule? Je serais si humiliée s'il me fallait m'enfuir de là. Je me sens déjà toute drôle rien qu'à y penser.»)

Vos peurs peuvent être tout à fait irrationnelles. Quelque chose en vous pourrait même vous dire: «Tu sais que tout va bien aller. Tu ne t'es jamais évanouie. Même si tu t'évanouissais, tu n'en mourrais pas.» Mais, malgré la voix de la raison, les doutes appréhensifs demeurent. Vous vous laissez graduellement harceler par l'idée de perdre le contrôle, et ce harcèlement semble défier toute logique.

Vous voyez maintenant avec quel allié puissant se ligue la panique quand elle peut faire naître dans votre esprit la peur de perdre le contrôle. Ajoutez à cela l'incertitude quant à l'apparition des symptômes et à la durée de l'attaque, et vous verrez pourquoi tant de femmes souffrant de la panique sont épuisées sur le plan physique comme sur le plan émotionnel. Elles doivent être vigilantes vingt-quatre heures sur vingt-quatre.

Le repli planifié

Une seule défense semble soulager la panique: l'évitement. «Si seulement je peux m'arranger pour ne pas devoir prononcer ce discours [exécuter tel exercice, prendre l'avion, faire face à mon patron, monter dans l'ascenseur], tout ira bien.» Vous vous réfugiez donc sur un terrain plus sûr. La sécurité devient votre première priorité.

Dans le cas de certaines peurs, l'évitement peut constituer une solution acceptable. Il est normal que les citadins aient peur des serpents. Et il n'est pas anormal de se sentir mal à l'aise en traversant un pont suspendu. Mais l'évitement nuit à la qualité de la vie chez trop de gens. J'ai travaillé avec des patients qui avaient renoncé à conduire, à pénétrer dans des magasins ou à prendre l'autobus, qui avaient refusé des promotions ou cessé totalement de travailler, ou qui n'avaient pas été dans un restaurant ou à une fête depuis des années. J'ai même dû rendre visite à certains de mes patients agoraphobes qui refusaient de s'aventurer hors de leur maison.

En réaction à une maladie physique réelle, certains sujets vont changer leur vie du tout au tout. Par exemple, j'ai travaillé avec une femme de vingt-quatre ans qui souffrait d'asthme depuis l'âge de douze ans. Comme vous le savez sans doute, les symptômes de la crise d'asthme comprennent la respiration sifflante, le serrement de la poitrine et la difficulté à respirer. Même si elle n'avait pas eu de crise d'asthme depuis plus d'une année, Cynthia avait une peur bleue de la crise inopinée. Elle se déplaçait rarement à l'extérieur de la ville; quand cela lui arrivait, elle indiquait sur une carte routière l'emplacement de tous les hôpitaux situés sur sa route. Si elle ne croyait pas être en mesure de rejoindre la salle d'urgence d'un hôpital pour s'y faire administrer de l'oxygène, elle n'empruntait pas cette route. De plus, elle craignait toujours la «surexcitation», susceptible de déclencher une crise d'asthme.

Dorothée P., depuis quarante ans, ne s'était pas déplacée dans un rayon de plus de cinq kilomètres de sa maison, ni n'était sortie seule durant cette période.

> En fait, je ne vais pas quelque part pour être ensuite prise de panique. Non. Je me dis simplement que je ne peux pas y aller. Je ne sors jamais de ma ville, et chaque fois que je m'y déplace, c'est en compagnie de quelqu'un. Si je vais au restaurant, je dois surveiller la porte, même m'asseoir près de la sortie. Je vais rarement au cinéma, mais quand j'y vais, je prends un siège proche de l'allée. Je dois aller faire un tour dans le foyer de temps à autre, et je pars toujours avant la fin de la projection. Je dois le dire: je n'ai pas eu de symptômes d'anxiété depuis des années, parce que je me préserve. Je m'interdis tout ce qui pourrait me donner l'impression d'être coincée.

Peu de gens adoptent des mesures si extrêmes pour se protéger, mais nombreux sont ceux qui se mettent à hésiter dans leur vie de tous les jours. Ils commencent par se conter des histoires à propos de leurs désirs et de leurs besoins dans la vie. En fait, ils commencent plutôt à parler de ce qu'ils ne veulent pas ou de ce dont ils n'ont pas besoin: «Je n'ai pas vraiment besoin de sortir, j'aime autant rester à la maison avec toi», «Je ne veux pas m'endimancher ce soir. Pourquoi ne pas sauter cette réception?», «Qui a besoin des tensions supplémentaires de cette promotion?», «J'aimerais bien vous rencontrer la semaine prochaine, mais je ne veux pas m'engager si longtemps d'avance. On ne sait jamais ce qui peut arriver.»

Certains sujets atteints d'une maladie de cœur, craignant la fatigue ou les émotions, s'isolent sur le plan social et restent physiquement inactifs. Leur peur de provoquer une crise cardiaque est occultée par l'indifférence et la dépression. Il faut traduire «Je suis trop vieux pour commencer à faire des promenades dans le quartier» par «Cette promenade est peut-être tout ce qu'il faut pour déclencher une autre crise cardiaque. Je ne veux pas mourir.» Une telle crainte est bien compréhensible, mais quand c'est elle qui détermine toutes les activités quotidiennes du sujet, on peut dire que celui-ci est vraiment mené par la panique.

Samuel S., un plombier de soixante-trois ans, m'a été envoyé par son médecin de famille. Il présentait les signes communs de l'agoraphobie: il avait peur de prendre le métro, de monter dans un autobus ou de conduire. Il restait à la maison la plupart du temps. Et une peur singulière de ses outils de plombier s'était développée en lui, ce qui l'empêchait de reprendre le travail.

Après notre premier entretien, j'ai eu la nette impression de comprendre la cause de ses difficultés. Au bout de quatre séances, mes soupçons étaient confirmés. Avec quelques encouragements et quelques suggestions toutes simples, Samuel a pu de nouveau prendre le métro et conduire sa voiture. Mais sa phobie des outils restait entière. Il m'a confié que sa peur était si intense que, à la seule pensée de les toucher, il se sentait tendu et anxieux. En fait, m'a-t-il dit, sa peur était telle qu'il ne souhaitait plus poursuivre son traitement. Je ne l'ai jamais revu, mais j'ai appris de son médecin de famille que, six mois plus tard, il ne travaillait pas encore.

Qu'est-ce qui, selon moi, était à l'origine de la phobie de Samuel? Trois mois avant de me rencontrer pour la première fois, Samuel avait eu sa deuxième crise cardiaque. Le fait d'avoir frôlé la mort avait déclenché sa crainte des déplacements et des activités. Mais, plus important encore, il craignait de causer sa propre mort en s'exposant à une troisième crise cardiaque. Samuel avait inconsciemment trouvé le moyen de prolonger sa vie. En laissant se développer une phobie des outils, il n'aurait plus jamais à s'en servir. Il n'aurait plus à se glisser sous la maison de ses clients, ni à porter les grosses clés de dix kilos, ni à s'exténuer pour serrer un raccord; il n'aurait plus à fatiguer ainsi son cœur.

À son âge, après deux crises cardiaques, peut-être Samuel aurait-il dû songer à prendre sa retraite. Mais la panique lui a volé le privilège de prendre lui-même cette décision. Consciemment, il ne sentait pas qu'il avait été libre de choisir. La panique l'a emporté sur lui. Aux dernières nouvelles, Samuel faisait une demande de pension pour invalidité complète, basée sur sa phobie.

Ce cas illustre bien comment la panique peut perturber le processus de guérison qui suit une maladie physique. Quelle que soit la cause de l'anxiété ou des inquiétudes initiales — que cette cause soit de nature physique ou émotionnelle —, la panique peut se manifester de façon autonome et continuer de ravager la vie du sujet.

Pourquoi moi?

Si vous souffrez d'attaques de panique inattendues qui résistent à toutes les méthodes de contrôle de soi, vous voulez à tout prix savoir *pourquoi*. Normalement, vous prendrez en considération l'une de ces réponses ou les deux: quelque chose ne va pas en vous sur le plan physique ou quelque chose ne va pas en vous sur le plan psychologique.

Si, malgré les preuves objectives, vous êtes convaincu de la nature physique du problème, vous entreprendrez un long et frustrant pèlerinage qui vous conduira de médecin en médecin. Vous ferez peut-être de même si vous êtes convaincu que le problème est de nature psychologique. Ou encore, vous serez si humilié à la pensée d'être atteint d'un «trouble mental» que vous cacherez votre situation à tous. Certains de mes patients n'ont jamais révélé à personne leurs longues années d'anxiété silencieuse. La force destructrice du doute de soi et de l'autocritique vient s'ajouter à la douleur de l'isolement social. Vous commencez à vous blâmer pour votre «faiblesse»: «Pourquoi ai-je si peur? Pourquoi est-ce que je n'agis pas?»

Les attaques de panique qui résistent aux remèdes simples peuvent emporter le sujet dans un tourbillon d'autodestruction. Puisque le sujet sent qu'il lui est impossible de contrôler sa propre vie, il gravite autour de la personne ou de la chose qui peut exercer ce contrôle à sa place. Avec le concours du médecin, il essaiera les tranquillisants, les sédatifs, les myorelaxants ou les antidépresseurs. Ou il commencera à se soigner lui-même, choisissant l'alcool pour se calmer un peu. Certains adultes décident, d'une façon inconsciente, de rester très proches de leurs parents, même si, consciemment, ils se sentent ambivalents sur cette question. D'autres gravitent autour d'amis forts et dominateurs ou choisissent inconsciemment un conjoint puissant et dominateur, comme un moyen de se sentir en sécurité. Ces choix sont le résultat d'un système de croyances qui suit ce raisonnement: «Puisque je sais que je ne suis suis pas à la hauteur, je dois trouver quelqu'un qui restera près de moi et veillera sur moi.»

La panique commence à éroder votre assurance en vous convainquant que vous ne contrôlez plus votre vie. Après quelques mois, il se peut que vous ayez à affronter une nouvelle série de difficultés: manque de dynamisme, manque de motivation, sentiment de désespoir et d'impuissance, autodévalorisation. Non seulement vous sentez que vous avez perdu le contrôle de votre corps, mais votre entourage semble prendre vos décisions à votre place. C'est ainsi que la dépression peut compliquer une vie déjà difficile.

En d'autres mots, la panique fait de plus en plus d'incursions dans votre vie parce qu'elle échappe au traitement. Elle devient un grand mystère impossible à résoudre. Vous cédez devant le problème, tout en attendant désespérément quelqu'un ou quelque chose d'assez fort pour le résoudre.

Voici quelques extraits de séances de thérapie que j'ai eues avec certaines de mes patientes (que vous connaissez depuis le quatrième chapitre). J'ai sorti ces passages de leur contexte, il y manque donc une bonne quantité d'information. Néanmoins, lisez entre les lignes; vous serez ainsi en mesure d'imaginer comment de telles expériences peuvent miner l'assurance et l'espoir chez ces femmes.

> ANNE: Après ma lune de miel, je suis retournée au travail. Je me sentais tout le temps extrêmement tendue, j'avais de violents maux de tête et j'ai eu plusieurs attaques de panique. J'ai finalement consulté le psychiatre de l'école qui m'a prescrit des Valium (tranquillisant faible). J'allais le voir chaque semaine, mais cela ne servait à rien, parce qu'il ne me parlait pas. À la fin, j'ai dit: «Qu'est-ce qui ne va pas en moi?» Il m'a répondu: «Eh bien, vous souffrez d'une tension classique, très classique.» Telle a été sa réponse.
>
> DIANE: Le médecin m'a fait hospitaliser pendant quatre semaines. La première semaine, on m'a fait passer toutes sortes d'examens physiques, puis on m'a placée sous observation dans l'aile psychiatrique de l'hôpital, où je suis restée trois semaines. Cela m'a coûté une petite fortune. Quand tout a été fini, on m'a dit: «Nous ne savons pas ce qui cloche.» Le psychiatre m'a dit que j'étais aussi saine d'esprit

que lui, tandis que le médecin a déclaré n'avoir rien trouvé d'anormal sur le plan physique. J'ai essayé bien des médicaments — Valium, Stelazine, Tofranil et Elavil —, mais ils n'ont aucun effet sur moi. Les médecins m'ont alors dit: «Nous allons cesser de vous prescrire des médicaments et nous allons mettre fin au traitement psychiatrique: il n'y a rien que l'on puisse pour vous.»

CORINNE: Quand j'ai donné naissance à mon second enfant, le diagnostic a établi que je souffrais de ce que l'on appelle le «malaise de la réclusion». J'ai essayé de comprendre et de trouver une explication à tout cela en me disant: «Tu as deux enfants âgés de moins de deux ans, tu souffres du malaise de la réclusion. C'est le mois de février, c'est une époque de l'année qui est terrible pour bien des gens.» Mais au fond de moi-même, je savais bien que ce n'était pas seulement de cela qu'il s'agissait.

CÉCILE: Les symptômes sont apparus après la naissance de Suzanne, mon aînée. Je faisais une dépression de post-partum, mais j'avais aussi des attaques de panique. Une après-midi, j'étais au téléphone en train de chercher un appartement, quand j'ai commencé à ressentir des douleurs à la poitrine et d'autres symptômes. J'ai appelé ma mère qui m'a fait conduire chez le médecin. On a cru que je faisais une crise cardiaque. C'est comme cela que tout a commencé. J'ai remarqué qu'à l'église je ne me sentais pas bien. Puis, je ne me sentais pas bien dans les supermarchés non plus. Tout cela a pris des proportions extraordinaires. J'allais de médecin en médecin; tous me disaient que c'était «nerveux».

Comme vous le voyez, le mystère qui entoure la panique la nourrit également. Se contenter de dire que les attaques de panique sont une affaire de «nerfs» et de prescrire des médicaments est une approche qui réussit rarement. En fait, quand les médicaments ne parviennent pas à éliminer les attaques de panique, le sujet devient souvent encore plus affligé.

D'autres malades font un secret de leur état. Voici comment Catherine décrit ce qu'elle ressent:

> Je pense que j'avais simplement honte. Je croyais être en proie à une dépression nerveuse. Il m'était impossible de me confier à mes amis. Je ne savais pas comment aborder ce sujet avec qui que ce soit. Je croyais qu'on rirait de moi. En outre, je n'aime pas déranger les gens avec mes difficultés. Tout le monde a ses problèmes, on n'a pas besoin des miens en plus. Ou encore je croyais que l'on ne me prendrait pas au sérieux. On me dirait: «T'en fais pas avec ça.»

Ainsi, plutôt que de donner à ses amis l'occasion de l'aider et de lui exprimer leur affection, Catherine s'est repliée sur elle-même et a recherché la solution dans l'alcool.

> Je ne savais pas ce qui m'arrivait. Je buvais beaucoup. Le soir, en rentrant, je buvais pour me calmer. Certaines semaines, quand je rentrais à la maison, je pouvais boire une demi-bouteille de whisky. Je ne comprenais pas ce qui se passait; l'alcool semblait être la seule chose qui me calme. Mais ce n'était pas un bon traitement: le lendemain matin, je me sentais épouvantablement mal, et les symptômes paraissaient aggravés.

Qu'est-ce qui explique donc l'apparition de changements physiologiques si spectaculaires qui résistent aux remèdes simples? Comment la panique reste-t-elle si puissante et, pourtant, si mystérieuse? Un élément de réponse à ces questions, dont nous parlerons au chapitre suivant, se trouve dans notre incapacité de faire confiance au contrôle exercé par notre corps. Un autre élément de réponse, examiné au neuvième chapitre, est relié avec notre façon de penser durant les périodes de crise.

8

Qui a le contrôle?

Rien ne m'apporte plus de paix et de sérénité qu'une promenade sur la plage dans la tranquillité de l'aube naissante. C'est un peu comme si je passais un moment privilégié seul avec l'univers, sans que nous soyons dérangés. Les petit tracas de la vie quotidienne semblent bien loin quand je laisse mon esprit libre de ses pensées. Le soleil se lève du côté de la mer, orange et énorme. Tout semble alors merveilleux: les crabes nagent plus profondément, ne laissant sur le sable qu'un tout petit trou que la vague suivante s'empresse de remplir; les dauphins nagent dans tous les sens à faible distance de la plage; les mouettes semblent flotter nonchalamment dans le ciel. Le rivage change ma perspective et ralentit le flot de mes pensées. La vie paraît plus simple. La nature autour de moi m'invite à adopter son rythme.

Il semble y avoir un équilibre dans notre univers, qui est maintenu par le changement constant. Les marées montent ou descendent. Rien n'est immobile. Tout dans la nature est en perpétuelle transformation, mais cette transformation n'est pas l'œuvre du hasard. Tout comme le pendule qui balance, les rythmes de notre monde produisent un équilibre entre deux pôles. Chaque molécule de l'univers se dilate et se contracte.

Notre vie sur la terre est équilibrée entre la chaleur de l'été et le froid de l'hiver. Nos journées passent de la lumière du midi à l'obscurité de minuit. Le rythme des êtres vivants, c'est l'oscillation entre le repos et l'activité. Pour la plupart d'entre nous, chaque journée comporte seize heures d'activité et huit heures de repos. Nous travaillons cinq jours et nous nous reposons les deux autres jours de la semaine. Chaque année, nous trouvons l'équilibre entre les mois de travail et les semaines de vacances.

Mais nulle part dans l'univers ce rythme n'est plus profond que dans le corps de l'être humain. Songez au cœur. Son battement est singulier: il se contracte, puis se dilate, se contracte, puis se dilate. Le sang ne coule pas dans les veines, il y est propulsé à chaque battement. Le cœur pousse, puis se détend. Chaque vaisseau sanguin se contracte et se dilate au besoin, d'une façon rythmée.

Quand on vous fait connaître votre tension artérielle, on vous donne deux chiffres. Le plus élevé (la pression systolique) indique la plus grande force exercée par le cœur et le plus haut degré de résistance des parois artérielles durant le pompage du sang. Le chiffre le moins élevé (la pression diastolique) indique la pression la plus basse qui existe dans les artères, quand le cœur est le plus décontracté. Votre pouls, c'est le nombre de fois que le cycle contraction-dilatation du cœur se produit à chaque minute. Le médecin ne s'inquiète que lorsque ce rythme fondamental de la vie est déséquilibré. Un battement et un pouls forts et équilibrés sont un signe de santé pour les médecins, et non pas une source d'inquiétude.

Songez à votre respiration. Les poumons se remplissent d'air quand vous inspirez. Les poumons, en se dilatant, poussent sur le diaphragme (un muscle plat qui s'étend au-dessus de l'abdomen), qui s'étire. Le diaphragme étiré a naturellement tendance à reprendre sa forme décontractée. Quand il la reprend, l'air inspiré est doucement expulsé des poumons: c'est l'expiration. Et le cycle continue.

Dilatation et contraction. Activité et repos. C'est là la polarité de base qui maintient l'équilibre dans tous les systèmes du monde naturel, qu'il s'agisse des océans, des saisons, de nos activités quotidiennes ou des organes du corps humain.

La force qui maintient la vie est autonome. Nul besoin de la superviser. C'est une force fondée sur une longue tradition qui rejoint l'origine des temps.

Méfiance de l'inconscient

Quand je parle du rythme qui maintient la vie dans le corps humain, je dis qu'il est géré par l'«inconscient». Établissons notre propre définition de l'inconscient: c'est *toute partie de l'esprit autre que celle dont nous sommes conscients.*

Je n'ai pas besoin de me rappeler que je dois respirer ou de rappeler à mon cœur qu'il doit battre. Toutes les fonctions essentielles de l'organisme et de l'esprit sont contrôlées de façon inconsciente. Je peux certes contrôler consciemment le rythme de ma respiration. Mais si j'essayais de ne pas respirer, je n'y parviendrais pas. Même si je réussis bien à retenir mon souffle, je finirai par devoir laisser l'air s'échapper de mes poumons ou je m'évanouirai, afin que mon inconscient reprenne le contrôle de ma respiration.

La nuit, quand je dors, mon esprit conscient laisse le contrôle entier de mon corps à l'inconscient. Si j'étais blessé et que je ressentais une douleur atroce, il est probable que je m'évanouirais (que je «perdrais conscience»), et l'inconscient réglerait les fonctions essentielles de mon organisme.

Où est-ce que je veux en venir, vous demandez-vous? Vous êtes content que j'aime l'océan; vous savez déjà la durée d'une journée de travail et, oui, votre cœur bat sans que vous ayez à le lui rappeler. Alors, quoi?

Voici ce que je veux dire: la panique mine la confiance fondamentale du sujet en son corps. La panique prend le contrôle de sa personne en le convainquant de douter du système naturel de surveillance *inconsciente* du corps. La panique lance des messages dans le for intérieur du sujet: «Reste vigilant. Ne cesse pas d'écouter. Ne cesse pas de surveiller.» Ce sont là les messages destructeurs dans la panique.

Si vous surveillez constamment les sensations physiques que vous éprouvez, vous devrez commencer à voir votre corps d'un nouvel œil. Répondez à cette question: comment vous laissez-vous vous endormir le soir? Bien sûr, vous êtes épuisé et vous avez besoin de sommeil. Mais quand vous vous endormirez, vous ne serez plus en mesure de surveiller consciemment vos fonctions vitales. Vous ne pourrez plus écouter les battements de votre cœur, ni vous assurer de prendre votre prochaine bouffée d'air. Pourquoi renoncez-vous à ce contrôle conscient? À quoi faites-vous implicitement confiance?

Si vous avez trouvé une réponse, vous direz sans doute que vous êtes persuadé que «quelque chose veillera à ce que votre cœur continue de battre». Encore une fois, pour simplifier les choses, disons qu'il s'agit de l'œuvre de l'inconscient. Qu'arriverait-il si, au moment de l'attaque de panique, vous pouviez vous convaincre de faire confiance à ce même inconscient pour qu'il vous aide à faire face aux sensations physiques que vous éprouvez? Je peux vous garantir ceci: une fois que vous aurez appris cette technique, vous reprendrez le contrôle de votre corps. Vous ne laisserez plus la panique usurper ce contrôle; vous ne forcerez plus votre esprit conscient à faire tout le travail. Vous tirerez plutôt parti du contrôle remarquable qui est possible grâce à un effort «d'équipe». Vos pensées conscientes feront la moitié du travail; les processus inconscients naturels feront le reste.

Comme vous le savez peut-être, dans le passé, la notion d'«inconscient» recouvrait souvent une zone sombre et profonde de la psyché, marquée de traumatismes douloureux et d'émotions refoulées depuis l'enfance. On considérait la psychanalyse comme un traitement d'une dizaine d'années servant à faire remonter à la surface les souvenirs enfouis, au moyen de l'analyse des rêves du sujet et par la libre association des idées. Le but de la psychanalyse était l'instrospection consciente et le contrôle des impulsions inconscientes négatives.

À mon avis, ce n'est pas la bonne façon de faire face à la panique. L'inconscient fonctionne bien sans doute 99 fois sur 100 quand il s'agit de conduire le corps à la santé. Pour vaincre les attaques de panique, l'inconscient n'a besoin d'aucune «réparation» ni d'aucune supervision de la part du conscient. Il faut simplement lui permettre de faire son travail sans intervenir. C'est l'intrusion du conscient qui cause les difficultés, cette petite voix qui demande «Et si ces sensations physiques s'aggravaient? Quelque chose de terrible arriverait. Fais attention!»

Réaction aux situations d'urgence

Il y a deux ans, quand ma femme et moi vivions au Massachusetts, nous nous sommes rendus en Caroline du Nord pour passer une semaine de vacances à la plage. Je revois en pensée ce qui s'est passé sur la route nous menant vers le Sud.

Comme j'ai hâte de passer une semaine à la plage avec mon frère et sa femme, des images de moments heureux traversent mon esprit pendant que nous roulons sur l'autoroute. Une autre partie de mon être est consciente de la grande densité de la circulation, à mesure que nous approchons de Philadelphie. Pour maintenir ma vitesse, je me range dans la voie de gauche. Dans tous les cours de conduite, on répète qu'il faut garder entre les voitures une distance d'une longueur de voiture par tranche de dix kilomètres de vitesse. Mais, aujourd'hui, dans cette voie, personne n'applique ce principe. Chaque automobiliste essaie de coller le plus possible à la voiture qui le précède pour empêcher les automobilistes de la voie de droite, moins rapides, de s'intégrer dans celle de gauche. Chacun garde sa position et appuie lourdement sur l'accélérateur. Je roule confortablement à une centaine de kilomètres à l'heure; personne ne change de voie.

Soudainement, je vois une petite voiture — à trois voitures devant moi — faire une manœuvre abrupte pour rentrer dans la voie de droite et aussitôt en ressortir. Moins d'une seconde plus tard, la deuxième voiture devant moi fait de même. Ma première pensée: «Nous allons tous mourir. L'accident est inévitable.» Je regarde vite dans le rétroviseur. Comme dans une vague géante, la Chrysler qui me précède exécute la même manœuvre que les deux autres voitures devant elle, en heurtant presque le camion qui se trouve à sa droite. C'est maintenant à mon tour: un pare-chocs de presque trois mètres se trouve en travers de ma voie, bien placé pour faire éclater mon pneu avant gauche. Sans penser à rien, j'exécute une manœuvre qui m'amène dans la voie de droite et me ramène dans celle de gauche, évitant ainsi la mort.

L'idée de la mort semble faire soudainement ralentir toutes les voitures de la voie de gauche. Ma femme et moi poussons simultanément un soupir de soulagement. On dirait que mon cœur va sauter hors de ma poitrine; mes aisselles se mouillent, et j'ai un mal de tête lancinant. Je place ma main sur mon cœur pour vérifier son battement, mais aussi pour le contenir.

Bien sûr, il ne s'agissait pas d'une attaque de panique. Mon corps et mon esprit venaient tout juste de fournir leur performance maximum. Ensemble, ils ont tout à fait modifié leurs fonctions. Entre le moment où la petite voiture a changé de voie et celui où j'ai dû contourner le pare-chocs, il ne s'est sans doute écoulé pas plus de huit secondes. À cet instant, mes pupilles se sont dilatées pour améliorer ma vision, ont absorbé en détail chaque mouvement des voitures devant moi, ont regardé dans le rétroviseur pour évaluer la distance maintenue par les voitures qui me suivaient ainsi que leur vitesse, pendant que ma vision périphérique enregistrait la position des véhicules à ma droite; et toutes ces données étaient instantanément transmises à mon cerveau. Mon ouïe est devenue tout à coup extrêmement attentive au moindre bruit. La quantité de sang affluant vers mes mains et mes pieds a décru et ce sang épargné a été redirigé vers les muscles plus profonds du squelette. Le sang a également afflué dans ma poitrine pour irriguer abondamment tous mes organes vitaux qui en avaient besoin durant l'urgence. Mon cœur a accéléré son rythme pour que le sang arrive près de mes organes vitaux. Ainsi, ma tension artérielle a monté. Ma respiration s'est accélérée aussi pour satisfaire aux besoins en oxygène accrus de mon sang en rapide circulation. Ce nouveau sang oxygéné est arrivé au cerveau, où l'augmentation de l'oxygène a stimulé le processus de la pensée et amélioré sensiblement la vitesse de mes réactions. Les muscles des bras, des mains, des jambes et des pieds se sont tendus, prêts à recevoir les instructions du cerveau, et ont réagi avec précision. Mon foie a libéré un peu plus de glucose (sucre) dans le sang, pour donner de la puissance aux muscles, et pour nourrir mon cerveau et mon cœur.

Le corps humain est une machine vraiment extraordinaire. Rien de ce que l'homme a créé ne peut rivaliser avec sa performance. Ce ne sont pas mes pensées conscientes qui m'ont sauvé la vie. Leur seul rôle était d'empêcher la peur de nuire à cette tâche. Ma vie dépendait de mon système nerveux autonome, qui a fait libérer l'adrénaline et coordonner les efforts de mon cerveau et de mon corps avec une précision incroyable.

Voici les changements principaux qui s'opèrent dans le corps au cours d'une telle réaction à une situation d'urgence:

Le taux de sucre dans le sang monte.
Les pupilles se dilatent.
Les glandes sudoripares s'activent.
Le rythme cardiaque s'accélère.
Le rythme respiratoire s'accélère.
Les muscles se tendent.
Une quantité moindre de sang arrive aux mains et aux pieds.
Le sang afflue à la tête et au tronc.

Ce sont là des changements physiologiques normaux et sains qui sauvent la vie. Ils sont déclenchés par la transmission d'information du cerveau au système nerveux autonome, à l'appareil endocrinien et aux nerfs moteurs des muscles du squelette. Quand le cerveau perçoit une situation d'urgence, on pourrait dire qu'il adopte automatiquement un «mode d'urgence». Tous les systèmes et appareils du corps humain réagissent alors simultanément et instantanément.

La panique trompe le cerveau

Il est fort probable que vous avez reconnu certains de ces changements comme étant des symptômes de l'attaque de panique. Vos attaques de panique ne sont pas identiques à la réponse, saine et naturelle, du corps aux situations d'urgence. Cependant, comme le présent ouvrage n'est pas un manuel de médecine mais seulement un guide, j'éviterai les détails techniques. Pensez que les attaques de panique se produisent quand la panique fait croire au cerveau qu'un danger est imminent. Vous voici dans l'allée d'un supermarché, bien tranquille, quand tout à coup le signal d'alarme se déclenche: «Alerte rouge! Tous les systèmes de défense en position de combat!» clame la voix du cerveau dans le système nerveux, vers les os, les muscles, l'appareil circulatoire, l'appareil respiratoire, l'appareil endocrinien et la plupart des organes du corps.

Puisqu'il s'agit d'une réaction inconsciente qui se produit à un moment illogique, sur le plan conscient, vous êtes surpris et effrayé. Pourquoi présentez-vous plus de symptômes que ceux que j'ai énumérés précédemment? Parce que la panique engendre alors l'anxiété. L'anxiété accentue la réponse normale et saine aux situations d'urgence. L'anxiété se nourrit d'anxiété. Rappelez-vous ce que je vous ai dit: durant la réponse à une situation d'urgence, ce que la pensée consciente a de mieux à faire, c'est d'empêcher la peur ou le doute de nuire à la tâche de l'inconscient. La panique, toutefois, vous pousse à concentrer votre attention sur votre corps et à vous inquiéter de ce qui pourrait se passer par la suite. Ces deux incitations sont la cause des grands symptômes de l'angoisse qui vous accablent durant l'attaque de panique. Ils peuvent provoquer ces changements en vous:

Votre cœur semble sauter un battement ou battre de façon irrégulière.
Votre estomac semble pris dans un nœud.
Vos mains, vos bras ou vos jambes tremblent.
Vous avez de la difficulté à respirer.
Vous ressentez une douleur ou une oppression dans la poitrine.
Vous ressentez une tension ou un raidissement dans la mâchoire, dans le cou ou dans les épaules.
Vous avez la bouche sèche.
Vous avez de la difficulté à avaler.
Vos mains et vos pieds sont froids, humides ou engourdis.
Vous avez mal à la tête.

Même si beaucoup d'autres changements sont possibles (voir le chapitre premier), j'ai énuméré ceux-là parce qu'ils sont visiblement une exagération de la réponse normale et saine aux situations d'urgence. Par exemple, durant une situation d'urgence, le système nerveux autonome produit ce que l'on appelle une «stimulation sympathique» dans tout le corps. En plus des changements dont j'ai parlé, les muscles du sphincter gastrique se contractent tandis que l'irrigation sanguine de l'appareil digestif est diminuée. L'anxiété augmente alors la sécrétion d'acide dans l'estomac, ce qui risque de causer des aigreurs d'estomac, des nausées et une douleur dans la partie supérieure de l'abdomen et dans la poitrine.

En plus d'accentuer exagérément les changements physiologiques normaux, de pousser le sujet à concentrer son attention sur son corps et de l'inciter à s'inquiéter de l'avenir, la panique provoque une quatrième difficulté: elle prolonge la durée des symptômes.

Après une réponse normale et saine à une situation d'urgence, le cerveau donne le signal pour que cesse la stimulation sympathique du système nerveux. Le corps reprend alors graduellement ses fonctions normales. Par contre, la panique et l'anxiété ont tendance à prolonger la durée des symptômes. Le sujet a mal à la tête le reste de la journée, ou son estomac est à l'envers toute la nuit, ce qui perturbe son sommeil. Le corps se sent vidé, épuisé; l'esprit est brumeux.

Résumons-nous:

- Le corps et ses organes, comme toute chose vivante, maintient un équilibre entre l'activité et le repos, entre la contraction et la dilatation. Le balancement entre ces pôles crée un rythme sain et naturel.
- Le corps est conçu pour s'adapter à l'activité extrême. Il réagit automatiquement et instinctivement à une situation d'urgence. Il est bien équipé pour réagir en une fraction de seconde.
- La panique perturbe l'équilibre naturel du corps en transmettant de faux signaux d'alarme au cerveau et en poussant le sujet à douter de la capacité naturelle de votre corps.

Pour vaincre les attaques de panique quand elles se produisent, vous devez savoir ceci et y croire:

- Vous pouvez faire confiance à votre corps et à votre inconscient: ils joueront leurs rôles essentiels dans les situations d'urgence.
- Le corps a une réaction opposée à la réponse aux situations d'urgence et tout aussi puissante que cette dernière. (Il s'agit de la réponse calmante dont nous parlerons au dixième chapitre.)
- Quand la panique déclenche la réponse aux situations d'urgence, vous pouvez d'une façon consciente y mettre fin.
- En vous exerçant, vous arriverez consciemment à prévenir l'apparition de la panique en vous.

9

Pourquoi le corps réagit-il?

Si le cerveau est une machine dont la capacité d'intelligence est si puissante, pourquoi alors ne bloque-t-il pas les signaux de panique? Comment se fait-il que le cerveau soit à la merci de la panique? (C'est le cerveau qui fait se déclencher les symptômes physiques de la panique; par conséquent, c'est lui qui en est à l'origine.)

Pour trouver la réponse à ces questions, nous devons nous pencher sur le fonctionnement du cerveau et de l'esprit. La plupart du temps, nous utilisons indifféremment les termes «cerveau» et «esprit», mais il nous faut quelquefois les distinguer. Aux fins de mon propos, je dirai que le cerveau est le centre principal de régulation et de coordination des activités du corps. C'est lui qui produit pensée, mémoire, raison, émotion et jugement. Tandis que le cerveau est un objet matériel, l'esprit est un concept, la représentation de la capacité d'intégrer les fonctions du cerveau: percevoir l'environnement, vivre les émotions et traiter l'information de façon intelligente. Dans un sens, on pourrait considérer le cerveau comme étant le siège de l'esprit. C'est pourquoi j'insisterai sur la nécessité de modifier vos pensées et vos croyances, car elles sont les clés de l'activité de votre cerveau.

Bref, voici ce qui se passe dans le cerveau:

1. il reçoit un stimulus;
2. il interprète la signification de ce stimulus;
3. il choisit une réponse;
4. il ordonne au corps de la mettre en œuvre.

Par exemple, si vous touchez accidentellement un radiateur brûlant, 1) ce stimulus part des nerfs des doigts, traverse la moelle épinière et se rend au cerveau; 2) le cerveau interprète ce stimulus: «Je touche quelque chose de brûlant. Cette sensation est désagréable»; 3) le cerveau choisit d'enlever les doigts du radiateur; 4) il envoie, au moyen des nerfs, un ordre à cet effet aux muscles du bras, de la main et des doigts. Votre main s'éloigne promptement de la source de chaleur.

Vous pourriez dire qu'il s'agit là d'une réponse «instinctive» du corps. C'est également une réponse «apprise». Les expériences vécues depuis la naissance ont entraîné votre cerveau à interpréter de cette façon le contact de la main avec un radiateur brûlant.

Le cerveau interprète les sensations selon deux critères: la mémoire et les images fondées sur des sensations. Chaque instant de votre vie s'imprime dans votre mémoire avec telle ou telle intensité. J'ai le souvenir très clair d'avoir, à l'âge de quatre ans, poussé une branche sèche dans un petit feu de charbon. Ce souvenir est renforcé par des images fondées sur des sensations: l'odeur du bois qui brûle, la couleur des flammes, le contact de la branche dans ma main. Fait intéressant à noter, je n'ai pas à l'esprit une image de la branche qui se casse, provoquant ainsi ma chute sur les charbons ardents. Mon souvenir suivant, c'est d'être assis sur le comptoir, dans la cuisine de la maison voisine. Je peux voir plusieurs adultes autour de moi, je sens l'onguent qu'on applique sur les brûlures mineures de mes genoux, et je me rappelle que l'on m'offre une boisson gazeuse.

La mémoire de tels événements persiste, renforcée par des images fondées sur les sensations. L'événement même n'est pas le seul souvenir enregistré dans la mémoire. Nos réactions internes viennent se graver dans l'inconscient. Quelques minutes avant ma chute dans ce feu, ma mère nous avait exhortés, mon frère de six ans et moi, à ne pas nous approcher du feu. Par conséquent, en plus de la douleur immédiate que j'ai ressentie en me brûlant, je soupçonne que, dans ma mémoire, j'ai retenu le sentiment de culpabilité causé par ma désobéissance.

Des ornières

Nos croyances et notre échelle de valeurs sont largement tributaires de nos expériences et des souvenirs que nous en gardons. À l'âge adulte, chacun de nous se rend habituellement compte que certains de ses comportements et de ses habitudes tirent leur origine des expériences qu'il a vécues enfant. Par exemple, nos croyances religieuses, nos habiletés sociales, notre façon de consommer de l'alcool ou d'en abuser et notre choix d'un compagnon de vie sont basés en partie sur des souvenirs d'enfance et en partie sur nos expériences d'adultes.

Cet apprentissage du passé nous est extrêmement bénéfique aujourd'hui. Si tant de décisions nous sont faciles à prendre, c'est parce qu'en nous les «circuits» sont déjà en place. Il ne nous faut pas beaucoup d'effort conscient pour nous rappeler notre numéro de téléphone, pour écrire une lettre ou pour nouer un ruban autour d'un paquet. Mais quand nous étions enfants, c'étaient là des tâches monumentales. Vous rappelez-vous? À mesure que nous avons appris telle ou telle technique, nous avons créé de nouveaux circuits neurologiques dans notre cerveau, des circuits que nous utilisons maintenant depuis des années. Ces circuits deviennent presque des ornières. Chaque fois que nous apprenons quelque chose de nouveau, nous créons de nouveaux circuits.

Comme nous l'avons dit au huitième chapitre, il semble qu'un élément négatif accompagne toujours un élément positif. Voici donc le hic: de fortes croyances peuvent *enrayer* les mécanismes de protection naturels du cerveau et de l'esprit. Laissé en paix, l'inconscient recherchera la santé. Mais l'apprentissage social et certaines expériences traumatisantes ont tendance à prendre le dessus sur ces circuits.

Une fois la réponse de panique établie, l'esprit cesse de travailler de façon créative en votre faveur. On dirait qu'il fonctionne en «pilotage automatique» et qu'il cesse de chercher des solutions. L'esprit se concentre sur la difficulté plutôt que sur sa solution. Quand vous entrez dans une situation semblable dans l'espace ou dans le temps à une situation antérieure dans laquelle vous avez subi une attaque de panique, l'image de cette dernière fois apparaît dans votre esprit. Cette image peut à elle seule produire la même tension musculaire que celle que vous avez connue durant l'attaque. Votre esprit prendra note de cette tension et l'interprétera comme un signe de danger. Au lieu d'évaluer les mille façons de résoudre la difficulté, l'esprit se concentrera sur les images négatives, sur leur «incitation» à la tension, et sur toutes les sensations physiques désagréables que vous éprouverez.

L'attaque de panique peut vous prendre par surprise — sur le plan conscient. Mais sur le plan inconscient, un processus s'est enclenché avant même l'apparition des symptômes de la panique:

Étape 1: Quand vous entrez dans une situation associée à la panique, le cerveau enregistre ce stimulus.

Étape 2: Il interprète la signification de ce stimulus comme étant un signe de danger.

Étape 3: Ensuite, en se basant sur le souvenir des expériences passées, il doute de votre capacité de faire face adéquatement à la situation.

Étape 4: Par conséquent, il choisit automatiquement la réponse aux situations d'urgence, compliquée par l'anxiété (puisqu'il doute que vous soyez en mesure de faire face adéquatement à la situation).

Étape 5: Le cerveau entraîne le corps dans la réponse aux situations d'urgence et dans la réponse à l'anxiété.

Quand vous aurez vécu un nombre suffisant de ces expériences, une réponse conditionnelle se développera en vous. Le cerveau prendra de moins en moins de temps à évaluer chaque nouvelle situation. De plus en plus, il optera automatiquement pour les réponses aux situations d'urgence et à l'anxiété. Vous avez créé une «ornière». C'est pourquoi les personnes qui subissent leur première attaque de panique dans une voiture risquent, avec le temps, de craindre tout moyen de transport. Le cerveau cesse de filtrer les stimuli. L'esprit de la personne qui subit une attaque de panique dans un restaurant, dans une banque ou dans un autre espace clos, pourrait bien lui faire croire que toutes ces situations sont dangereuses.

Images et interprétations

Puisque les images, autant que les expériences réelles, peuvent induire des réponses du cerveau, d'autres limites sont imposées au sujet. Si vous avez eu une attaque de panique au cours d'une allocution publique, le seul fait de vous imaginer en train de parler en public la semaine prochaine — donc une *image* — peut générer en vous, aujourd'hui, des sensations désagréables. Vous n'imaginez pas une scène dans laquelle, face au public, vous seriez bien préparé et sûr de vous, vous parleriez distinctement, et vos propos seraient bien reçus par votre public. Non. Quand vous vous imaginez en train de parler à un public, vous vous demandez plutôt: «Et si je commençais à paniquer?» Cette suggestion allume une autre image en vous: celle dans laquelle vous paniquez durant votre allocution. Et dès maintenant, une semaine même avant votre allocution, vous commencez à éprouver les sensations physiques que vous vous attendez à ressentir ce jour prochain. Les outils de l'esprit sont à ce point puissants.

Voici le point clé. Votre capacité de contrôle reposera largement sur ce principe: les gens, les lieux, les événements ne provoquent la panique qu'*après* que nous leur ayons attribué une signification. Un magasin, ce n'est qu'un magasin; une allocution, qu'une allocution; une promenade, qu'une promenade, jusqu'à ce que le cerveau les interprète comme étant *dangereux* ou *menaçants*. Pour vaincre la panique, alors, c'est au *point d'interprétation* que vous devez intervenir.

Ne plus avoir le choix

Deux raisons expliquent pourquoi le cerveau choisit à des moments inopportuns la réponse aux situations d'urgence. La première, c'est qu'il est empêché de collecter l'information pertinente. Un grand nombre de nos observations et de nos croyances au sujet de la vie ont été arrêtées durant notre jeunesse, longtemps avant que notre intellect n'atteigne sa maturité d'adulte. D'autres croyances ont été adoptées à la suite d'événements terrifiants ou traumatisants. Une fois ces croyances bien établies, elles empêchent le cerveau d'évaluer objectivement les nouvelles situations. Une fois la croyance enracinée, elle ferme l'esprit du sujet, l'empêchant ainsi de réévaluer constamment les faits associés à celle-ci. Quand les croyances sont utiles, nous en bénéficions: «Les objets trop chauds peuvent te brûler.» Mais quand une croyance erronée a été adoptée, nos vies deviennent contraintes: «Tous les moyens de transport sont dangereux pour moi.»

Si vous souffrez d'attaques de panique, cela signifie qu'une croyance erronée empêche votre cerveau de recevoir un message important. Rappelez-vous que dans toute activité cérébrale, à l'étape 1, le cerveau reçoit un stimulus (par exemple, entrer dans un restaurant ou penser à prononcer un discours) et que, à l'étape 2, il interprète ce stimulus. C'est à la seconde étape qu'un message manque au cerveau. La croyance erronée «C'est une situation d'urgence!» empêche l'interprétation juste de la situation: «Il n'y a *pas de danger physique*.» Bien sûr, tout cela n'est pas si simple dans le cas de la victime d'un infarctus du myocarde ou du sujet qui souffre d'une bronchopneumopathie chronique obstructive. Cette personne doit être en mesure de déterminer si elle a ou non besoin de soins médicaux et, en même temps, s'empêcher d'être gagnée par la panique. Le cerveau ne se donne pas la peine d'examiner la nouvelle situation et de collecter de l'information pour faire son évaluation. Il reçoit plutôt un message immédiat qui provoque la réponse aux situations d'urgence.

La seconde raison qui explique pourquoi le cerveau choisit cette réponse aux situations d'urgence, c'est que celle-ci est la «valeur implicite» du cerveau, celle qu'il choisit faute de mieux, parce qu'il n'en connaît pas d'autre, plus appropriée. Du point de vue de l'évolution, l'intellect humain est relativement nouveau par rapport à la réponse aux situations d'urgence, présente également chez tous les animaux. Peut-être nos moyens de défense intellectuels et psychologiques n'ont-ils pas évolué suffisamment pour que nous puissions faire face à certaines «menaces» sur le plan social, de telle sorte que nos moyens de défense physiques répondent les premiers. Il reste que la réponse aux situations d'urgence déclenche quelques changements physiologiques importants qui sont uniquement destinés à nous aider en cas d'urgence physique, mais qui nous font du tort quand nous devons faire face à une difficulté sociale ou intellectuelle. Qui a besoin de mains moites, de muscles tendus et d'une gorge sèche au moment des examens finaux de mathématiques?

À mon avis, cependant, nous disposons de la capacité intellectuelle et psychologique de nous défendre contre les menaces sociales sans qu'intervienne la réponse aux situations d'urgence. Le présent ouvrage vous aidera à reconnaître ces aptitudes, à les maîtriser et à les utiliser contre la panique. Votre premier devoir sera de modifier votre interprétation des événements. Avec le temps, vous devez lentement renforcer ce message: Tu n'affrontes *pas* une urgence physique. Pour amorcer ce changement, vous devez commencer à y croire, à vous le rappeler: «Il ne s'agit pas d'une urgence.» (Les victimes de maladies pulmonaires ou cardiaques remplaceront cet énoncé dans tout le livre par celui-ci: «Je peux rester calme et penser.») Tôt ou tard, ce sera l'un des messages que vous vous répéterez au moment où vous sentirez la panique vous attaquer. Avec le temps, cela fera partie des interprétations automatiques et inconscientes du cerveau.

Il est parfaitement normal de devenir hypervigilant et de sentir une accélération du rythme cardiaque et du rythme respiratoire durant une situation provoquant la panique. Ces réactions sont positives; elles signifient que vous avez la capacité de penser plus clairement et plus intensément. Face aux endroits ou aux moments qui vous effraient, une pensée claire et intense vous aidera. Votre objectif ne doit pas être d'éliminer totalement ces sensations. Une certaine dose d'anxiété et d'inquiétude peut être bénéfique. Par exemple, des études comparant les résultats d'examen d'étudiants tout à fait détendus à ceux d'étudiants souffrant d'un peu ou de beaucoup d'anxiété ont révélé que c'étaient les étudiants un peu anxieux qui réussissaient le mieux. Quand nous anticipons un événement avec anxiété ou excitation, les glandes surrénales sécrètent des hormones qui stimulent l'intelligence créative dont nous avons besoin dans ces situations. Le même processus s'observe quand vous faites face à la panique. Votre objectif doit être de rester alerte tout en changeant votre interprétation de la situation. Cet état vous donne le choix conscient, de telle sorte que vous n'êtes pas obligé de réagir avec vos peurs anciennes et automatiques.

Vous êtes maintenant prêt à apprendre une série de stratégies qui vous permettront de rester alerte et intelligent devant tout ce qui se passe autour de vous et en vous-même, tout en bloquant de façon consciente la réponse aux situations d'urgence. En vous exerçant, vous pourrez consciemment tuer la panique dans l'œuf.

10

La réponse calmante

Malgré son apparente complexité, le fonctionnement du corps humain est d'une grande simplicité. Dans le système nerveux autonome, qui contrôle toutes les fonctions involontaires de l'organisme, la branche sympathique produit la réponse aux situations d'urgence. Comme dans la plupart des autres organismes vivants, si le système nerveux est capable de produire une réponse extrême, il est également capable de produire la réponse extrême opposée. C'est là l'un des principes fondamentaux de la physique: à toute action correspond une réaction égale et opposée.

Il en va de même pour l'être humain. À la réponse sympathique (la réponse aux situations d'urgence) correspond la réponse parasympathique, celle que j'appelle «réponse calmante». Après une crise, le cerveau ne se contente pas de cesser d'envoyer des signaux d'alarme. Un réseau nerveux totalement différent transmet de *nouveaux* signaux à toutes les parties affectées du corps. Ces signaux disent au cœur et aux poumons de ralentir leur rythme et aux muscles de se décontracter. La tension artérielle diminue, de même que la consommation d'oxygène. Le taux de sucre dans le sang revient à la normale. Ces changements apaisants ne se produisent pas par accident, ni par hasard, mais sur ordre du cerveau.

Quand je demande à mes patients ce qu'ils aimeraient changer par-dessus tout, leur réponse est: «J'aimerais me sentir *plus calme* durant les périodes de panique, afin de pouvoir *penser plus clairement.*» En réalité, vous avez déjà la capacité d'enrayer la réponse aux situations d'urgence — mais vous ne le savez pas. Vous craignez d'être en train de perdre le contrôle, mais votre corps dispose d'un contrôle intégré qui demeure à votre disposition: vous pouvez consciemment activer la réponse du système nerveux parasympathique. La fonction de cette dernière, c'est d'interrompre et de renverser la réponse aux situations d'urgence. Les circuits parasympathiques font en sorte que tous les systèmes et appareils internes reviennent à leur état normal. Ainsi, votre système parasympathique, dont les fibres nerveuses rejoignent toutes les parties essentielles du corps, peut annuler la réponse aux situations d'urgence.

Le docteur Herbert Benson a été le premier à appeler «réponse de relaxation» ce processus calmant, et il continue de faire œuvre de pionnier dans la recherche médicale axée sur ce phénomène si bénéfique à l'être humain. J'ai choisi de ne pas utiliser le terme du docteur Benson pour une seule raison: pour beaucoup de personnes sujettes à la panique, le mot «relaxation» sous-entend «abandon de soi» ou «perte de contrôle». À cause de cela, ils se refusent à apprendre les techniques qui favorisent la relaxation. Le mot «relaxation» évoque aussi les pratiques de méditation: l'immobilité, le vide de l'esprit, l'absence de pensées. Pourtant, les exercices de relaxation et de méditation sont efficaces. Ce sont d'excellents outils pour provoquer la réponse calmante (ou parasympathique). Mais ces techniques d'apaisement de l'esprit et du corps doivent être modifiées pour qu'elles vous aident au moment où vous commencez à ressentir la panique.

Durant le moment de panique proprement dit, vous avez besoin de techniques qui vous débarrassent des pensées inutiles, qui aiguisent votre esprit et qui vous gardent alerte et actif. Vous avez besoin de pouvoir immédiatement affronter la panique et de reprendre la maîtrise de votre corps sans délai. Le présent chapitre, ainsi que les onzième et douzième, vous montrent comment provoquer la réponse calmante au moyen d'exercices en bonne et due forme. Les chapitres ultérieurs vous apprendront à appliquer cette technique durant le moment de panique.

Souvenirs et images

Avant d'apprendre les techniques qui provoquent la réponse calmante, songez un instant à toutes les fois où vous vous êtes naturellement senti à l'aise, en paix, tranquille intérieurement. Peut-être vous souvenez-vous être entré dans une église déserte. Une église peut être fort impressionnante: les grands vitraux, les plafonds qui semblent toucher le ciel, la douce quiétude qui vous invite à vous asseoir calmement et à faire le vide dans votre esprit. Imaginez-vous assis tout seul dans une église, en train de répéter une prière toute simple ou de laisser divaguer votre esprit. Il n'y a personne autour de vous; vous êtes seul avec vos pensées tranquilles.

Le seul fait de prier invite au calme le corps et l'esprit. En plus de renouveler votre relation avec Dieu, elle vous apaise. Une fois calme et serein, vous acquérez une perspective nouvelle sur les périodes troublées. Quiconque s'en est remis avec succès à la prière durant une crise connaît ce sentiment.

Je ne prône pas ici une quelconque ferveur religieuse. Mais si vous êtes croyant, je peux vous assurer que, durant une période de stress, la prière *calme, lente* et *positive* détendra les principaux muscles de votre corps et réduira considérablement votre anxiété.

D'autres situations peuvent avoir les mêmes effets sur vous. Moi, quand je suis assis près d'un feu qui crépite, quand j'observe les flammes qui dansent sur les bûches en changeant de couleur et de forme, je deviens comme hypnotisé par la beauté du feu. Mes soucis et mes problèmes semblent s'éloigner, tandis que mon esprit est absorbé par le feu, son crépitement et son odeur.

Rappelez-vous quand vous étiez enfant, couché dans un champ, occupé à observer les nuages prendre forme lentement. Vous y voyiez d'abord la barbe du père Noël. Trois ou quatre minutes plus tard, c'était un long convoi de wagons qui traversait le ciel. Sans aucun effort de votre imagination, les nuages glissaient et se métamorphosaient en silhouettes agréables, permettant ainsi à vos yeux de se détendre.

Imaginez des pêcheurs assis sur la berge ou dans un canot, aussi immobiles que la ligne de leurs cannes dans l'eau, heure après heure. Leur visage tranquille exprime la détente et la sérénité. Songez à vos propres moments de tranquillité et d'immobilité dans le passé. Était-ce quand vous vous berciez doucement sous le porche de votre maison... sans effort, sans tension, seul avec vos pensées? Ou était-ce par cette belle aube tranquille où vous vous êtes levé si tôt ou par cette nuit d'huile où vous avez veillé et passé quelques heures seul avec vous-même?

Concentration dirigée

Quand nous concentrons notre esprit sur des pensées et des images neutres ou agréables, des changements physiologiques évidents et mesurables se produisent en nous. Faites-en l'expérience en relisant la section précédente sur les souvenirs et les images. Cette fois-ci, relisez-la lentement, en imaginant chaque scène qui y est décrite. (Expérimentez dès maintenant.)

Si cette expérience commence à provoquer la réponse calmante en vous, voici les changements qui pourraient se produire:

Votre consommation d'oxygène diminue.
Le rythme de votre respiration ralentit.
Le rythme de votre cœur ralentit.
Votre tension artérielle baisse.
La tension dans vos muscles se dissipe.
Votre corps se sent plus à l'aise et le calme règne dans votre esprit.

Vous pouvez comparer ces sensations avec celles que vous avez éprouvées à la lecture des chapitres précédents, quand je décrivais les périodes génératrices de stress. *Les images que nous avons en tête ont une influence extraordinaire sur notre corps.*

Je ne parle pas ici d'une idée simpliste du genre: «Il suffit de vous détendre pour mieux vous sentir.» Je parle plutôt de l'autre capacité, tout aussi puissante, du système nerveux — la réponse parasympathique ou calmante —, qui est essentielle pour contrebalancer la réponse aux situations d'urgence et toute anxiété. C'est une capacité que vous utilisez déjà. Chaque fois que vous vous sentez bien et à l'aise, c'est grâce à cette réponse calmante. Chaque fois que vous vous endormez, c'est parce que la réponse calmante a apaisé votre corps et votre esprit de telle sorte que le sommeil est possible. Au cours des vingt dernières années, la science a découvert graduellement que nous pouvons provoquer cette réponse calmante par un effort conscient. Dans le domaine de la psychologie, cette découverte est tout aussi importante qu'a été pour la NASA le premier atterrissage d'êtres humains sur la Lune. Nos processus mentaux peuvent modifier la biochimie de l'organisme. De nouveaux horizons s'ouvrent à nous.

Prendre consciemment le contrôle

L'apaisement ou l'excitation du corps ont toujours été laissés à l'inconscient. Il est probable que vous ne vous rendez même pas compte que les muscles de votre corps se tendent. Je ne suis pas conscient du nombre de muscles qui se contractent dans mon cou, mon dos, mes bras et mes mains quand j'écris cette phrase dans mon calepin. Mon inconscient se charge de ce travail pour moi, afin que je puisse, consciemment, songer à la façon de vous exprimer ce que je pense.

La tension musculaire est toutefois un élément majeur de l'anxiété et des attaques de panique et, même si vous ne vous en rendez pas compte, elle vous empêche de faire des progrès. C'est précisément durant les périodes difficiles que vous avez besoin des techniques qui vous permettront de prendre conscience de la tension de vos muscles et de la dissiper.

Quand vous devenez anxieux, vos muscles se tendent automatiquement; c'est la règle. L'inverse est également vrai: quand vos muscles ne sont pas tendus, votre esprit ne peut pas devenir anxieux. En fait, détendre les muscles est un moyen excellent de provoquer la réponse calmante. (Soit dit en passant, les muscles ne se «détendent» pas vraiment; ils restent toujours contractés à divers degrés. Quand j'enseigne à mes patients les techniques calmantes et que je leur dis de «détendre» leurs muscles, je veux qu'ils éliminent la tension musculaire dont ils sont conscients.)

Malheureusement, la plupart des gens qui ont peur d'une attaque de panique crispent leurs muscles et deviennent psychologiquement anxieux, dans une tentative de garder le contrôle. Ils considèrent leur tension comme essentielle à leur vigilance. Pourtant, chaque fois que vous êtes tendu et anxieux, votre capacité de penser logiquement est gravement affaiblie. La «solution» (vous préparer pour le pire) contribue au problème. En réduisant la tension musculaire, vous réduisez automatiquement l'intensité de l'anxiété et vous appelez la réponse calmante. Votre esprit se débarrasse de toutes les pensées négatives inutiles, pour que vous puissiez concentrer votre attention sur la situation actuelle. Toutes les techniques de relaxation ou de méditation enseignées aujourd'hui augmentent votre capacité de penser clairement et, par conséquent, aiguisent le contrôle que vous avez sur vous-même.

On a publié de nombreux ouvrages sur ces techniques de relaxation au cours des vingt dernières années. Le premier mouvement populaire est né au début des années soixante, quand la méditation transcendantale a été introduite en Occident. En 1975, le best-seller du docteur Herbert Benson, *The Relaxation Response,* accordait une crédibilité scientifique et médicale à la méditation transcendantale et aux autres techniques de relaxation ou de méditation. Cependant, bien avant Benson, en 1938, le docteur Edmund Jacobson avait créé une méthode valable sur le plan médical pour réduire la tension. Il l'a décrite pour la communauté médicale dans son livre *Progressive Relaxation.* En 1962, il a expliqué sa méthode dans un ouvrage populaire *You Must Relax*[1]. La méthode de relaxation progressive de Jacobson reste l'une des pierres angulaires de la thérapie comportementale moderne. L'enseignement de techniques de relaxation ou de méditation aux personnes souffrant de troubles anxieux et de bon nombre de troubles physiques est maintenant la norme en médecine comportementale et en psychologie.

---

1. *Savoir se relaxer,* Montréal, Éditions de l'Homme, 1980.

En Occident, ces méthodes ont été «découvertes» il y a une cinquantaine d'années seulement, et elles ne sont pas encore intégrées à notre culture. Cependant, les vraies origines des techniques de méditation et de respiration qui provoquent la réponse calmante remontent à des millénaires. Dans la plupart des religions orientales, c'étaient les techniques principales pour atteindre la paix, la clarté et la fusion avec Dieu. À ces époques-là, la pratique des exercices religieux était très répandue, parce que la religion jouait dans chaque culture le rôle de la psychologie, de la philosophie et de la science. Les «nouvelles» méthodes, auxquelles la science occidentale a lentement accordé une certaine crédibilité durant les années quatre-vingt, sont pratiquées depuis des siècles en Inde, au Tibet, en Chine et au Japon, dans le bouddhisme, le bouddhisme zen, l'hindouisme, le yoga, le pranayama, le taoïsme et le tai-chi-chuan. Les techniques présentées dans les chapitres suivants se fondent sur la complexité scientifique de la médecine, de la recherche et de la psychologie occidentales. En même temps, elles reflètent la simplicité que l'on trouve si souvent dans la philosophie orientale.

Dans le chapitre suivant, vous verrez les effets physiologiques, qui se font sentir un peu partout dans le corps, de l'une des fonctions les plus simples de l'organisme: la respiration. La respiration est de nature si instinctive que l'on n'y fait même pas attention. Pour contrôler la panique, toutefois, la respiration constitue notre outil «somatique» le plus puissant. Sans son aide, nous pouvons être victimes d'une bonne vingtaine de symptômes. Avec son aide, nous pouvons calmer notre corps et éclaircir notre esprit. Notre façon de respirer joue toujours un rôle dans la panique: elle fait partie soit de la solution, soit du problème.

11

Le souffle de la vie

La respiration est l'une des fonctions essentielles du corps. Chaque inspiration apporte de l'oxygène dans les bronches. Traversant des millions de petites vésicules d'air (alvéoles), l'oxygène arrive dans les artères où il est capturé par les cellules sanguines. Le sang qui quitte les poumons est d'une couleur rouge vif, en raison de sa haute teneur en oxygène. Le cœur pompe ce sang riche en oxygène dans toutes les parties du corps. Chacune des cellules de l'organisme échange alors ses déchets contre de l'oxygène. (Le sang qui revient au cœur est d'un rouge moins vif parce qu'il contient moins d'oxygène qu'à sa sortie des poumons.) Le cœur pompe le sang rempli de déchets vers les poumons. Quand vous inspirez de nouveau de l'air frais, une forme de combustion se produit, dans laquelle les cellules sanguines absorbent de l'oxygène et dégagent du dioxyde de carbone. Et le cycle recommence.

Si vos poumons n'inspirent pas assez d'air, votre sang ne sera pas oxygéné ou épuré suffisamment. Votre aurez le teint pâle, parce que les vaisseaux sanguins qui contiennent moins d'oxygène sont bleu foncé. (Regardez vos mains. Vous pouvez sans doute y voir des veines bleues. C'est leur couleur normale, parce qu'elles contiennent le sang qui retourne aux poumons pour s'y faire oxygéner de nouveau.) De plus, votre digestion sera perturbée, et vos organes et tissus seront insuffisamment nourris. Le manque d'oxygène dans le sang peut contribuer à l'anxiété, à la dépression et à la fatigue.

L'appareil respiratoire règle la régulation afin que soit maintenu un certain équilibre entre l'oxygène et le dioxyde de carbone contenus dans le sang. Normalement, votre rythme respiratoire est déterminé par la quantité de dioxyde de carbone qui doit être éliminée de votre sang et par la quantité d'oxygène nécessaire à votre activité immédiate.

La panique et la façon de respirer sont intimement reliées. Plus le processus de la respiration vous semblera mystérieux, plus grande sera l'emprise de la panique. Il en est ainsi parce que le moindre changement dans la respiration peut provoquer une bonne vingtaine de sensations physiques. Si vous n'êtes pas conscient de votre façon de respirer et si vous ne savez pas que le mécanisme de la respiration peut être la seule cause des sensations désagréables que vous éprouvez, vous aurez peur.

Si, en plus de cette peur, vous êtes incertain du bon fonctionnement de votre cœur et de vos poumons, votre inquiétude prendra les proportions de la panique. Les sujets dont le cœur ou les poumons sont endommagés, comme les victimes d'un infarctus du myocarde ou les personnes atteintes d'une bronchopneumopathie chronique obstructive (voir le sixième chapitre), risquent de ressentir cette panique quand ils ont de la difficulté à respirer ou quand ils s'imaginent en proie à une autre crise cardiaque. D'autres personnes sujettes à la panique qui prennent conscience de leurs symptômes et qui les interprètent — «Je ne peux plus respirer», «C'est une crise cardiaque. Je vais mourir» — ressentiront immédiatement les effets de la panique. Ces pensées déclenchent automatiquement et instantanément la réponse aux situations d'urgence.

Le plus important durant ces moments-là, c'est de rester rationnel. La panique peut vous rendre prisonnier de vos émotions et de votre attente appréhensive au point de vous faire oublier de prendre les mesures correctives nécessaires. Vous n'arrivez plus à vous concentrer, vos symptômes s'aggravent, votre pensée court dans toutes les directions. Les symptômes continuent de s'aggraver pour deux raisons. Premièrement, vous continuez à vous faire peur par vos pensées. Deuxièmement, vous ignorez les changements qui affectent votre respiration et concentrez plutôt votre attention sur les symptômes. Redevenir maître de vos pensées sera l'objectif visé plus loin dans cet ouvrage. Dans le présent chapitre, vous apprendrez jusqu'à quel point vous pouvez maîtriser vos symptômes par votre façon de respirer.

Voici quelques détails sur le mécanisme de la respiration. À première vue, cette information pourrait sembler trop technique pour être utile. Rien n'est plus éloigné de la vérité. En fait, le rôle que joue la façon de respirer dans l'apparition de la panique et dans sa guérison a pratiquement été ignoré par les victimes comme par les professionnels de la santé. Mon expérience de psychologue m'a enseigné à faire de la respiration le point central du traitement. Une fois que mon patient arrive à contrôler sa façon de respirer dans diverses situations, je considère qu'il est déjà à moitié guéri. Pour certaines personnes, le simple fait de savoir comment elles respirent et de maîtriser leur respiration mettra fin à tous leurs symptômes et les guérira une fois pour toutes.

Signaux de changement

En matière de respiration, nos poumons ne sont que des outils dociles. Comme force de vie chez tous les mammifères, la respiration a évolué en une fonction relativement simple commandée sur le plan neurologique par le centre respiratoire du cerveau postérieur, situé juste au-dessus de la moelle épinière. Quand un signal arrive du tronc cérébral, les muscles entourant les poumons se contractent, ce qui augmente l'espace à l'intérieur de la poitrine. Cela fait diminuer la pression régnant à l'intérieur des poumons par rapport à la pression de l'atmosphère entourant le corps. Les poumons sont alors «forcés» d'inspirer, afin d'équilibrer la pression interne et la pression externe. Un second signal est transmis pour ordonner aux muscles de cesser de se contracter. Les muscles se détendent, la pression augmente dans les poumons, et l'air en est expulsé. Voilà le mécanisme normal de la respiration. Ce n'est que dans des situations particulières que notre respiration est commandée par nos centres cérébraux, plus évolués.

Le cerveau, bien sûr, prend toutes ses décisions selon les renseignements qu'il collecte à chaque instant. De quelle information tient-il compte quand il choisit telle façon de respirer, dans une situation donnée? Vous pourriez croire qu'il ne s'occupe que de fournir la quantité d'oxygène dont nous avons besoin. En fait, les changements dans la respiration sont liés davantage à la quantité de dioxyde de carbone dans le sang qu'à celle d'oxygène. Cela est dû au fait que le dioxyde de carbone joue un rôle primordial dans le maintien de l'équilibre acido-basique (ou équilibre pH) et dans la production de l'énergie (métabolisme).

Pour comprendre la relation qui existe entre la respiration et la panique, il nous faut examiner de près tous les facteurs d'accélération respiratoire. Le cerveau ordonnera aux poumons d'accélérer le rythme des inspirations et de les rendre plus profondes d'après certains signaux chimiques et neurologiques déterminés, dont ceux qui indiquent la présence d'un excès de dioxyde de carbone dans le sang ou l'insuffisance de sa teneur en oxygène, les réflexes en provenance des muscles et des articulations qui commencent à bouger, ainsi que l'augmentation de la température du corps causée par le métabolisme ou les émotions. Avec l'accélération du rythme respiratoire, le dioxyde de carbone est déposé dans les poumons puis expiré, une quantité supplémentaire d'oxygène sort des alvéoles et entre dans le sang pour contribuer au métabolisme, et la température du corps est abaissée grâce à l'évaporation accrue d'eau par les poumons. Quand le cerveau et les récepteurs chimiques des artères constatent que l'équilibre est revenu, le cerveau donne le signal aux poumons de reprendre leur activité normale.

Ce processus d'équilibration devient un peu plus compliqué quand entrent en jeu les autres influences sur la respiration. La première de celles-ci, c'est celle du système nerveux autonome. Dans les chapitres précédents, j'ai déjà parlé de la réponse aux situations d'urgence et de la réponse calmante. L'accélération de la respiration est l'une des réactions automatiques et instantanées du système d'alarme de notre organisme. Elle peut se produire de façon indépendante ou faire partie de l'effet global de la réponse aux situations d'urgence.

La seconde influence sur la respiration, c'est la pensée consciente ou l'émotion. Si vous vous tenez sur le bord d'une piscine, prêt à nager une ou deux longueurs, votre respiration s'accélérera automatiquement en prévision de cette activité. Si, dans votre cuisine, en lavant la vaisselle, vous songez à une discussion passée ou à venir avec votre patron, votre rythme respiratoire s'accélérera, généralement à votre insu. Chacune des émotions «actives» — colère, peur, joie ou excitation — requiert de l'énergie de la part du corps et doit donc accélérer la respiration. De même, quand vous êtes triste ou déprimé, la respiration ralentit, moins d'oxygène est nécessaire, et une quantité moindre de dioxyde de carbone doit être expulsée.

La troisième influence, c'est la tension provoquée par le stress. Maintes études ont prouvé que, durant les périodes de stress, l'être humain respire plus rapidement et, par conséquent, que la teneur du sang en dioxyde de carbone tombe de façon appréciable.

Deux types de respiration

Des études ont mis au jour un autre phénomène important qui joue un rôle majeur dans la maîtrise de la panique. Il semblerait que non seulement les personnes soumises au stress voient leur rythme respiratoire s'accélérer, mais aussi que leur respiration se fait dans le haut des poumons plutôt que dans la partie inférieure de ceux-ci. La Figure 4 illustre ces deux types de respiration: la respiration thoracique et la respiration diaphragmatique. Dans la première, la poitrine se soulève et se projette vers l'avant. Cette respiration est rapide et superficielle. Dans la seconde, les inspirations sont plus profondes et plus lentes. Sous les poumons se trouve un muscle plat, le diaphragme, qui sépare la poitrine de l'abdomen. Quand vous remplissez d'air la partie inférieure de vos poumons, ceux-ci poussent sur le diaphragme et font projeter l'abdomen. (On dirait alors que votre estomac se dilate et se contracte avec chaque inspiration/expiration diaphragmatique.)

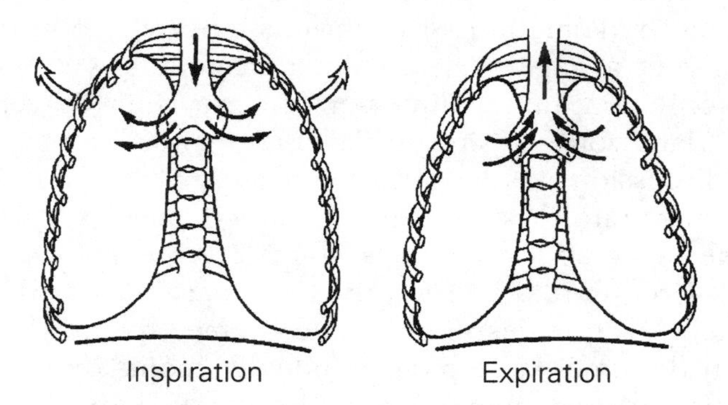

Figure 4. Il existe deux types de respiration: la respiration thoracique (ci-dessus) et la respiration diaphragmatique (ci-dessous).

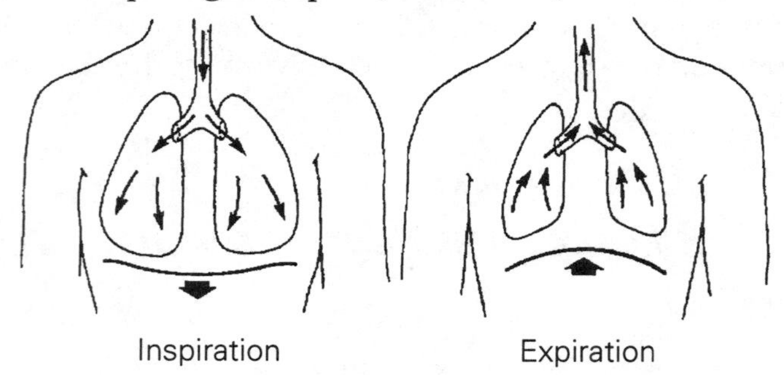

Avec la recherche, nous en viendrons à mieux saisir encore l'importance de ces deux types de respiration. Une étude menée auprès de 160 hommes et femmes a révélé que ceux dont la respiration est plus lente et plus profonde sont plus sûrs d'eux, sont plus stables sur le plan émotionnel, et sont actifs physiquement et intellectuellement. Les sujets dont la respiration est rapide et superficielle sont plus passifs, plus dépendants, plus appréhensifs et plus timides.

La respiration thoracique rapide est une réponse normale et brève à toute situation menaçante ou anxiogène. Cependant, il apparaît maintenant que cette respiration devient habituelle chez les sujets chroniquement anxieux ou phobiques. Au cours d'études où l'on demandait à des sujets chroniquement anxieux de commencer à respirer dans la partie supérieure des poumons, ces sujets ont dit éprouver une intensification de leurs symptômes physiques et psychologiques.

Par ailleurs, chez les sujets qui, normalement, respirent lentement et profondément, le rythme cardiaque au repos est plus lent, et la réponse aux situations d'urgence se déclenche moins facilement. L'habitude de respirer lentement et profondément suscite la réponse calmante, favorise la bonne santé et fournit une protection à long terme contre les maladies du cœur.

Ces études nous révèlent que la façon de respirer — à court terme comme à long terme — est directement reliée à votre force psychologique et votre expérience subjective de l'anxiété. En changeant votre façon de respirer habituelle, vous renforcerez votre système de défense contre la panique. En changeant votre façon de respirer durant une période d'anxiété, vous pourrez enrayer les symptômes physiques qui suscitent la panique.

Le syndrome de l'hyperventilation

Même si le fait de modifier votre façon habituelle de respirer vous sera bénéfique, il est encore plus important de la modifier durant le moment de panique. Comme je vous l'ai dit, un changement dans la respiration devrait correspondre directement à un changement d'activité. Par exemple, si je fais du jogging, en très peu de temps ma respiration s'accélérera et se fera dans le haut de la poitrine. Mon corps a alors besoin d'un surcroît d'oxygène, et mon métabolisme produit un supplément de dioxyde de carbone qui doit être expulsé de mes poumons. Je peux maintenir cette façon de respirer tant que je courrai.

Que se passerait-il si je cessais de courir, et que je me forcais à continuer de respirer si rapidement? Je continuerais d'expirer de grandes quantités de dioxyde de carbone (CO_2), mais mon organisme n'en déposerait plus autant dans mon sang. Le taux de CO_2 dans mon sang tomberait donc. À ce moment, le CO_2 commencerait à quitter mes cellules nerveuses; le pH de ces cellules monterait, ce qui les rendrait plus excitables. C'est pourquoi je me sentirais sans doute nerveux, surexcité. La modification du pH entraîne l'élimination des sels de calcium dans mon sang, ce qui accroît l'excitabilité des terminaisons nerveuses périphériques, et provoque une sensation de picotement autour de la bouche, dans les doigts et dans les pieds. En même temps, la diminution de la teneur en CO_2 du sang bloque la réponse calmante: les pupilles se dilatent, les mains et les pieds semblent froids, le cœur continue de battre vite. Les lumières semblent plus intenses, et les bruits plus forts. Pendant ce temps, les vaisseaux sanguins du cerveau se contractent, ce qui limite la quantité d'oxygène transférée dans les tissus cérébraux et la vitesse du transfert. Des symptômes désagréables apparaissent alors: étourdissements, faiblesse, troubles de la vision, difficulté de la concentration et sentiment de dépersonnalisation (l'esprit semble séparé du corps).

La plupart de ces symptômes se manifesteront moins d'une minute après le début de ce type de respiration, appelé hyperventilation. Et tous ces changements peuvent être éliminés par le ralentissement de la respiration. Même si elles sont fort désagréables, aucune des brèves modifications chimiques qui s'opèrent dans l'organisme ne causera de tort permanent.

La plupart des personnes qui sont prises d'hyperventilation ne s'en rendent même pas compte. Elles n'ont pas l'impression de faire l'expérience d'une difficulté respiratoire. Elles se plaignent plutôt de symptômes physiques, vagues ou précis, dans tout leur corps. Les uns après les autres, les spécialistes rechercheront l'existence d'une affection thyroïdienne, cardiaque, digestive, respiratoire ou neurologique. L'erreur de diagnostic, fréquente, peut mener à des opérations sur la colonne vertébrale, sur l'abdomen ou sur d'autres organes. Il est également possible que le médecin détermine que le patient est anxieux ou névrosé, et qu'il le dirige vers un professionnel de la santé mentale, qui ne trouvera pas lui non plus la vraie cause du problème: l'hyperventilation. Il est vrai que beaucoup de personnes sujettes à l'hyperventilation sont également anxieuses. Mais moi aussi, je serais anxieux si j'étais constamment victime de symptômes spontanés si dramatiques, et qui échappent à tout diagnostic.

Symptômes physiques et psychologiques causés par l'hyperventilation

Appareil circulatoire
palpitations
tachycardie
aigreurs

Système nerveux
étourdissements et vertiges
difficulté de concentration
vision trouble
engourdissement ou picotement dans la bouche, les mains ou les pieds

Appareil respiratoire
essoufflement
«asthme»
douleur dans la poitrine
sensation d'étouffement

Appareil digestif
boule dans la gorge
déglutition difficile
douleurs d'estomac
aérophagie
nausées

Appareil locomoteur
douleurs musculaires
tremblements
spasmes musculaires

Généralités
tension, anxiété
fatigue, faiblesse
troubles du sommeil, cauchemars
transpiration

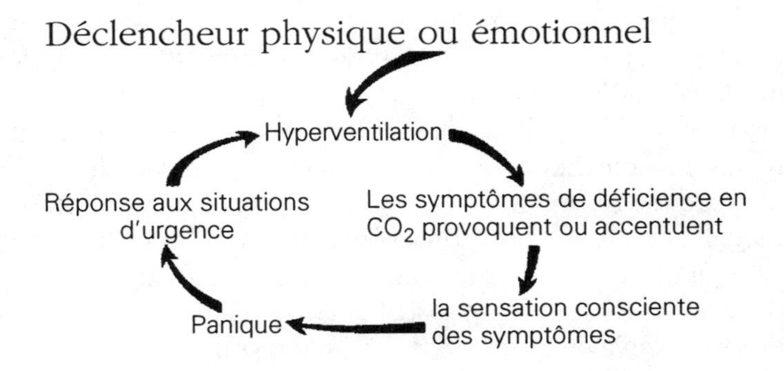

Figure 5. L'hyperventilation dans le cycle de la panique.

La Figure 5 montre comment l'hyperventilation peut faire partie du cercle vicieux de la panique. Le phénomène se déroule ainsi: 1) Toute perturbation émotionnelle ou physique peut stimuler l'hyperventilation. 2) Et cela sans que le sujet se rende compte de ce changement. 3) Les symptômes de l'hyperventilation apparaissent rapidement. 4) Aussitôt, le sujet perçoit les symptômes désagréables. 5) Il cède à la panique. («Je n'arrive pas à respirer» ou «Je vais m'évanouir.») 6) Avant même que ces pensées s'enregistrent dans la tête, le corps a déjà réagi à cette interprétation en déclenchant la réponse aux situations d'urgence (pour faire face à ce qui «menace» le corps). Cette situation maintient la respiration thoracique rapide. Le cycle continue; le nombre et l'intensité des symptômes montent.

La moindre hyperventilation suffit à accélérer le rythme cardiaque, à contracter les vaisseaux sanguins et à modifier l'équilibre acido-basique du sang dans le sens d'une augmentation de son alcalinité (alcalose), ce qui cause des étourdissements. Si vous voulez vous rendre compte de la vitesse de ces changements, essayez ceci: inspirez et expirez aussi rapidement que vous le pouvez pendant quinze secondes maximum. Ensuite, asseyez-vous et prenez note des sensations qui envahissent votre corps.

Chez les sujets qui ont tendance à l'hyperventilation, une sensibilité générale aux modifications de la respiration semble s'être développée. La quantité de dioxyde de carbone se trouvant dans leurs poumons peut varier considérablement par rapport aux sujets normaux. Cette quantité de dioxyde de carbone diminue sensiblement avec toute expiration profonde, et le retour à la normale est plus long chez eux. Cette instabilité, ajoutée à l'habitude de respirer par le haut de la poitrine, les rend encore plus vulnérables à la panique.

Une fois la difficulté identifiée, la guérison et le contrôle de l'hyperventilation peuvent être spectaculaires. Dans le cadre d'une étude menée auprès de 1000 patients chez qui avait été diagnostiquée l'hyperventilation, on a enseigné à ceux-ci des techniques de respiration et de relaxation. En moyenne, tous les symptômes ont disparu de un à six mois plus tard. Soixante-quinze pour cent d'entre eux n'avaient plus aucun symptôme à l'examen de suivi effectué après douze mois, et 20 p. 100 des sujets étudiés ne présentaient que des symptômes occasionnels, si mineurs qu'ils ne perturbaient plus leur vie.

Les techniques de base

Pour vaincre la panique, vous devez apprendre deux choses importantes au sujet de votre respiration. Premièrement, vous devez apprendre à respirer à la hauteur du diaphragme et faire en sorte que cela devienne une habitude chez vous. Ce sera sans doute difficile, parce qu'il n'est pas aisé de se débarrasser d'un vieux pli. Mais en adoptant cette respiration lente et profonde, vous serez en mesure, avec le temps, de stabiliser la teneur de votre sang en dioxyde de carbone et de la rendre moins sensible aux modifications passagères de la respiration.

Deuxièmement, vous devrez apprendre à adopter ce type de respiration diaphragmatique chaque fois que vous sentez monter la panique. Durant le moment de panique, il s'agit pour vous d'enrayer la réponse aux situations d'urgence et de favoriser la réponse calmante de votre corps. Une respiration adéquate facilitera ce changement.

Toutes les méthodes destinées à susciter la réponse calmante font appel à l'un des deux types de respiration, ou aux deux, que j'appelle «respiration naturelle» et «respiration profonde». Voici un exercice simple qui vous permettra d'acquérir ces deux techniques de respiration:

1. Étendez-vous sur un tapis ou sur votre lit, les bras le long du corps. Vos jambes sont allongées et détendues.
2. Respirez normalement, de façon détendue. Voyez quelle partie de votre tronc monte et descend au rythme de vos inspirations. Placez votre main à cet endroit. S'il s'agit de votre poitrine, vous ne tirez pas pleinement profit de votre respiration. S'il s'agit de votre abdomen, vous respirez bien.
3. Si votre main se trouve sur votre poitrine, placez l'autre main sur l'abdomen. Exercez-vous à respirer dans cette région du corps, sans que la poitrine se soulève. Si vous avez besoin d'aide pour y parvenir, bombez l'abdomen chaque fois que vous inspirez.

En respirant dans la partie inférieure des poumons, vous tirez le maximum de votre appareil respiratoire. C'est ce que j'entends par *respiration naturelle*: une respiration douce, lente et aisée, dans le bas des poumons et non dans le haut de la poitrine. C'est le type de respiration que vous devez pratiquer durant toutes vos activités quotidiennes normales.

4. La *respiration profonde* est une extension de la respiration naturelle. Une main sur la poitrine et l'autre sur l'abdomen, inspirez lentement et profondément, en remplissant d'abord la partie inférieure de vos poumons, puis la partie supérieure. Quand vous expirez, laissez d'abord sortir l'air contenu dans la partie supérieure des poumons (ce qui fera s'abaisser la main qui est placée sur votre poitrine), puis celui de la partie inférieure (cette main-là aussi s'abaissera). Cette respiration profonde sert de point de départ à l'exercice de relaxation musculaire profonde du douzième chapitre, ainsi qu'aux exercices des quatorzième et quinzième chapitres.

5. Exercez-vous à la respiration naturelle et à la respiration profonde, jusqu'à ce que vous en connaissiez bien le fonctionnement. Rappelez-vous chaque jour de vous exercer à la respiration naturelle durant vos activités normales. Même si tout cela peut maintenant vous paraître contraignant, avec l'exercice cela vous viendra naturellement et automatiquement.

Ce sont là des techniques extrêmement importantes. Tout comme les exercices de relaxation, ce sont des techniques de base qui vous aideront plus tard à venir à bout de vos symptômes. Vous pourrez bientôt intégrer ces exercices de respiration à vos exercices de relaxation. Mais ne surchargez pas vos «circuits» en essayant de mémoriser trop de choses à la fois. Pendant quelque temps, contentez-vous de vous exercer plusieurs fois par jour à la respiration naturelle.

Respiration naturelle

Accordez à cet exercice toute votre attention.

1. Inspirez lentement et doucement une quantité normale d'air par le nez, en ne remplissant que la partie inférieure de vos poumons.
2. Expirez doucement.
3. Continuez de respirer ainsi, lentement et de façon détendue, en vous appliquant à ne remplir que la partie inférieure des poumons.

Attention: si vous prenez un trop grand nombre d'inspirations profondes consécutives, au lieu d'inspirer lentement et doucement, vous aurez la sensation d'être étourdi, comme les personnes qui souffrent d'hyperventilation. Cela ne signifie qu'une chose: vous avez réduit la teneur de votre sang en dioxyde de carbone. Ce n'est pas dangereux sur une courte période, seulement désagréable, si vous ne vous y attendez pas ou si vous en ignorez la raison. Il vous suffit de reprendre la respiration naturelle pour faire disparaître les symptômes.

On vous a peut-être déjà conseillé de respirer dans un sac de papier quand vous faites une crise d'hyperventilation. C'est logique: quand vous respirez dans le sac, vous utilisez tout l'oxygène qui s'y trouve. La quantité d'oxygène qui entre dans votre sang diminue donc tandis qu'augmente la quantité de dioxyde de carbone: vos symptômes disparaissent. Respirer de la façon naturelle préconisée dans cet exercice aura le même effet. En fait, certaines personnes qui souffrent de panique accompagnée d'hyperventilation se sont guéries en apprenant une seule technique, celle de la respiration naturelle.

Si les études cliniques sont justes, l'amélioration physique commencera longtemps avant que vous en preniez conscience. Par conséquent, il vous faudra sans doute faire un petit acte de foi et croire qu'une modification de votre façon de respirer vous aidera. C'est sur votre façon de respirer que se fonderont tous les autres principes préconisés dans mon ouvrage. Si vous ne respirez pas correctement, vos autres tentatives pour contrôler vos symptômes n'auront pas l'appui physiologique dont elles ont besoin.

Si vous n'avez jamais eu l'occasion d'apprendre une méthode quelconque pour provoquer la réponse calmante, voici votre chance de le faire. Au douzième chapitre, vous trouverez la description complète de deux méthodes. La première, la méthode de relaxation musculaire profonde induite par signaux, combine la relaxation progressive de Jacobson et l'apprentissage à l'imagerie, d'une part, avec, d'autre part, des signaux verbaux ou physiques, comme un mot particulier ou une façon de respirer. Après plusieurs semaines d'entraînement, le cerveau se créera des circuits d'apprentissage fondés sur cet exercice. Alors, en période de crise, le sujet expérimenté pourra plus rapidement provoquer la réponse calmante en répétant ces signaux. Aux quatorzième et quinzième chapitres, vous apprendrez à recourir à ces signaux durant le moment de panique. De plus, la méthode de relaxation musculaire profonde vous fournira un atout précieux: la capacité de reconnaître le moment où se tendent les principaux groupes de muscles de votre corps. Grâce à une telle capacité, vous ne serez pas pris par surprise quand votre anxiété s'intensifiera.

Le second exercice présenté au douzième chapitre, c'est une technique de méditation. Il s'agit de s'asseoir confortablement, dans la quiétude, de concentrer son attention sur un mot ou sur un groupe de mots, tout en maintenant une attitude passive. Un grand nombre d'études scientifiques ont prouvé que ce type de méditation est efficace pour alléger les symptômes de l'anxiété et favoriser une bonne santé. Cet exercice est moins long à assimiler que celui de la relaxation musculaire profonde, mais il n'enseigne pas à prendre conscience de la tension musculaire.

Si vous n'avez jamais appris à faire d'exercices de relaxation, prenez le temps de lire le douzième chapitre et choisissez l'une des deux méthodes proposées. Commencez aussitôt que vous êtes prêt, puisque les techniques que je propose plus loin supposent une connaissance et une compétence préalables. Si vous avez déjà appris une méthode de relaxation ou de méditation et que vous éprouviez encore de la difficulté à appliquer certaines techniques proposées dans le présent ouvrage, pourquoi ne pas vous exercer de nouveau à la relaxation musculaire profonde ou à la méditation. Beaucoup de mes patients qui ont réussi à contrôler les attaques de panique ont intégré dans leurs activités quotidiennes une période de relaxation ou de méditation. C'est pour eux une forme de «médecine préventive», tout comme l'est un bon régime alimentaire ou l'exercice physique régulier.

12

Relâcher les tensions

Quand une personne pense à une situation reliée à son anxiété, des images mentales provoquent une certaine forme de tension musculaire, comme si le corps se préparait à recevoir un coup. Le docteur Edmund Jacobson a été le premier à émettre l'hypothèse selon laquelle la détente physique et l'anxiété s'excluent l'une l'autre. En d'autres mots, le sujet qui apprend à reconnaître les groupes musculaires qui sont tendus et qui peut physiquement relâcher cette tension arrivera à réduire l'anxiété émotionnelle subie à ce moment-là. Le premier exercice du présent chapitre vous permettra d'apprendre comment vous, personnellement, faites l'expérience de la tension. Cet exercice, appelé relaxation musculaire profonde induite par signaux, se fonde sur des méthodes conçues pour entraîner votre esprit à percevoir les petits signaux de tension musculaire et à relâcher cette tension. Ces méthodes éprouvées depuis longtemps s'appuient sur de nombreuses recherches.

Certains trouvent qu'une technique passive d'apaisement de l'esprit et de relaxation du corps leur convient mieux. Peut-être préférerez-vous pratiquer l'exercice de méditation décrit à la fin du chapitre, plutôt que l'exercice de relaxation musculaire profonde. Ces méthodes sont toutes deux utiles pour l'apprentissage des techniques générales destinées à faire le vide dans l'esprit et à calmer le corps.

Relaxation musculaire profonde induite par signaux

Cet exercice, d'une vingtaine de minutes, entraîne les grands muscles de votre corps à répondre aux signaux que vous leur donnez. Il s'agit pour vous de prendre conscience de ce que vous fait ressentir la tension musculaire dans telle ou telle région du corps, puis de relâcher cette tension. L'apprentissage de cette technique particulière n'est pas essentiel pour vaincre la panique. Toutefois, c'est l'un des meilleurs moyens d'apprendre à reconnaître votre tension et à agir sur elle. Si vous connaissez déjà une autre technique qui donne les mêmes résultats, ou si vous maîtrisez déjà la technique dont je parle, n'hésitez pas à passer aux chapitres suivants.

Vous trouverez plus loin la transcription complète de la méthode de relaxation musculaire profonde. Quand j'enseigne cette méthode à mes patients, je leur donne habituellement une cassette où sont enregistrées ces instructions. Si vous possédez un magnétocassette ou pouvez en emprunter un, demandez à un ami ou à une amie dont la voix est apaisante d'enregistrer ces instructions pour vous. Si ce n'est pas possible, lisez vous-même, silencieusement, chacune des instructions, en prenant soin de faire une pause pour l'exécuter, ou encore, enregistrez votre propre voix. Je conseille à mes patients de faire cet exercice une fois par jour, tous les jours, pendant cinq semaines.

Pourquoi si souvent et si longtemps? Parce que c'est un exercice mécanique simple qui entraîne les muscles à relâcher leur tension. À certains intervalles durant l'exercice, il vous est demandé de répéter un mot ou une exhortation, un «signal», comme «relâche» ou «relaxe». Il semble qu'il faut environ cinq semaines pour que la relaxation physique des muscles soit associée au «signal». (Vous créerez de nouveaux circuits entre votre cerveau et vos muscles, comme je l'ai décrit au dixième chapitre.) À la suite de cet apprentissage, les muscles seront prêts à relâcher rapidement leur tension aussitôt que le «signal» sera prononcé (et à la suite d'autres signaux dont je parlerai plus loin).

Cet exercice de vingt minutes comprend trois étapes:

Étape 1: Vous tendrez puis détendrez chaque groupe de muscles. Il vous faudra tendre tel groupe musculaire pendant quelques secondes, puis relâcher les muscles pour les laisser se détendre. (10 minutes)

Étape 2: Vous laisserez tous les groupes musculaires se détendre. (5 minutes)

Étape 3: Vous appuierez et renforcerez cette relaxation musculaire au moyen de l'imagerie. (5 minutes)

Comment suivre ce guide

Chaque jour, trouvez un endroit calme et confortable où vous exercer. Décrochez le téléphone ou demandez à quelqu'un de prendre vos appels. C'est un moment tout à fait spécial, un moment qui vous est réservé.

Commencez par vous asseoir sur une chaise confortable. Enlevez vos chaussures et desserrez vos vêtements, au besoin. Fermez les yeux. Inspirez trois fois profondément, et expirez lentement. À chaque expiration, dites (silencieusement) le mot «relaxe». Ou choisissez un autre mot susceptible de vous apaiser, comme «paix», «relâche» ou «calme».

Premièrement, vous tendrez et détendrez une fois chaque groupe de muscles (Étape 1). Durant chaque phase de détente, vous répéterez le mot «relaxe» (ou le mot que vous aurez choisi) à chaque expiration.

Puis, vous vous représenterez mentalement le soleil qui réchauffe et détend tous les muscles de votre corps (Étape 2). Ne vous énervez pas si vous ne «voyez» pas réellement le soleil dans votre tête ou si vous ne «sentez» pas ses rayons vous réchauffer et vous détendre. Il est cependant essentiel que vous gardiez votre attention fixée sur chaque groupe de muscles, au moment où ils sont mentionnés, et que vous imaginiez la possibilité d'un réchauffement et d'une relaxation. Vous pourriez être étonné par votre capacité croissante d'y arriver, si vous ne faites pas trop d'efforts. Il suffit que vous restiez ouvert à la possibilité du changement.

Durant les dernières minutes de l'exercice, il vous sera demandé de vous «réfugier dans un endroit sûr» en imagination (Étape 3). Prenez un instant pour imaginer une scène qui représente pour vous le confort, la détente, la sécurité, la chaleur et l'absence de tensions provenant de l'extérieur. Vous pourriez imaginer une situation dans laquelle vous vous êtes détendu dans le passé: en vacances dans un lieu de villégiature, à la pêche, assis sur une montagne, assis dans un canot, couché dans une baignoire de mousse parfumée, étendu sur une chaise longue dans votre jardin. Ou encore vous pourriez créer l'image de vacances idéales (comme dans une île du Pacifique qui vous appartiendrait) ou d'un fantasme (vous flottez sur un nuage).

Quelle que soit l'image choisie, consacrez quelques minutes à la «vivre» avec tous vos sens. Observez autour de vous les couleurs, les motifs. Écoutez les sons et les bruits qui accompagnent votre rêve: les oiseaux chantent, le vent souffle, les vagues s'écrasent sur les rochers. Allez jusqu'à humer des odeurs: parfums des fleurs, embruns, odeur fraîche de la terre après une averse de pluie. Profitez de toutes ces sensations calmement, sans effort. C'est le genre d'image que vous pouvez utiliser comme «refuge».

À la fin de l'exercice, rouvrez les yeux, étirez votre corps et levez-vous lentement de votre chaise.

Ces quelques conseils vous aideront au départ:

- Quelle que soit la technique, plus vous vous y exercez, mieux vous la maîtrisez. Alors, consacrez-vous tout entier à cette entreprise et exercez-vous sans compter.
- Durant les dix secondes de tension, ne tendez que les muscles nommés. Laissez le reste de votre corps détendu.
- Continuez toujours à respirer pendant que vous tendez un groupe de muscles. Ne retenez jamais votre souffle durant la tension.
- Durant chaque phase de détente de quinze secondes, concentrez votre attention sur votre respiration et répétez mentalement votre signal («relaxe») avec chaque expiration.
- N'essayez pas d'évaluer votre degré de réussite durant l'exercice. Il ne s'agit pas d'un examen. Le simple fait de vous exercer chaque jour, quelle que soit votre réussite, vous fera progresser. Vous êtes en train de créer

de nouveaux circuits, inconscients, dans votre cerveau. Ce que vous ressentez sur le plan conscient n'est pas la mesure de votre progrès.

- Certains jours, vous trouverez très difficile de vous concentrer. Votre esprit aura peut-être tendance à dériver dans tous les sens: «Il faut que je me remette au ménage!», «Qu'est-ce que je vais faire pour souper?», «Cela ne marche pas, je suis encore tendu», «Je ne dois pas oublier de payer ces factures.» Les pensées de ce genre sont tout à fait normales et ne signifient pas que votre exercice soit inefficace.
  Aussitôt que vous vous rendez compte que votre esprit dérive, abandonnez les pensées qui vous distraient et remettez-vous à la tâche. Ne vous fâchez pas contre vous-même; ne soyez pas déçu. Que cette distraction ne serve pas de prétexte pour mettre fin à l'exercice. Votre corps et votre esprit en bénéficient quand même. Vous apprenez ce que c'est que le contrôle et vous créez de nouveaux circuits. Persévérez.
- Vous pouvez faire votre exercice n'importe quand le jour ou le soir. Mieux vaut éviter de vous y adonner immédiatement après un repas, car votre corps est à ce moment tout occupé à la digestion, et vous êtes moins alerte mentalement.
- Ne vous attendez pas à ce que l'exercice vous apporte un soulagement immédiat et miraculeux. Son seul objet est d'entraîner vos groupes de muscles à répondre à un signal.

Certains sujets verront se produire des changements à la suite de ces exercices. Peut-être vous trouverez-vous plus alerte et plus reposé, ressentirez-vous moins de tension et aurez-vous meilleur appétit et meilleur sommeil; peut-être serez-vous de meilleure humeur. Si c'est le cas, tant mieux! Votre seul devoir est de vous exercer une fois par jour, pendant cinq semaines.

Voici quelques questions et commentaires que j'ai reçus de mes patients qui s'exerçaient à la relaxation musculaire profonde induite par signaux. Vous vous y reconnaîtrez peut-être.

SUZANNE: Peut-on s'exercer à l'heure du coucher?
Dr W.: Deux motifs m'empêcheraient de recommander cet exercice au coucher. Premièrement, vous pourriez

tomber endormie au beau milieu de l'exercice. Deuxièmement, vous pourriez être reposée après l'exercice au point de ne plus avoir envie d'aller dormir. Expérimentez l'exercice à diverses heures de la journée. Trouvez le meilleur moment, celui où vous pouvez être seule et rester attentive aux suggestions.

JUDITH: J'ai essayé d'écouter l'enregistrement l'après-midi. Juste au moment où je commençais à me détendre, j'ai eu un soubresaut. Ce doit être cela, avoir peur de se détendre. Autrement dit, la détente s'emparait de moi, et je n'aimais pas cela. J'ai eu un soubresaut pour en finir.
Dr W.: Une secousse dans un bras ou dans une jambe, c'est une réaction physiologique qui peut se produire quand le sujet passe d'un niveau de conscience à un autre. Tout ceux qui se sont un jour endormis au cours d'une réunion en ont sûrement fait l'expérience. Cela se produit aussi le soir quand on s'endort. Je viens de travailler avec un patient qui sursautait pendant qu'il dormait profondément la nuit et qui s'en réveillait effrayé. Il pensait que ces sursauts signalaient que quelque chose n'allait pas, mais ce n'était pas le cas. Ce sont des réactions physiologiques normales. Considérez qu'il s'agit des muscles qui déchargent des tensions emmagasinées.

HÉLÈNE: J'ai de la difficulté à me trouver un «endroit sûr où me réfugier». Mon esprit change constamment d'images. Je m'imagine dans ma maison, mais trop de mauvais souvenirs sont associés à cette image. J'ai vécu de si longues périodes de maladie dans cette maison que ce n'est plus un endroit confortable. Alors mon esprit imagine deux ou trois autres scènes.
Dr W.: Essayez de créer une image de vous dans un endroit où vous vous plaisez, entourée de personnes qui vous appuient. Chaque fois que vous avez besoin d'un tel endroit — quand vous êtes mal à l'aise ou que vous vous sentez en danger —, réfugiez-vous là en esprit. Vous pouvez simplement créer un fantasme et imaginer que des amis se trouvent à cet endroit. Dans cette scène, vous vous voyez affichant un large sourire. Si vous vous imaginez dans quelque autre scène plaisante et que tout à coup vous y ressentiez une

pointe d'anxiété, vous pourrez toujours vous réfugier dans cette nouvelle scène que vous aurez créée.
HÉLÈNE: Une autre chose dont je suis incapable, c'est de fermer les yeux. Il faut que je fixe mes yeux sur quelque chose, sur le sol par exemple.
Dr W.: Que vos yeux soient ouverts ou fermés n'a aucune importance. Contentez-vous de créer la scène dont j'ai parlé jusqu'à ce qu'un sourire s'esquisse sur votre visage, ou qu'un autre symbole de confort ou de sécurité apparaisse. Si vous voulez demeurer dans cette scène, faites-le. Si votre esprit vous transporte dans une autre scène aussi simple et agréable, c'est bien. Chaque fois que vous éprouvez le besoin de vous trouver dans votre «refuge», allez-y. Ce qu'il y a de merveilleux dans ces visualisations, c'est qu'on peut les changer à volonté. Si quelque chose dans une scène vous met mal à l'aise, créez-en une autre qui vous réconforte. Achetez en esprit une nouvelle maison! Construisez ce dont vous avez besoin, parce que votre inconscient est capable de tout pour prendre soin de vous. C'est votre inconscient qui vous dirige quand votre conscient est occupé à se tracasser. Il faut que vous sachiez ceci: automatiquement, votre inconscient fait fonctionner votre corps entier. Il est donc paradoxal que certains croient que, en faisant taire l'esprit conscient, ils perdent le contrôle. Quand votre conscient se tait et dérive, votre inconscient prend soin de vous. Et l'inconscient est beaucoup plus apte à le faire que le conscient. Qui croyez-vous qui s'occupe de votre corps quand vous dormez?

SUZANNE: Vous êtes en train de dire quelque chose de très important. Une petite lumière s'est allumée dans mon esprit pendant que je vous écoutais. Je souris en mon for intérieur parce que vous nous dites que nous pouvons faire naître en nous des pensées et des images qui prendront soin de nous. J'ai toujours pensé que je devais rester réaliste en tout, peut-être faudrait-il que je cesse de faire tous ces efforts.
Dr W.: Les fantasmes transportent votre corps dans un état tout à fait particulier. Si vous créez un fantasme de scène anxiogène, votre corps réagira négativement, physiquement. Vous avez donc l'occasion de créer une scène dans laquelle

votre corps pourra se comporter normalement. Personne n'a besoin de faire d'effort pour inspirer ou pour expirer. Tout cela, vous le faites inconsciemment. Vous ne pouvez retenir votre souffle très longtemps, pas plus que vous pouvez contenir votre vessie. La réaction naturelle du corps finira toujours par avoir priorité sur vous.

Quand vous refusez de laisser votre esprit conscient se taire, vous luttez contre le processus naturel de l'inconscient. En fait, c'est quand notre esprit conscient est au repos que notre corps fonctionne le plus efficacement. Quand s'enclenche la réponse calmante, l'activité de tous les grands systèmes du corps ralentit. Pourquoi? Parce qu'ils fonctionnent dès lors à leur efficacité optimale. C'est un peu comme le cycliste qui dévale une pente: il dépense très peu d'énergie pour obtenir les mêmes résultats. Ainsi, tous les systèmes et appareils de votre corps se reposent. Votre esprit ne mérite-t-il pas de cesser de travailler si fort?... et vos poumons, votre cœur, votre estomac?

DIANE: Je veux écouter l'enregistrement de relaxation; c'est comme une récompense pour moi. J'aime ce que je ressens en l'écoutant. Mais, auparavant, il faut que je fasse tout ce que je suis censée faire, sinon je suis incapable de me récompenser en écoutant la bande. Si la journée est vraiment difficile et tendue, alors je sais que j'ai besoin d'écouter l'enregistrement et je m'y mets. C'est pourquoi je l'écoute tous les deux jours, parce que je n'atteins mes objectifs que tous les deux jours. Je suppose que j'ai de la peine à justifier ces vingt minutes d'écoute. J'aimerais que vous m'aidiez à changer tout cela.

Dr W.: Donc l'enregistrement vous fait du bien, mais vous ne vous autorisez pas à en profiter chaque jour. Vous semblez prendre vos responsabilités très sérieusement. Par conséquent, il vous faut revoir ce que sont vraiment ces responsabilités. Pensez un moment à quel point la panique a restreint vos activités et vous a empêchée d'assumer vos autres responsabilités. Si vous ne vous guérissez pas vous-même, vous ne pouvez pas vivre tout votre potentiel.

Vous avez l'obligation de vous guérir vous-même. L'ordre de vos priorités pourrait être erroné si vous croyiez devoir mériter le droit de vous guérir. Vous devriez vous demander:

«Qu'est-ce que je fais pour moi-même aujourd'hui?» Demandez-vous chaque jour comment vous prenez soin de vous-même.

ÉLISABETH: Je n'éprouve pas cette douce sensation de bien-être quand je suis dans mon «refuge»; je ne fais que le voir. Cela m'irrite de ne pouvoir le sentir. Je le vois en esprit, mais je n'éprouve pas de sensations.
Dr W.: Quand vous êtes confortablement assise et que vous écoutez l'enregistrement, vous voyez les images, mais vous n'éprouvez pas les sensations. Que faites-vous alors?
ÉLISABETH: J'essaie de changer de scène. Je cherche à éprouver la sensation voulue.
Dr W.: Que pensez-vous à ce moment-là? Trouvez-vous cela irritant?
ÉLISABETH: Oui. Et cela me met en colère contre moi.
Dr W.: À ce moment-là, vous devriez vous dire: «Comme c'est intéressant; je suis maintenant en colère contre moi-même.» Laissez ensuite cette pensée se dissiper et concentrez de nouveau votre attention sur l'enregistrement. La nature de vos sensations est sans importance. Ce qui compte, c'est que vous mainteniez une attention passive. Quand vous vous mettez en colère contre vous-même parce que vous n'atteignez pas votre objectif, vous êtes trop attachée au processus en lui-même. Aussitôt que vous vous demandez: «Où est donc cette sensation de chaleur? Pourquoi suis-je incapable de l'éprouver?» votre attention est active et critique. Chaque fois qu'une de vos pensées est critique, prenez-en conscience, laissez-la se dissiper, puis dirigez de nouveau votre attention sur l'enregistrement. Aucun effort ni aucune lutte ne sont nécessaires.
ÉLISABETH: Vous me dites donc: «Accepte ce qui se passe, et tout ira bien?»
Dr W.: Exactement. Vous n'avez qu'un seul objectif: être attentive à chaque moment, sans lutter, sans douter et sans vous tracasser. Aussitôt que vous commencez à faire des commentaires sur le processus en soi, vous devriez vous débarrasser de ces pensées. Votre esprit continuera à dériver, vous n'y pouvez rien. Votre esprit vous dira: «Je n'ai pas de temps à consacrer à cela; j'ai bien trop de choses à faire.» Ou bien: «Il faut que je mette fin à cet exercice.» Ou encore: «Pour-

quoi est-ce que je ne ressens pas ce que je devrais? Où est donc cette sensation de bien-être que je cherche?» Aussitôt que vous prenez conscience de ces questions, dites-vous simplement: «Me voilà en train de lutter encore une fois» et dirigez de nouveau votre attention sur l'enregistrement.

JACQUES: Si le but de l'exercice est de détendre nos muscles, pourquoi devons-nous les tendre?
Dr W.: Quand nous souffrons de tension chronique, nous contractons certains muscles (dans les épaules ou le cou, par exemple) sans nous en rendre compte. Mais si nous choisissons délibérément de tendre tel ou tel muscle, il se produit une réaction paradoxale: quand on tend un muscle et qu'on cesse ensuite de le tendre, ce muscle se détend jusqu'à reprendre son état initial. Ainsi, plus vous tendez un muscle, plus il se détendra quand vous relâcherez la tension. C'est le même principe qu'en physique: à toute action correspond une réaction égale et opposée. Pensez à un élastique. Plus vous l'étirez, plus vite il se détend quand vous le lâchez. C'est pourquoi, dans cet exercice, vous commencerez par tendre délibérément vos groupes musculaires. Si vous êtes attentif durant la phase de détente, vous sentirez en fait certains muscles se décontracter.
JACQUES: Je ne comprends pas pourquoi on dit que cette méthode de relaxation est «induite par signaux».
Dr W.: Grâce à la répétition constante, aux exercices, on peut apprendre au cerveau à réagir à un signal donné. C'est ainsi que les enfants apprennent à parler ou à lire. Ils entendent répéter constamment certains mots ou sons. Finalement, tout cela devient automatique pour eux, ce qui veut dire que leur cerveau est parfaitement entraîné et que de nouveaux circuits ont été mis en place. En répétant votre exercice trente-cinq fois sur une période de cinq semaines, vous entraînez votre cerveau à se créer de nouveaux circuits pour la réponse calmante. En même temps, vous répétez un mot («relaxe» ou «relâche») à maintes reprises durant chaque séance, vous respirez d'une façon détendue, et vous commencez même à prendre conscience de nouvelles sensations agréables

dans votre corps. Ces trois changements serviront plus tard de «signaux» pour déclencher au besoin la relaxation des muscles.

Relaxation musculaire profonde induite par signaux

Étape 1: Tension et relaxation des muscles

Trouvez une chaise confortable et asseyez-vous. Desserrez vos vêtements s'il y a lieu, enlevez vos chaussures, commencez à vous détendre. [Pause]

Prenez trois inspirations profondes; à chaque expiration, dites silencieusement le mot «relaxe»[1]. [Pause]

En esprit, faites le tour de votre corps pour y percevoir les zones de tension. [Pause] Recourez à la respiration diaphragmatique naturelle pour le reste de cette séance. Laissez votre respiration détendre ces zones tendues de votre corps.

Durant la phase de détente de chaque groupe musculaire, répétez silencieusement le mot «relaxe» avec chaque expiration.

Maintenant, dirigez votre attention sur vos mains. Serrez fort les poings. [Pause de 10 secondes] Relâchez la tension en laissant vos mains retomber sur vos cuisses. Détendez-vous. Avec chaque expiration, répétez le mot «relaxe». [Pause de 15 secondes]

---

1. Vous pouvez remplacer le mot «relaxe» par tout autre mot qui vous met à l'aise (comme «relâche») dans tout le reste du texte, si ce mot fait naître en vous des images plus agréables.

Dirigez votre attention sur vos *bras.* Serrez-les très fort l'un contre l'autre. Maintenez-les dans cette position, avec le plus de force possible, tout en respirant. [Pause de 10 secondes] Relâchez la tension. Laissez retomber les bras sur les cuisses. Détendez-vous. [Pause de 15 secondes]

Dirigez votre attention sur vos *épaules.* Soulevez-les jusqu'aux oreilles, en poussant aussi fort que possible, et poussez tout en respirant. [Pause de 10 secondes] Relâchez la tension. Avec chaque expiration répétez silencieusement le mot «relaxe», en vous détendant de plus en plus. [Pause de 15 secondes]

Dirigez votre attention sur votre *front.* Soulevez doucement vos sourcils et maintenez-les dans cette position tout en respirant. [Pause de 10 secondes] Relâchez la tension. Laissez la tension se dissiper. Détendez-vous. [Pause de 15 secondes]

Dirigez votre attention sur votre *langue.* Appuyez-la contre le palais, très fort. Maintenez-la contre le palais. [Pause de 10 secondes] Relâchez la tension; détendez votre langue. Répétez silencieusement le mot «relaxe» avec chaque expiration. [Pause de 15 secondes]

Maintenant, serrez les lèvres l'une contre l'autre. Serrez-les fort, tout en respirant par le nez. Gardez les lèvres serrées. [Pause de 10 secondes] Relâchez la tension. Desserrez les lèvres et les mâchoires. Sentez-vous maintenant détendu et calme. [Pause de 15 secondes]

Dirigez de nouveau votre attention sur votre *bouche* et ouvrez-la grande, très grande. Maintenez cette position. [Pause de 10 secondes] Relâchez la tension et détendez-vous. [Pause de 15 secondes]

Maintenant, penchez-vous vers l'avant. Pliez les bras, soulevez-les à hauteur d'épaule, en essayant de ramener les coudes vers le dos. Les muscles de votre *poitrine* et ceux de votre *dos* se tendent. Maintenez cette position, en respirant. [Pause de 10 secondes] Relâchez la tension. Remettez-vous droit sur votre chaise. Détendez-vous. Relâchez de plus en plus ces muscles. [Pause de 15 secondes]

Dirigez votre attention sur votre *estomac.* Dilatez votre estomac en serrant fort les muscles. Maintenez cette position. [Pause de 10 secondes] Relâchez la tension. Détendez-vous. [Pause de 15 secondes]

Dirigez votre attention sur vos *fesses.* Serrez les fesses. Maintenez fermement cette position. [Pause de 10 secondes] Relâchez la tension. Détendez-vous. [Pause de 15 secondes]

Maintenant, dirigez votre attention sur vos *cuisses.* Soulevez un peu la jambe gauche et tendez-en tous les muscles. Maintenez cette position tout en respirant. Tendez fort. [Pause de 10 secondes] Relâchez la tension. Laissez retomber cette jambe. Relâchez tous les muscles de cette jambe. Détendez-vous. [Pause de 15 secondes]

Maintenant, soulevez un peu la jambe droite et tendez-en tous les muscles. Maintenez cette position tout en respirant. Tendez fort. [Pause de 10 secondes] Relâchez la tension. Laissez retomber cette jambe. Relâchez tous les muscles de cette jambe. Répétez le mot «relaxe» avec chaque expiration. [Pause de 15 secondes]

Dirigez votre attention sur vos *mollets.* En gardant les talons au sol, pointez les orteils vers le visage en soulevant la partie antérieure de la plante du pied. Tendez les muscles des mollets. Vous sentirez l'effet de la tension sur le devant du tibia aussi. Maintenez la position. [Pause de 10 secondes] Relâchez la tension. Laissez retomber vos pieds au sol; détendez les muscles des mollets et de la jambe. C'est bien. [Pause de 15 secondes]

Dirigez votre attention sur vos *pieds.* Tournez les orteils vers le bas, comme si vous les enfonciez dans le sable. Tendez bien ces muscles. Maintenez la position, tout en respirant. [Pause de 10 secondes] Relâchez la tension. [Pause de 15 secondes]

Étape 2: Relaxation musculaire complète

Maintenant, détendez tous les groupes de muscles de votre corps. Relâchez la tension dans tous ces muscles en respirant; décontractez les zones tendues. [Pause de 15 secondes]

Imaginez les rayons du soleil qui réchauffent votre nuque, produisant ainsi une douce sensation de calme et de détente à l'arrière de votre tête. [Pause de 5 secondes] Laissez cette sensation de détente et de chaleur envahir votre visage, descendre dans votre cou. [Pause de 5 secondes] Cette sensation apaisante descend dans vos épaules, dans vos omoplates; elle soulage et détend les muscles de vos épaules [5 secondes], de vos bras. [5 secondes] La partie supérieure de vos bras se détend; la détente rejoint les coudes et les avant-bras. [5 secondes] Les muscles de vos poignets se détendent, ceux de vos mains aussi. [5 secondes] La tension sort de vous par le bout des doigts [5 secondes], à mesure que les rayons bienfaisants du soleil détendent votre dos, votre poitrine et tous les muscles touchés par cette sensation chaude et apaisante. [5 secondes] L'estomac se détend [5 secondes], de même que les reins [5 secondes] et les intestins. Sensation chaude et apaisante. [5 secondes]

Plus vous prenez conscience de ces sensations, plus vous vous détendrez [5 secondes]. Une sensation chaude et apaisante atteint la région pelvienne. Ces muscles se détendent. [5 secondes] Une sensation de confort et de bien-être envahit les cuisses [5 secondes], les genoux [5 secondes], les mollets [5 secondes], les tibias [5 secondes]. Vos jambes sont détendues.

Cette sensation chaude et apaisante descend dans vos chevilles [5 secondes] et dans vos pieds [5 secondes]. Les muscles de vos pieds sont détendus; la tension sort de vous par le bout de vos orteils [5 secondes]. Sensation chaude et apaisante. [5 secondes]

Votre corps entier est maintenant détendu, parfaitement apaisé. Vous faites l'expérience du confort qui accompagne la sensation de chaleur et de sécurité. [5 secondes]

Étape 3: Le refuge

Maintenant, je veux que vous vous rendiez dans l'endroit sûr imaginé. Imaginez-vous dans ce refuge. Vous ressentez le confort, la détente et la sécurité qu'il représente pour vous. [Pause de 5 secondes] Vous connaissez bien cette sensation. Vous savez ce que c'est de se sentir en sécurité et détendu, dans un endroit et à un moment où aucune pression ne s'exerce sur vous, où vous n'assumez aucune responsabilité. Là où le temps semble s'être arrêté ou ne pas compter, ne serait-ce que provisoirement. [5 secondes]

Continuez de baigner dans ce confort [5 secondes]. Peut-être certains sons viennent-ils ajouter à votre bien-être. Des sons qui ajoutent à l'expérience que vous faites de la sécurité et du confort. [Pause de 15 secondes] Il se pourrait même que des odeurs ou des parfums agréables flottent dans l'air. [5 secondes]

Vous avez peut-être choisi cet endroit en raison de son atmosphère bien particulière, ou pour le point de vue que vous avez à partir de cet endroit. Vous pouvez profiter de ce point de vue maintenant. [Pause de 15 secondes] Continuez à flotter sur les vagues de cette image jusqu'à ce que vous entendiez ma voix de nouveau. [3 minutes de silence]

Vous pouvez continuer de sentir votre esprit profiter de cette expérience. Mémorisez ces sensations. [5 secondes] Vous pourrez les faire renaître à un autre moment et à un autre endroit dans le futur, où elles seront utiles à votre bien-être, où elles vous feront du bien. [Pause de 15 secondes] Vous pouvez absorber ces sensations comme si vous étiez une éponge. [Pause de 15 secondes]

Commencez à refermer lentement la porte de votre imagination, en comptant intérieurement jusqu'à cinq. Vous pouvez commencer à reprendre conscience de votre position par rapport à la pièce dans laquelle vous vous trouvez, à laisser se produire un léger mouvement dans vos doigts, vos orteils, vos pieds, vos mains, vos bras. Vous pouvez commencer à réorienter votre corps entier.

Vous êtes maintenant prêt à rouvrir les yeux et à profiter du reste de la journée ou de la soirée, rafraîchi et alerte.

Méditation

Après avoir évalué les deux méthodes proposées pour dissiper vos tensions, vous pourriez préférer la méditation à la méthode de relaxation musculaire profonde induite par signaux.

La méditation est une famille d'exercices mentaux au cours desquels le sujet est généralement assis confortablement et paisiblement, tout en concentrant son attention sur un stimulus simple, extérieur ou intérieur, comme un mot, une façon de respirer, ou un objet regardé. Dans la relaxation musculaire profonde, le sujet s'engage dans un certain nombre d'activités physiques et mentales. Dans la méditation, le sujet reste physiquement immobile, et son attention est beaucoup plus concentrée.

L'apprentissage de la méditation comporte certains avantages potentiels que j'expliquerai plus loin dans ce chapitre. Ces avantages tombent dans deux catégories générales. Premièrement, la méditation vous aide à être maître de votre tension physique en suscitant la réponse calmante. Des études ont prouvé que durant la méditation, ainsi que durant la relaxation musculaire profonde, le rythme respiratoire et le rythme cardiaque ralentissent, tandis que la tension artérielle baisse. Avec le temps, les adeptes de la méditation disent sentir moins d'anxiété quotidienne et ont tendance à se remettre plus rapidement que les autres des périodes de stress intense. Ainsi, pour ce qui est de cette catégorie générale, la méditation et la relaxation musculaire profonde offrent les mêmes avantages.

C'est dans la seconde catégorie générale d'avantages qu'apparaît la distinction entre les deux techniques. En effet, l'apprentissage de la méditation peut améliorer sensiblement votre capacité de contrôler vos pensées appréhensives, en vous enseignant de nouvelles façons de réagir à vos pensées, émotions et images automatiques. Généralement, la personne sujette à la panique rumine ses tracas, examine de près ses pensées appréhensives et réagit sur le plan émotionnel à ses images négatives. Au lieu de contrôler ces expériences, elle laisse l'inverse se produire.

Apprendre à méditer, c'est apprendre à vous distancier par rapport à vos expériences, comment devenir l'observateur détaché et tranquille de vos pensées, émotions et images, comme si vous les observiez de l'extérieur. Quiconque a fait l'expérience de la panique sait que la pensée négative qui accompagne celle-ci est si puissante qu'il lui est impossible de se dire: «Ces pensées sont ridicules. Je ne suis pas en train de mourir.» Cet énoncé ne servirait qu'à provoquer un dialogue interne qui intensifierait la panique: «Oui, je suis en train de mourir. Mon cœur bat à tout rompre. L'être humain peut mourir sous l'effet d'un tel stress.»

Toute stratégie de changement personnel requiert, comme étape première, la capacité de s'observer soi-même. Pour être en mesure de modérer votre réaction anxieuse et de mettre fin à votre pensée négative, vous devez pouvoir vous en éloigner suffisamment pour les mettre en perspective. Les treizième, quatorzième et quinzième chapitres vous montreront comment acquérir cette perspective et comment vous en servir pour contrôler la panique. Le présent chapitre vous fournira la base dont vous avez besoin pour appliquer ces techniques.

Vous pouvez choisir entre deux types de méditation. Étant donné qu'ils servent des fins analogues, vous pouvez pratiquer l'un ou l'autre, ou les deux. Le premier type, c'est la méditation avec concentration.

Voici les quatre caractéristiques essentielles de cette méditation: 1) elle se déroule dans un endroit paisible; 2) elle se fait dans une position confortable; 3) un outil mental aide l'esprit à s'extraire de ses préoccupations habituelles; 4) le sujet adopte une attitude passive.

Tout comme pour la relaxation musculaire profonde, vous devez choisir un endroit paisible dans votre maison (ou ailleurs) pour pratiquer la méditation. Mettez-vous dans une position confortable et invitez votre esprit à adopter une attitude passive. (Les distractions constituent un phénomène naturel qui ne doit pas vous inquiéter — prenez-en conscience, puis laissez-les s'évanouir et dirigez de nouveau votre attention sur votre outil mental.) La différence, c'est que, durant la méditation, vous choisissez un «objet» sur lequel diriger constamment votre concentration durant vingt minutes. Vous pouvez choisir un mot (comme «calme», «paix», «amour»), une phrase religieuse («Abandonne-toi à Dieu»), un son court («ah» ou «ommm»), une sensation ou une pensée. Répétez silencieusement ce «mantra» à votre propre rythme. (Par exemple, s'il s'agit d'une monosyllabe, vous pourriez le dire une fois en inspirant, une fois en expirant.) Vous pourriez aussi concentrer votre attention sur votre respiration.

Dans la méditation comme dans la relaxation musculaire, vous essayez de calmer votre esprit et de concentrer votre attention sur une seule chose à la fois. Il est essentiel d'arriver à adopter une attitude passive. La méditation ne devrait exiger aucun effort. Vous prêtez attention aux instructions, mais vous ne luttez pas pour atteindre un objectif. Vous n'avez pas à travailler pour créer des images; vous n'avez pas à faire d'effort pour éprouver telle ou telle sensation physique. Tout ce que vous devez faire, c'est rester conscient, rester dans une position confortable, concentrer votre attention sur votre «mantra» et laisser se dissiper les pensées distrayantes jusqu'à ce que les vingt minutes soient passées. C'est cela, l'attitude passive.

La second type de méditation, c'est la méditation avec élargissement de la conscience. Dans le premier type, la méditation par concentration, vous concentrez votre attention sur un seul outil mental; tout le reste est distraction. Dans la méditation avec élargissement de la conscience, chaque phénomène qui se produit (pensées, fantasmes et émotions) devient l'objet de la méditation. Rien n'est distraction.

Voici comment faire: trouvez un endroit paisible et asseyez-vous durant vingt minutes. Commencez par concentrer votre attention sur votre respiration naturelle. Suivez mentalement chaque inspiration et chaque expiration, sans jugement ni commentaire. (Ceux que l'observation de la respiration rend anxieux pourront concentrer leur attention sur un mot ou sur un son.) Après quelques minutes, laissez votre attention dériver librement sur toutes les perceptions du moment. À mesure que les pensées ou les sensations s'inscrivent dans votre esprit, observez-les d'un œil détaché. Donnez un nom à chaque perception.

Voici un exemple. Durant les premières minutes de méditation, vous concentrez votre attention sur chaque inspiration. En relâchant votre attention, vous constatez la tension des muscles de votre front. Sans effort ni lutte, vous pensez à un nom pour cette expérience — «tension» ou «tension du front» — et vous poursuivez votre observation. Tôt ou tard votre perception change. Votre esprit, en observateur détaché, suit le fil de votre conscience; vous percevez une image mentale, celle du visage d'un homme dont les coins des lèvres tombent. Vous ne vous attachez pas à cette image; vous n'analysez pas sa signification; vous ne vous demandez pas pourquoi elle vous est apparue. Vous en prenez simplement conscience et vous la nommez — «moue» ou «grimace» — tout en maintenant votre perspective non critique. Si vous vous perdez dans vos pensées, si vous vous laissez prendre par des émotions ou si vous soupesez une décision, dirigez de nouveau toute votre concentration sur votre respiration, jusqu'à ce que réapparaisse votre observateur détaché. Il peut arriver à tout le monde de se laisser absorber dans ces expériences durant la méditation. Ne vous critiquez pas si vous dérivez constamment et ne luttez pas pour vous débarrasser de ces perceptions. Dans la méditation avec concentration, vous vous détendez puis vous concentrez votre attention sur votre «mantra». Dans la méditation avec élargissement de la conscience, vous vous détendez et vous suivez à distance le flot de vos perceptions. Ce que vous observez n'est pas important. C'est comment vous l'observez qui compte: sans jugement, sans commentaire.

Ce que la méditation peut vous apprendre

Nul besoin de devenir un expert en méditation pour en tirer parti. En fait, les personnes très anxieuses trouveront que l'exercice de relaxation musculaire profonde est plus facile à suivre et pourraient bien choisir cette technique pour décontracter leurs muscles et apaiser leur esprit. C'est la pratique même de la méditation qui fournit les connaissances précieuses qui peuvent être directement appliquées au contrôle de la panique, même si vous ne le faites que quelques semaines.

Songez que durant la panique nous sommes entièrement absorbés par l'expérience du moment. Nous éprouvons des sensations physiques désagréables et, en interprétant leur signification, nous nous effrayons nous-mêmes: «Je vais m'évanouir», «Je ne pourrai plus reprendre mon souffle.» Nous sommes conscients de notre environnement et, en interprétant ce que nous y percevons, nous nous effrayons également nous-mêmes: «Rien ne me soutient dans cet endroit. C'est un endroit dangereux pour moi en ce moment.» Nous renforçons ces sensations et pensées en évoquant des images terribles où nous nous voyons incapables de survivre à l'expérience. La plupart de nos pensées, émotions et images sont vraiment décalées par rapport à la réalité. Pour reprendre le contrôle durant ces moments, il faut apprendre à nous détacher de nos propres distorsions. Et ce n'est pas en attendant la prochaine attaque de panique pour nous exercer que nous le pourrons. Il sera alors trop tard, parce que c'est la panique qui aura le contrôle. Le meilleur moment pour apprendre une technique de base, c'est durant les périodes exemptes d'anxiété. Ensuite, nous pourrons appliquer graduellement notre nouvelle habileté aux situations qui font problème.

Voici quelques enseignements que vous pouvez tirer de la pratique de la méditation:

- La méditation est une forme d'entraînement à la relaxation. Vous apprenez à vous asseoir dans une position confortable et à respirer calmement, sans effort.

- Vous apprenez à apaiser votre esprit, à ralentir le flot de vos pensées et à être plus attentif à vos signaux internes. Vous acquérez la capacité de l'auto-observation.
- Vous vous exercez à concentrer votre attention sur une seule chose à la fois et à le faire d'une façon délibérée et détendue. En réduisant le nombre de pensées et d'images qui affluent dans votre tête sur une courte période, vous êtes capable de penser avec plus de simplicité et de clarté à la tâche que vous souhaitez accomplir.
- Vous devenez expert dans l'art de sentir que votre esprit dérive, et dans l'art de le remettre à la tâche et de l'y maintenir, du moins sur de courtes périodes. Au début, il pourrait s'écouler plus de temps que par la suite entre le moment où votre esprit erre et celui où vous vous en rendez compte. Avec l'exercice, vous apprendrez à vous ressaisir de moins en moins longtemps après le début de la distraction.
- Grâce à la méditation, vous vous désensibilisez à ce qui vous passe par la tête. Vous êtes en mesure de prendre conscience de vos peurs, de vos préoccupations et de vos inquiétudes tout en prenant du recul et en vous en détachant. Ainsi, vous pouvez en apprendre davantage sur vos problèmes au lieu de les laisser vous ronger.
- Si vous pratiquez régulièrement la méditation et en arrivez à vous sentir plus détendu pendant ces moments, vous faites l'expérience de la maîtrise: vos actions volontaires produisent des changements agréables dans votre corps et dans votre esprit.
- Quand vous savez mieux comment vous vous sentez lorsque vous êtes calme, vous pouvez vous servir de cette sensation comme point de repère durant la journée. Par exemple, si vous vous sentez calme après une séance matinale de méditation, vous serez mieux à même de percevoir les petits signaux de tension durant le reste de la journée. En d'autres mots, la méditation (comme la relaxation musculaire profonde) vous aide à reconnaître les situations qui vous stressent dans la vie. Vous avez alors le temps d'agir sur ces situations avant que votre tension s'accumule dans des proportions désagréables.

- Dans les chapitres suivants, vous apprendrez à quel point il est important de reconnaître les schèmes de pensée qui mènent à la panique et qui la caractérisent. Vous devez acquérir la sensibilité nécessaire pour prendre conscience de ces pensées, les laisser se dissiper, et ensuite diriger votre attention sur telle ou telle occupation susceptible de vous aider. Ce n'est pas chose facile. En vous exerçant à la méditation, vous vous exercez à franchir ces trois étapes sans avoir en même temps à lutter contre l'expérience terrifiante de la panique.
- Certaines personnes tentent de venir à bout de leurs pensées anxieuses en les remplaçant par des pensées positives. Par exemple, si elles pensent: «Je suis sur le point de perdre le contrôle et de devenir fou», elles commenceront immédiatement à se dire: «Non, ce n'est pas vrai. Je n'ai jamais perdu la raison auparavant. Je vais bientôt me calmer.» Il arrive que cette stratégie réussisse. Il arrive aussi qu'elle se retourne contre le sujet et qu'une querelle interne éclate. Quand nous nous querellons, bien sûr, nous essayons de défendre nos positions, et c'est ce qui se passe ici aussi: les pensées appréhensives ne peuvent que prendre de la force. La stratégie centrale que vous apprendrez dans les prochains chapitres sera d'abord de mettre fin à ce monologue appréhensif en dirigeant votre attention sur une quelconque tâche neutre. Puis, après avoir perturbé le déroulement de ces pensées appréhensives pendant quelques secondes ou quelques minutes, vous serez mieux en mesure de vous faire des suggestions positives, sans risquer de lutte interne. Les deux techniques de méditation décrites dans le présent chapitre vous enseignent cette habileté de base. Dans le quatorzième chapitre, vous apprendrez deux de ces techniques propres à perturber les pensées appréhensives — l'énumération calmante et la respiration calmante —, qui sont au fond des formes brèves de méditation.

Quelle est la méthode qui vous convient le mieux?

L'objectif essentiel de la pratique de la méditation ou de la relaxation musculaire profonde, c'est de donner à votre corps et à votre esprit le repos paisible qui vient chaque fois que vous déclenchez la réponse calmante. En pratiquant l'une de ces techniques chaque jour, pendant quelques semaines, vous apprenez comment vous vous sentez quand vous vous calmez. Vous découvrez que vous ne perdez pas le contrôle quand vous dissipez vos tensions; au contraire, vous le prenez. Choisissez la méthode qui vous intéresse, puis donnez-vous le temps d'en apprendre le mécanisme.

J'ai énuméré les avantages que procure la méditation. Si vous êtes de ceux qui sont accablés par de nombreuses pensées anxieuses, la méditation avec concentration vous paraîtra sans doute plus facile que la méditation avec élargissement de la conscience, parce que la première vous donne un point de mire mental précis. La recherche nous porte à croire que les sujets dont les symptômes d'anxiété sont surtout physiques peuvent alléger ces tensions par la pratique régulière de techniques actives, comme la relaxation musculaire profonde. L'exercice physique régulier — la marche, la danse ou le sport — peut également aider le sujet à contrôler l'anxiété qui se manifeste sur le plan physique. Même si vous préférez la relaxation musculaire profonde à la concentration, je vous recommande de consacrer un peu de temps à cette dernière. Servez-vous de la méditation pour apprendre à perturber les pensées intrusives qui vous assaillent durant la relaxation musculaire, pour ressentir une impression de calme.

Quelle que soit la méthode choisie, votre concentration initiale requerra un grand effort de votre part. Prenez votre temps. Ne vous critiquez pas si les résultats positifs immédiats sont rares. Que ces moments vous servent d'exercice et non d'épreuve. De toute façon, le simple fait de vous asseoir paisiblement pendant vingt minutes chaque jour peut vous être fort bénéfique.

13

L'Observateur indépendant

Dans les neuf premiers chapitres de cet ouvrage, je vous ai parlé de la panique comme d'un phénomène complexe. Nous commencerons ici à appliquer cette information à une tâche précise: contrôler une attaque de panique réelle. Pour ce faire, nous devons d'abord simplifier ce qui est complexe. Quand vous devrez affronter la panique, vous voudrez vous débarrasser de tous les soucis et questions inutiles pour les remplacer par quelques pensées toutes simples. Afin de penser clairement durant la panique, vous devez comprendre comment l'attaque de panique se produit.

Vos symptômes physiques vous sont déjà familiers; j'en ai parlé aux premier, huitième et onzième chapitres. Mais la panique ne se limite pas à ces seuls symptômes. S'il ne s'agissait que d'un inconfort physique, la panique sortirait de votre vie aussi rapidement qu'elle y est entrée. Au septième chapitre, je vous ai expliqué comment la panique dépasse le seul plan physique. Elle affecte aussi vos processus mentaux. En fait, il arrive souvent que l'attaque de panique *commence* en réaction à vos pensées. («Je me demande comment je me sentirai aujourd'hui. Je me demande si je me sentirai nerveux encore une fois.»)

Pour que l'attaque de panique s'intensifie, deux phénomènes doivent se produire:

- Vous devez observer de près l'expérience que vous vivez sur le moment.
- Vous devez faire des commentaires sur cette observation.

Pour réduire la panique, vous pouvez changer l'une ou l'autre de ces étapes. Examinons cela de plus près.

Imaginez que vous ayez l'intention d'acheter une maison. Pour commencer vos recherches, vous passez la journée du samedi avec un agent d'immeubles qui vous fait visiter des maisons qui correspondent à la grandeur, à la situation et au prix qui vous conviennent. Vous passez de trente à quarante-cinq minutes dans chaque maison visitée et dans son jardin. Que faites-vous durant ce temps? Que se passe-t-il dans votre esprit?

La première chose que vous faites, c'est *observer*. Votre regard fait le tour de chaque pièce, vous remarquez la disposition de la cuisine, la grandeur des toilettes, le nombre de baignoires, et ainsi de suite. Vous regardez bien pour voir s'il y a de la moisissure au sous-sol, si le grenier est bien isolé, et vous vérifiez l'état des murs extérieurs.

Appelons notre «Observateur» cette partie de nous-mêmes qui, en toute objectivité, collecte de l'information. Quand vous visitez une maison pour la première fois, mieux vaut que vous enclenchiez cet Observateur en vous. Ainsi vous collectez beaucoup plus d'information sur chaque maison. Vous pouvez même apporter un petit calepin dans lequel vous noterez les faits dont vous avez besoin pour prendre une décision éclairée.

C'est là la première étape. La deuxième étape consiste à *commenter* les données que vous avez collectées, à réfléchir sur vos préférences personnelles quant à la grandeur des maisons, à leur architecture et à leur situation. Le «Commentateur» en vous analyse chaque maison en fonction de vos besoins et de vos goûts. Voici ce qui pourrait se passer dans votre esprit quand vous visitez une maison pour la première fois. Voyez comment les pensées se présentent en deux étapes:

> [En arrivant sur le terrain] OBSERVATEUR: «L'entrée est bétonnée et bordée d'une haie. La maison est de style colonial, et le jardin est bien entretenu.

COMMENTATEUR: Très belle apparence. Un abri pour auto serait utile. Nous pourrions même le fermer un jour. L'extérieur de la maison a l'air bien entretenu. Mais les maisons de style colonial ne sont pas celles que je préfère.»

[En entrant dans la cuisine] OBSERVATEUR: «Cette cuisine est plus grande que ma cuisine actuelle; il y a un îlot au centre. À gauche, un coin-repas. Pas de fenêtres dans la cuisine. Une porte donne sur la salle à manger. Il y a un grand garde-manger et beaucoup d'armoires.»
COMMENTATEUR: «C'est exactement ce que je cherche! Beaucoup d'espace pour bouger; en plus nous pourrons y prendre la plupart de nos repas sans devoir rien transporter dans la salle à manger. Et tout cet espace de rangement! Le grand inconvénient, c'est le manque de lumière naturelle. C'est si agréable de pouvoir regarder dehors en préparant les repas. Mais je crois que nous pouvons nous accommoder de ce défaut. Voyons si le reste de la maison est aussi bien.»

La différence est très nette entre les énoncés de l'Observateur et ceux du Commentateur. L'Observateur se contente de noter et de rapporter objectivement toutes les données qu'il perçoit, comme un témoin à qui un magistrat rappellerait durant un procès: «Tenez-vous-en aux faits et rien qu'aux faits s'il vous plaît.» L'Observateur ne manifeste aucun préjugé, aucune préférence, aucun souhait personnel, et il ne porte aucun jugement.

À la seconde étape, nous commentons ce que nous avons observé. C'est alors que nous sommes influencés par nos désirs, nos croyances, nos valeurs, nos espoirs, nos craintes et nos jugements. «J'aime cela/Je déteste cela/J'ai peur de cela/Cela m'est égal/Je le veux/Je veux le changer/Je ne crois pas pouvoir l'avoir/Je souhaiterais que cela ne soit jamais arrivé/J'espère que cela va marcher», et ainsi de suite.

Nos problèmes commencent quand nous commentons prématurément ce que nous avons observé. Imaginez que, en arrivant devant cette maison, vous ayez dit: «C'est une maison de style colonial. Ce n'est pas mon style préféré. Voilà déjà un point négatif. L'intérieur ne conviendra sans doute pas. Allons plutôt visiter une autre maison.» Votre jugement prématuré vous empêcherait de continuer votre collecte d'information. En l'occurrence, vous vous seriez privé de l'occasion de voir votre cuisine idéale. Et la qualité de cette cuisine aurait pu compenser votre manque d'enthousiasme pour le style colonial. Quand nous jugeons trop vite, nous nous privons de renseignements précieux.

Il ne faut pas porter de jugement sur les gens, les situations ou les expériences avant de les avoir observés d'un œil objectif. L'une des plus grandes tragédies du racisme, du sexisme et de l'âgisme, c'est qu'un grand nombre de gens de grande valeur sont écartés arbitrairement, sans égard pour leurs talents ou pour leurs qualités uniques. Le même processus se déroule durant la panique. Nos croyances ou nos peurs prédominent à tel point que nous n'observons jamais la situation d'un œil objectif. Avec si peu d'information, nous sommes prompts à interpréter la situation comme étant une urgence et, par conséquent, nous déclenchons la panique. Nous moulons les deux étapes en une seule. Nous ne prenons plus le temps de profiter de notre Observateur détaché, objectif et curieux. Nous analysons et interprétons instantanément toute nouvelle information comme si nous étions parfaitement sûrs de sa signification.

L'interprétation des événements est un processus mental qui engendre la réponse de panique. Comme nous l'avons vu au neuvième chapitre, dans une situation qui provoque la panique, notre cerveau ne dispose pas de renseignements pertinents sur ce qui se passe vraiment, et il ne connaît pas de façon plus adéquate de réagir. Par conséquent, il choisit la même réponse que dans le passé, quand la situation était semblable. Le cerveau pousse le bouton de la panique parce que nous le privons de renseignements essentiels. Nous ne prenons pas le temps de collecter l'information courante; nous en revenons à notre idée préconçue selon laquelle nous avons «perdu le contrôle». Toutefois, si vous exploitez les ressources de votre Observateur durant le moment de panique, vous collecterez des renseignements courants et pertinents sur votre corps et sur votre environnement. Ces données essentielles vous aideront à maîtriser votre attaque d'anxiété.

Vous possédez déjà une excellente faculté d'observation. En fait, la panique ne se produit que chez ceux qui sont capables de prêter attention à de tout petits détails. Il est important de reprendre contact avec cette faculté, afin de pouvoir la mettre en œuvre durant les périodes provoquant la panique.

Plutôt que de prendre le temps d'observer la situation qui la menace, la personne sujette à la panique observe et interprète cette situation d'un seul coup. Au fil de mes longues années de travail auprès de mes patients, j'ai trouvé que ceux-ci laissent leur Commentateur «contaminer» de trois façons le travail de l'Observateur, en intervenant négativement. Je parlerai de l'Observateur inquiet, de l'Observateur critique et de l'Observateur désespéré. Voici quelques illustrations de ces Observateurs négatifs.

L'Observateur inquiet: «Mon cœur bat de plus en plus vite... Oh non! que se passe-t-il? Est-ce que c'est une crise cardiaque? C'est sûrement une crise cardiaque.»

«Mon allocution est prévue pour la semaine prochaine... Je vais sûrement commencer à bégayer. Tout le monde va me voir trembler; je vais être tellement embarrassé.»

«Il y a beaucoup de clients qui font leurs emplettes ici aujourd'hui... Les files à la caisse seront sûrement interminables. Je devrai faire la queue tout l'après-midi. Je vais sans doute me sentir étourdi comme la dernière fois. Il se peut même que je m'évanouisse.»

L'Observateur inquiet

- s'attend au pire;
- craint l'avenir;
- crée des images exagérées des difficultés potentielles;
- s'attend à une catastrophe et s'y prépare;
- appréhensif, cherche le moindre signe d'une difficulté à venir.

Avec le temps, l'Observateur inquiet crée de l'anxiété.

L'Observateur critique: «La semaine dernière, quand je me suis rendu au magasin, je n'ai eu aucun symptôme. Ce matin, j'ai été pris d'anxiété et je n'ai pas pu me rendre au magasin... Je n'ai pas réussi à faire face à la situation! Je m'en veux de ne pas avoir été à la hauteur! Je suis un être faible.»

«Ce soir a lieu la réception chez les Durand, et j'ai peur d'y aller... C'est bien moi... La moindre petite chose me dérange. J'ai l'impression d'avoir deux ans. Quand diable vais-je devenir adulte et être capable de faire face au monde?»

«Toute la famille est censée se réunir en Floride cet automne... C'est le bouquet! Devinez qui va tout gâcher pour les autres. J'ai peur de l'avion. J'ai peur des autoroutes. Je refuse de faire mes emplettes tout seul. Je fais ainsi du tort à ma famille.»

L'Observateur critique

- vous fait comprendre à quel point vous êtes impuissant et sans espoir;
- n'hésite pas à vous rappeler vos erreurs passées et à vous faire croire que vous devez vous estimer heureux d'avoir ce que vous avez dans la vie;
- vous fait remarquer régulièrement chacun de vos défauts, au cas où vous les auriez oubliés;
- se sert de vos erreurs pour vous rappeler que vous êtes un raté.

Avec le temps, l'Observateur critique affecte l'estime de soi et la motivation.

L'Observateur désespéré: «Suzanne veut que j'aille déjeuner avec elle... Il m'est impossible de subir l'épreuve du restaurant. Impossible. À quoi bon essayer? Je n'arriverai jamais à me contrôler.»

«J'étais si extraverti auparavant. Maintenant, je quitte rarement le foyer, sauf quand je dois conduire les enfants quelque part. Je me suis creusé un trou, et j'y resterai sûrement pendant des années.»

«Aujourd'hui, je me sens vidé sur le plan physique. Moi qui voulais travailler un peu autour de la maison... Pourquoi m'en donner la peine?»

L'Observateur désespéré

- souffre de votre expérience actuelle;
- croit qu'il y a en vous quelque chose d'inhérent qui cloche;
- croit qu'il vous manque quelque chose, que vous n'êtes pas complet, que vous êtes bon à rien et que vous n'avez pas ce qu'il faut pour réussir;
- s'attend à ce que vous échouiez dans le futur comme vous l'avez fait dans le passé;
- s'attend à ce que vous continuiez d'être incomplet et frustré;
- croit que des obstacles insurmontables s'élèvent entre vous et vos objectifs.

Avec le temps, l'Observateur désespéré crée la dépression.

Ces trois façons de commenter ce que vous observez contaminent votre capacité d'observation naturelle. Elles déforment les données de votre vie d'une façon qui vous fait du tort. Elles ne favorisent pas les progrès, l'indépendance ni l'estime de soi. Elles vous invitent plutôt à mettre fin à tous vos efforts et à céder à l'échec.

Si nous examinons la vie des sujets qui restreignent considérablement leurs activités de crainte de succomber à la panique, nous voyons plus clairement les effets destructeurs des Observateurs négatifs. Lisez les déclarations que ces patients m'ont faites au cours de leur première séance avec moi. Imaginez à quel point ces schèmes de pensée entravent leurs progrès.

> ANNE C.: Je m'observe. J'essaie toujours de garder le contrôle. Je surveille de près le moindre de mes gestes et, en dernière analyse, j'en conclus que je n'ai pas le contrôle.

Anne nous dit qu'elle a la capacité de s'observer elle-même, mais elle en use de la façon extrême propre à l'Observateur inquiet. Elle devient une espèce de détective, elle surveille tout ce qu'elle fait pour trouver des indices qui révèlent qu'elle a perdu le contrôle. Comme toute son attention est concentrée sur elle-même, comme elle perçoit le moindre changement, et comme elle *s'attend* au pire, il est évident qu'elle en arrive toujours à la même conclusion: «Je n'ai pas le contrôle.»

> DIANE B.: Je juge si oui ou non je fais des progrès selon la façon dont je traverse une mauvaise période. Si je ne connais pas de mauvaise période et que tout va bien, je sens que je suis presque guérie. Mais si je recule devant une situation, alors je me juge très sévèrement. Je ne me fais de compliments que si je réussis.

Vous voyez que Diane aussi a la capacité d'observer. Mais elle interprète mal les faits. Quand elle passe une bonne journée, elle est persuadée que ses problèmes sont définitivement réglés. Cependant, les normes qu'elle s'impose sont si sévères que, au moindre revers, elle se considère comme une «ratée». Elle examine ses propres gestes avec les yeux de l'Observateur critique; elle ne peut jamais réussir aussi bien qu'elle le voudrait. L'Observateur critique ne permet aucune erreur.

> CORINNE L.: J'ai commencé à me sentir physiquement malade aujourd'hui, comme si j'avais une réaction allergique. Je me suis alors demandé: «Dans quelle mesure s'agit-il d'un malaise physique ou d'un malaise psychologique?» J'ai commencé à discuter avec moi-même: «Suis-je capable ou non de me rendre moi-même à ma séance de thérapie? Je ne le pense pas.» Finalement, j'ai cédé devant moi-même: j'ai demandé à mon mari de m'y conduire. Je ne croyais pas pouvoir m'y conduire moi-même, et je ne voulais plus lutter. Maintenant que je suis arrivée ici, une partie de moi-même ne s'en fait pas, tandis qu'une autre partie est dégoûtée de ce que je n'ai pas lutté.»

Les déclarations de Corinne illustrent l'effet combiné des trois Observateurs négatifs. Son Observateur inquiet se demande dans quelle mesure le malaise est physique. Son Observateur désespéré la fait cesser de lutter. Son Observateur critique assène le dernier coup: une partie d'elle-même se sent dégoûtée parce qu'elle n'a pas lutté. Pouvez-vous imaginer où cela mène de se traiter ainsi chaque jour? C'est comme cela que l'anxiété, l'estime de soi déficiente, le manque de motivation et la dépression risquent de devenir des éléments majeurs dans la vie de la personne sujette à la panique.

> CÉCILE W.: Moi, je m'observe avec trop d'acuité, mais d'une façon négative. Je suis toujours en train de m'observer, mais toujours avec appréhension. Comme le dirait Claire Weekes, j'ai toujours des écouteurs branchés sur mes sensations[1].

L'Observateur inquiet de Cécile amplifie le moindre changement dans ses sensations. Elle s'interroge. Que ressent-elle? Ses sensations vont-elles s'aggraver? Sera-t-elle à la hauteur? Pourquoi Cécile a-t-elle peur? Pas parce qu'elle ressent des symptômes physiques désagréables; pas parce qu'elle est attentive à son corps. C'est parce que son Observateur inquiet lui dit: «Tu risques d'être anéantie par une grave attaque de panique. Reste sur tes gardes!» Aux yeux de l'Observateur inquiet, l'expérience que vous êtes en train de vivre est sans importance. Il se rappelle plutôt à quel point l'expérience passée a été pénible et imagine combien terrifiant sera le moment à venir. Votre Observateur inquiet peut en fait prendre le dessus sur toute pensée rationnelle. S'il pense au traumatisme passé et imagine un danger imminent, votre cerveau n'a plus le choix: il doit interpréter ces fantasmes plutôt que la réalité objective. Le cerveau réagit au danger présumé en déclenchant automatiquement la réponse aux situations d'urgence. *Pour mettre fin aux symptômes physiques de la panique, vous devez faire taire l'Observateur inquiet.*

> DIANE: Je sais que je me fâche contre moi-même chaque fois que je me sens tendue sans raison.

Généralement, ce n'est pas sans raison que nous nous sentons tendus ou anxieux à un moment où n'existe aucune menace réelle. Soit que les événements du passé nous imprègnent encore, soit que nous anticipions des événements futurs. Grâce à l'Observateur,

---

1. Le docteur Claire Weekes a fait œuvre de pionnière dans l'étude de l'anxiété et de la panique. Elle est l'auteur de trois ouvages sur ce sujet.

nous pouvons objectivement examiner ces événements et les réactions qu'ils suscitent en nous. À partir de ces renseignements, nous choisirons le plan d'action susceptible de nous être le plus bénéfique. L'Observateur critique de Diane, toutefois, l'empêche de considérer ses propres besoins avec une certaine indulgence. Il lui dit plutôt: «Il n'y a pas de raison que tu sois tendue! Qu'est-ce qu'il y a qui ne va pas en toi?» Puisque l'Observateur critique de Diane fait partie de son système de croyances, il empêche que les faits réels entrent en ligne de compte.

Chacun de ces Observateurs «contaminés» agit en fonction d'un système de valeurs négatif déjà en place. Par conséquent, ces Observateurs gardent fermé l'esprit du sujet et l'empêchent de prendre des décisions intelligentes.

> ANNE: Quand je commence à percevoir des symptômes, je suis comme paralysée, et je me mets à l'écoute de mon corps. Ma première réaction, c'est la fuite. J'ai bien essayé de me ressaisir, de faire face à la situation, mais cela me vide sur le plan physique; je dois m'enfuir. En ce moment, je ressens des symptômes, et ma réaction immédiate, c'est de vouloir sortir d'ici. Je ne me sens pas l'énergie, physique ou émotionnelle, de continuer, parce que je suis comme cela depuis douze ans. J'ai l'impression que je vais mourir la semaine prochaine, à cause du tort que tout cela a fait à ma santé.

Les commentaires d'Anne illustrent la position de l'Observateur désespéré. Elle se sent «paralysée» et avalée par les symptômes ressentis. Elle se sent «vidée» de son énergie, au point d'être incapable d'imaginer qu'elle puisse survivre à ses symptômes. Comme elle vit dans cet état depuis douze ans, elle en conclut que rien ne changera jamais. Les périodes de panique semblent s'empiler les unes sur les autres; son fardeau s'alourdit de jour en jour. Elle croit qu'elle finira par s'écrouler sous ce poids. Voilà le type de «contamination» de l'Observateur qui mène à la dépression.

Comme tout notre agir est basé sur notre interprétation des faits et non pas sur les faits eux-mêmes, l'Observateur inquiet, critique ou désespéré nous empêche d'agir positivement. Retournez aux exemples donnés pour l'Observateur inquiet à la page 235.

Relisez-les tous, et imaginez les types de comportements que peuvent entraîner ces interprétations. Faites de même avec les exemples concernant l'Observateur critique et l'Observateur désespéré. Essayez de dégager des traits communs aux neuf exemples. (Faites-le dès maintenant.)

Vous aurez probablement vu que les conclusions suivantes ont été tirées:

Je ferais mieux d'aller m'étendre.
Je crois qu'il est dans mon intérêt d'annuler mon allocution.
Je ferais mieux de m'en aller pendant que je le peux encore.
Je vais cesser d'essayer.
De toutes façons, mieux vaut que je ne sois pas avec des gens.
Je leur dirai d'y aller sans moi.
J'abandonne.

En d'autres mots, ces Observateurs «contaminés» vous incitent à la passivité, à l'inaction. Ils vous poussent à vous sentir impuissant, à cesser d'essayer, à brandir le drapeau blanc.

L'Observateur inquiet, généralement en action juste avant l'apparition des symptômes physiques ou pendant ceux-ci, va un peu plus loin. Il fournit une interprétation déformée au cerveau. Revenons au premier exemple: «Mon cœur bat de plus en plus vite... Oh non! que se passe-t-il? Est-ce que c'est une crise cardiaque? C'est sûrement une crise cardiaque.» Le cerveau en arrive à cette interprétation: «Je perds le contrôle.» Le cerveau répond alors adéquatement à l'interprétation erronée et déclenche la réaction aux situations d'urgence.

Cela explique pourquoi il arrive que, juste après vous être demandé si des symptômes se développent en vous, ces symptômes s'aggravent, comme par magie. À la suite d'une telle expérience, vous vous dites: «Bravo! J'étais vigilant; je me suis rattrapé avant que la panique me prenne par surprise. Je ferais mieux d'être plus souvent vigilant.»

Il n'y a pas de «magie» là-dedans. Percevez-vous le cercle vicieux? La solution que vous choisissez crée votre problème:

1. Vous êtes à l'affût de toute sensation physique.
2. Vous vous méfiez de la moindre sensation perçue.

3. Vous interprétez cette sensation comme étant le commencement d'une attaque de panique ou d'une autre perturbation sérieuse.
4. Votre cerveau déclenche la réponse aux situations d'urgence, pour vous «sauver».
5. Vous vous jurez d'être encore plus vigilant la prochaine fois.
6. Retour à la première étape.

Qu'est-ce qui peut remplacer ce cycle de passivité, d'appréhension et d'hypervigilance? Comment échapper à ces habitudes néfastes? Trois consignes s'imposent durant les moments de vulnérabilité à la panique:

Étape 1: Pensez avec votre Observateur.
Étape 2: Interprétez calmement les faits.
Étape 3: Choisissez l'action qui convient.

Si vous mettez fin aux commentaires inquiets, critiques et désespérés, votre Observateur deviendra l'une de vos ressources les plus précieuses.

L'Observateur

- prend le temps de collecter toutes les données pertinentes;
- est détaché de toute émotion vive;
- peut s'inquiéter, mais pense calmement;
- n'a aucun préjugé;
- met la situation en perspective;
- voit les problèmes sous un jour différent;
- est objectif.

Qui donc parviendrait à affronter des situations difficiles avec assurance tout en récitant mentalement une litanie de peurs, de critiques ou de doutes? L'Observateur rejette ces commentaires et concentre son attention sur l'information importante du moment: «Que se passe-t-il dans mon corps en ce moment?

Qu'y a-t-il d'inhabituel dans la situation actuelle? (Est-ce que j'ai déjà été effrayé ici antérieurement? Cela me rappelle-t-il une peur passée ou anticipée?) Comment comprendre ma réaction actuelle?» Vous pouvez poser ce genre de questions et y répondre en vous fondant sur une réflexion momentanée, comme si vous sortiez de la scène pendant un instant. («Je commence à être tendu encore une fois. Pourquoi? Rien de particulier ne me dérange. Je suis tout simplement assis ici, devant le téléviseur. [Pause pour réfléchir] Ah! L'héroïne vient de se quereller avec son mari. Je crois que c'est à ce moment-là que j'ai commencé à ressentir de la tension.»)

La capacité de ralentir sa réflexion pour évaluer objectivement une situation constitue une première étape essentielle, parce que c'est à partir de cette information que vous agirez. Si, dans l'exemple précédent, vous vous empressez de penser: «Mon Dieu! C'est une attaque de panique qui commence. Quelle sera son intensité?» vous deviendrez la victime impuissante de la panique, parce que vous n'aurez pas réfléchi un seul instant avant de succomber aux symptômes. Mais si vous vous arrêtez un instant pour penser: «Je réagis à la querelle que je vois à la télévision», vous vous créez un point de repère, vous vous donnez une explication plausible.

Rassembler les faits et les interpréter, voilà deux étapes distinctes, qui doivent être franchies l'une après l'autre durant les périodes de vulnérabilité à la panique. À la première étape («Pensez avec votre Observateur»), votre Observateur concentre toute son attention sur l'expérience du moment. Pas d'émotion, pas d'excitation. L'Observateur est détaché des faits qu'il rassemble. Même la recherche d'une cause à la tension ressentie peut se faire avec détachement. Il ne faut pas se laisser entraîner dans un flot de pensées effrénées: «Oh! Je suis un peu nerveux en ce moment. Je viens de m'éveiller. Pourquoi suis-je si énervé? J'ai sans doute mal dormi ou j'ai fait un cauchemar. Zut! C'est le début d'une autre journée terrible.» Rappelez-vous que vous disposez de tout le temps dont vous avez besoin pour réfléchir méthodiquement. («Il ne s'agit pas d'une situation d'urgence.») En fait, plus vous vous donnerez de temps pour réfléchir, plus il est probable que vous exploiterez les ressources de votre Observateur.

Dans l'exemple précédent, si vous vous efforcez de penser plus lentement, votre Observateur vous dira peut-être: «Oh! Je suis un peu nerveux en ce moment. Je viens de m'éveiller. [Pause pour réfléchir] Il y a sûrement une explication logique, même si je ne sais pas trop ce que c'est.» Cet exemple soulève un point important. Vous aurez remarqué que l'Observateur ne trouve pas la cause exacte de la tension. Quelquefois, cette cause n'est pas évidente ou n'est pas immédiatement connue. Dans ce cas, l'Observateur donne un nouvel énoncé de la situation: «Il y a une explication logique à ces sensations, même si je suis incapable de la trouver en ce moment.» Votre Observateur ne dit pas (comme pourrait le faire l'Observateur inquiet): «Il faut *absolument* que je trouve l'explication *immédiatement*.» Votre Observateur s'en tient à ses fonctions: collecter calmement les données et rapporter l'information.

Peut-être que votre corps tremble, que vos jambes sont faibles ou que votre respiration est rapide. Mais votre Observateur peut se distancier de ces symptômes. Il peut rapporter, avec détachement, les faits qu'il rassemble. Il prend note des faits, mais ne s'en inquiète pas. *S'inquiéter des symptômes, c'est les aggraver.*

L'Observateur n'essaie pas de résoudre les problèmes; il observe ce qui se passe sans intervenir. Tous ceux d'entre nous qui ont dû un jour réagir à une urgence physique soudaine, sur la route ou à la maison, ont fait l'expérience des capacités de leur Observateur. Une fois la crise passée, la plupart ont pu rapporter dans le détail tout ce qu'ils ont vu ou pensé. C'est un peu comme si le temps avait ralenti, et que chaque seconde avait duré une minute. Ces souvenirs détaillés sont l'œuvre de l'Observateur. Comme une caméra, il enregistre objectivement toutes les données pertinentes. Durant le moment de panique, votre premier devoir est d'observer et d'écouter grâce à la caméra de votre Observateur.

La deuxième étape, pour vous, c'est d'interpréter calmement les faits que votre Observateur a rapportés. Il s'agit pour vous d'établir des liens entre les faits observés. Dans l'exemple donné plus tôt au sujet de l'émission de télévision dans laquelle l'héroïne se querellait avec son mari, vous établirez un lien: «Puisque j'éprouve de la difficulté à vivre les conflits dans ma vie, je parie que c'est ce qui explique pourquoi j'ai eu une réaction excessive à cette scène. Je ne devrais pas ressentir si vivement de telles émotions en ce moment.»

La personne du second exemple, celle qui est nerveuse quand elle se lève le matin, se dira: «Cela ne me servira à rien de concentrer mon attention sur ces symptômes en ce moment.»

En d'autres mots, la deuxième étape («Interprétez calmement les faits») répond à la question: «Selon ce que je sais en ce moment grâce à l'observation, de quoi ai-je besoin?» Encore une fois, prenez le temps de réfléchir calmement à cette question.

Au début de votre apprentissage de cette technique, je vous recommande de ralentir votre réflexion durant les première et deuxième étapes. Je vous recommande de consacrer à la seule collecte de données au moins dix fois (!) plus de temps que vous ne le faites en ce moment. Cela peut vous sembler long, mais tout est relatif dans cette situation. La personne sujette à la panique met probablement moins de deux secondes à conclure qu'elle est en train de perdre le contrôle. Aucune pensée objective n'a cours. Dans la plupart des situations provoquant la panique, vous avez besoin de moins de vingt secondes d'observation pour évaluer la situation avec réalisme. Dix secondes de plus vous suffiront la plupart du temps pour interpréter l'information. À ce moment-ci, vous êtes prêt pour la troisième étape: «Choisissez l'action qui convient.» (Les chapitres suivants seront consacrés à cette étape.) Cette recommandation de consacrer trente secondes au processus, je ne la fais que pour vous donner une vague idée du temps dont vous avez besoin. Bien entendu, le temps nécessaire variera en fonction de la situation et de l'individu. Certains de mes patients peuvent franchir les trois étapes en moins de cinq secondes:

> OBSERVATEUR: «Je suis tendu.»
> INTERPRÉTATION: «Il n'y a pas de raison que je le sois.»
> ACTION: Inspirez profondément, expirez bruyamment, relâchez les muscles tendus.
> Dans une situation qui exigerait un temps de réflexion un peu plus long, les pensées pourraient se présenter comme suit:

OBSERVATEUR: «Je me sens anxieuse en ce moment. Pourquoi? Peut-être parce que Jean part en voyage d'affaires pendant trois jours. Cela m'est arrivé dans le passé d'être anxieuse pour cette raison.»
INTERPRÉTATION: «Je dois trouver le moyen pour me rassurer durant les jours prochains.»
ACTION: «Pourquoi ne pas parler à Jean de mes inquiétudes avant son départ? Peut-être qu'il pourrait m'aider. J'en parlerai aussi à Judith. Son mari voyage beaucoup; elle aura sûrement quelques conseils à me donner. Je veux avoir quelques suggestions avant le départ de Jean, mercredi prochain.»

Pour illustrer encore mieux les deux premières étapes, revenons aux neuf exemples fictifs du début du chapitre. Cette fois, j'éliminerai les commentaires négatifs pour ne garder que les énoncés de l'Observateur (première étape), suivis d'interprétations possibles (deuxième étape). Rappelez-vous que la deuxième étape répond à la question: «Selon ce que je sais en ce moment grâce à l'observation, de quoi ai-je besoin?» L'action particulière à prendre dans chaque scénario n'est pas encore décrite. Ce sera la troisième étape.

OBSERVATEUR: «Mon cœur bat de plus en plus vite. Je commence à m'inquiéter et à me demander ce que cela signifie.»
INTERPRÉTATION: «Il ne s'agit pas d'une urgence. Je peux dissiper mes inquiétudes et calmer mon corps.»

OBSERVATEUR: «Mon allocution est prévue pour la semaine prochaine. J'ai peur de ne pas bien m'en tirer.»
INTERPRÉTATION: «Il est normal que je m'inquiète au sujet de cette allocution. D'ici là, je devrai sans doute me convaincre que je suis capable de m'en tirer.»

OBSERVATEUR: «Il y a beaucoup de clients qui font leurs emplettes ici aujourd'hui. Les files à la caisse seront sûrement interminables. Je me suis déjà sentie mal à l'aise dans des files.»
INTERPRÉTATION: «Il ne s'agit *pas* d'une urgence. Il faut que je me domine pendant que je suis ici. Je partirai plus tard, après avoir fait quelques achats. Il n'y a aucune raison pour que je me presse. Je ferai de mon mieux.»

Observateur: «La semaine passée, quand je me suis rendu au magasin, je n'ai eu aucun symptôme. Ce matin, j'ai été pris d'anxiété et je n'ai pas pu aller au magasin.»
Interprétation: «Quand je n'atteins pas mes objectifs, j'ai tendance à me juger sévèrement. Cela ne m'est pas bénéfique. J'ai besoin de m'aider moi-même et d'établir un nouvel objectif.»

Observateur: «Ce soir a lieu la réception chez les Durand, et j'ai peur d'y aller.»
Interprétation: «Il est normal pour moi d'être appréhensif à la pensée de cette réception. Les sorties en société me sont généralement difficiles. Mais je ferais bien de rester calme et de m'occuper jusqu'au moment où je devrai me préparer à sortir.»

Observateur: «Toute la famille est censée se réunir en Floride cet automne. J'ai peur de l'avion; je ne l'ai pas pris depuis six ans.»
Interprétation: «Rien ne doit être décidé dès maintenant. J'ai tout le temps du monde pour penser à ce que je ferai.»

Observateur: «Suzanne veut que j'aille déjeuner avec elle. Je me sens souvent prise au piège dans les restaurants.»
Interprétation: «J'ai besoin de croire que Suzanne m'aidera si j'y vais. Et j'ai besoin d'avoir un certain contrôle sur la "logistique" du déjeuner.»

Observateur: «J'étais si extravertie auparavant. Maintenant, je quitte rarement le foyer, sauf quand je dois conduire les enfants quelque part.»
Interprétation: «Cette façon d'agir me fait du tort. Je dois me trouver des activités qui me feront me sentir mieux dans ma peau.»

Observateur: «Aujourd'hui, je me sens vidé sur le plan physique. Moi qui voulais travailler un peu autour de la maison.»
Interprétation: «Si je ne fais rien de la journée, je serai fâché contre moi-même. Je dois commencer la journée en accomplissant des petites tâches brèves. Je dois procéder par étapes, une seule étape à la fois.»

14

Trouver son Observateur

Au dixième chapitre, j'ai décrit la réponse calmante, propre à contrebalancer les symptômes de la panique. Et au treizième chapitre, j'ai présenté le concept de l'Observateur, qui vous donne la perspective dont vous avez besoin durant les périodes d'anxiété. Dans le présent chapitre, je vous proposerai des méthodes précises pour produire la réponse calmante tout en mettant en fonction votre Observateur. Dans la situation qui provoque la panique, c'est exactement ce que vous devez faire. Si vous calmez votre corps et videz votre esprit de tout commentaire négatif, vous deviendrez mentalement plus alerte et plus vigilant; en quelques secondes, vous serez prêt à prendre soin de vous-même.

Les premières étapes sont importantes

Le meilleur moyen de maîtriser une technique, c'est de la décomposer en «éléments», plus faciles à assimiler. Par exemple, quand vous apprenez à dactylographier, vous commencez par taper et retaper quelques lettres, afin de maîtriser le mouvement des doigts. Vous répétez les mêmes séries de lettres jusqu'à ce que vous preniez de l'assurance. Ensuite, vous vous exercez à taper un plus grand nombre de caractères, puis des combinaisons de lettres plus compliquées. On vous enseigne à dactylographier lentement au début, de telle sorte que vous puissiez mieux concentrer votre attention; la vitesse viendra plus tard. L'apprentissage se poursuit par étapes: mots de deux lettres, de trois lettres, de cinq lettres... syntagmes et, finalement, phrases complètes et ponctuées.

La même patience et la même assiduité sont nécessaires ici. Si vous maîtrisez déjà une technique de relaxation ou de méditation, l'exercice quotidien renforcera votre habileté et votre assurance. Peu à peu vous serez mieux en mesure de reconnaître les moments durant lesquels votre esprit et votre corps sont tendus et ceux durant lesquels ils sont à l'aise. Il faut du temps pour maîtriser les techniques décrites dans le présent chapitre. Rappelez-vous votre apprentissage de la bicyclette ou du patin à roulettes. Les premières fois, vous vous êtes sûrement dit: «Je n'y arriverai jamais; je suis trop maladroit.» Mais vous avez persévéré et vous y êtes parvenu.

Certains croiront peut-être que ces techniques ne sont pas assez puissantes pour venir à bout des attaques de panique qui les anéantissent. À ces gens je dis ce que je répète à mes patients depuis de nombreuses années: si vous êtes déterminés à contrôler vos attaques de panique, vous le pouvez. Si vous êtes disposés à apprendre ces nouveaux comportements afin de vaincre la panique, alors il faut vous exercer sans relâche. Personne n'est condamné à souffrir indéfiniment de cette affliction.

Au cours de la relaxation musculaire profonde, en laissant vos muscles répéter maintes fois les contractions et les décontractions, vous leur donnez l'occasion de créer de nouveaux circuits dans votre cerveau. Bientôt, ces circuits seront suffisamment forts pour fonctionner sans exercices préalables. La répétition acharnée des expériences structurées que je propose dans le présent chapitre vous permettra aussi de créer de nouveaux circuits pour ces techniques indispensables. Quiconque joue d'un instrument musical sait combien de temps et d'efforts sont nécessaires pour qu'il apprenne les mouvements rudimentaires. Avec l'exercice et la persévérance, ces mêmes mouvements deviendront des réflexes et ne feront plus appel à la pensée consciente.

Rappelez-vous que votre objectif premier est de trouver la méthode qui, à long terme, vous permettra le mieux de vaincre la panique. Il faut faire un pas à la fois. L'apprentissage de toute nouvelle technique doit être entrepris durant les périodes de faible anxiété, quand vous ne ressentez aucun stress. Une fois la technique maîtrisée, vous commencerez à la mettre en pratique dans les situations qui provoquent la panique. Personne n'attend d'avoir été embauché comme dactylo pour apprendre à taper à la machine. Et personne ne doit s'attendre à ce que les méthodes que je propose soient aussi efficaces au départ qu'elles le seront avec l'exercice.

Commençons par faire quelques expériences. Pour la première, je vous demande de suivre les consignes suivantes:

Énumération calmante (version exercice)

1. Asseyez-vous confortablement.
2. Inspirez longuement et profondément, puis expirez lentement en disant mentalement le mot «relaxe».
3. Fermez les yeux.
4. Les yeux fermés, inspirez dix fois naturellement, calmement.
5. Comptez chaque expiration, en commençant par dix, jusqu'à un.

Exercez-vous maintenant; commencez à relire les consignes, lentement, comme si votre être entier fonctionnait au ralenti. Laissez votre respiration naturelle demeurer calme; inspirez doucement dans le diaphragme, comme nous l'avons vu au onzième chapitre.

Maintenant, reprenez le même exercice, avec une étape de plus:

Énumération calmante

1. Asseyez-vous confortablement.
2. Inspirez longuement et profondément, puis expirez lentement en disant mentalement le mot «relaxe».
3. Fermez les yeux.
4. Les yeux fermés, inspirez dix fois naturellement, calmement. Comptez chaque expiration, en commençant par dix, jusqu'à un.
5. Cette fois-ci, pendant que vous respirez avec aisance, prenez conscience de toute tension, peut-être dans votre mâchoire, dans votre front ou dans votre estomac. Imaginez que ces tensions se dissipent.
6. Quand vous arrivez à l'expiration numéro un, rouvrez les yeux.

Exercez-vous maintenant, en inspirant profondément. Répétez l'expérience une troisième fois, cette fois-ci en inspirant vingt fois, en comptant à partir de vingt, jusqu'à un. Exercez-vous dès maintenant.

Au moment où vous rouvrez les yeux, avant de redevenir actif, prenez un instant pour inspecter mentalement votre corps. Que remarquez-vous? Qu'est-ce qui a changé? Comment vous sentez-vous maintenant, de façon générale? Si vous ressentez dans votre corps une impression de lourdeur ou de légèreté, ou encore un picotement, si vous avez senti vos muscles se décontracter, si votre respiration vous semble plus calme, alors vous êtes en train d'apprendre la réponse calmante.

Avez-vous eu de la difficulté à faire votre énumération d'inspirations? Avez-vous été distrait par d'autres pensées? Avez-vous fait des commentaires «inquiets», «critiques» ou «désespérés» durant les trois exercices? Généralement, mieux vous serez capable de vous concentrer passivement sur l'énumération d'inspirations, plus calmes deviendront votre esprit et votre corps. Plus vous «travaillez» à vous concentrer, plus difficilement vous y arriverez. Votre tâche n'est *pas* de concentrer votre attention sur le changement qui s'opère dans votre respiration; ce n'est *pas* d'évaluer le déroulement de l'exercice au beau milieu de l'expérience. C'est simplement de laisser chaque expiration devenir le signal pour le numéro suivant dans votre esprit — inspiration...

expiration... «vingt»... inspiration... expiration... «dix-neuf»... et ainsi de suite. Quand d'autres pensées assaillent votre esprit, ignorez-les tout simplement, et poursuivez votre énumération.

Votre Observateur et la réponse calmante

Chaque fois que votre respiration se calme et que votre esprit se concentre sur quelques pensées toutes simples, vous incitez la réponse calmante. Durant l'énumération calmante, quand la conscience de votre respiration suffit tout juste à vous permettre de compter vos expirations et que vous remarquez et rejetez sans effort les commentaires inutiles, vous exploitez les ressources de votre Observateur. Cet exercice est un excellent moyen pour vous d'apprendre à connaître votre Observateur et la réponse calmante.

L'énumération calmante peut s'appliquer directement au contrôle des attaques de panique. Une bonne façon de faire, c'est de l'intégrer aux techniques de relaxation ou de méditation, pour arriver à vous concentrer pleinement. Nous savons par expérience que si, quotidiennement, vous vous réservez un certain temps pour calmer votre esprit et détendre votre corps, la panique aura de moins en moins d'occasions de faire irruption dans votre vie. Plus vous êtes reposé sur les plans physique et psychologique, mieux vous êtes protégé. Si vous éprouvez de la difficulté à vous concentrer durant ces moments de calme que vous vous réservez, l'énumération calmante peut vous être utile.

La relaxation musculaire profonde induite par signaux, que je décris au douzième chapitre, est l'une des méthodes de déclenchement de la réponse calmante qui recourt à votre Observateur. Dans un même temps, elle empêche les tensions quotidiennes de s'accumuler les unes sur les autres. Si vous appliquez cette méthode, vous verrez que des commentaires «inquiets», «critiques» ou «désespérés» peuvent se faire entendre de temps à autre durant les vingt minutes que dure l'exercice. (Vous reconnaîtrez ces commentaires et les ignorerez tout simplement.) C'est l'étape finale, celle où vous devez vous réfugier en esprit dans votre «endroit sûr», qui exige la plus grande capacité de concentration passive. Si vous trouvez que vous avez de la difficulté à conserver une concentration douce et tranquille durant cette période, recourez à l'exercice d'énumération suivant plutôt qu'à votre image mentale: au lieu de vous réfugier dans votre endroit sûr, commencez à compter silencieusement chaque expiration, en partant de cent, jusqu'à un. Suivez les consignes de l'énumération calmante.

Énumération de cent

1. Asseyez-vous confortablement.
2. Inspirez profondément, puis expirez lentement en disant mentalement le mot «relaxe».
3. En respirant d'une façon détendue et naturelle, comptez silencieusement les expirations, en partant de cent, jusqu'à un.
4. Si vous prenez conscience d'une certaine tension, peut-être dans votre visage, dans votre mâchoire, dans votre estomac ou ailleurs, suggérez-lui mentalement, en douceur, de se dissiper.
5. Si vous prenez conscience de pensées inopportunes, laissez-les s'évanouir et reprenez votre énumération.
6. Si vous vous perdez dans votre énumération, retournez tout simplement au numéro où vous croyez avoir été distrait.
7. Une fois arrivé au numéro un, rouvrez lentement les yeux, tout en pensant combien vous vous sentez rafraîchi et alerte.

Si vous avez l'occasion de passer chaque jour un peu de temps seul avec vous-même pour vous débarrasser des tensions de la journée, je vous recommande aussi d'expérimenter la méditation, proche parente des exercices de relaxation. Comme je l'ai dit au douzième chapitre, les quatre éléments essentiels de la méditation sont: un endroit tranquille, une position confortable, un objet sur lequel la pensée peut se porter et une attitude passive.

Voici une version de l'exercice de méditation qui comprend l'énumération calmante. Je l'ai conçue tout particulièrement pour mes patients sujets à la panique, parce qu'elle offre deux avantages distincts, par rapport à la méditation traditionnelle. Premièrement, elle vous donne plus l'impression d'avoir le contrôle, puisque vous devez compter dans un ordre décroissant. Deuxièmement, elle réduit le nombre de pensées inopportunes qui assaillent votre esprit. Voilà qui est fort utile quand vous êtes inondé de commentaires négatifs. L'énumération calmante vous donne une tâche «neutre» et précise à accomplir: compter chaque expiration jusqu'au numéro un. Cette tâche fera directement concurrence aux commentaires négatifs; par conséquent, votre esprit s'engagera moins dans ces pensées néfastes.

Méditation avec énumération de cent

1. Asseyez-vous confortablement dans un endroit paisible.
2. Inspirez profondément, puis expirez lentement en disant mentalement le mot «relaxe».
3. En respirant d'une façon détendue et naturelle, comptez silencieusement les expirations, en partant de cent, jusqu'à un.
4. Si vous prenez conscience de pensées inopportunes, laissez-les s'évanouir. Reprenez votre énumération en vous concentrant.
5. Quand vous arrivez à un, reprenez votre compte à cent.
6. Quand vous arrivez à un la seconde fois, comptez chaque expiration, de un jusqu'à dix. Durant cette énumération finale, dites-vous que, quand vous allez rouvrir les yeux au chiffre dix, vous vous sentirez rafraîchi et alerte.

À la fin de cet exercice ou de tout autre exercice décrit dans le présent ouvrage, ne commencez pas immédiatement à évaluer votre «performance». Un grand nombre de variables déterminent notre réponse à tel ou tel exercice. Par exemple, les jours où vous êtes très anxieux, votre concentration pourrait être faible. Néanmoins, vous exercer ce jour-là à votre expérience méthodique, si difficile que ce soit, peut vous rapporter davantage qu'un «bon» exercice exécuté un jour de moindre stress. Chaque fois que vous choisissez délibérément de calmer votre corps et de détendre votre esprit, vous favorisez votre bonne santé.

Quand vous deviendrez plus expert dans le déclenchement de la réponse calmante, par la pratique quotidienne de la relaxation ou de la méditation, vous pourrez recourir à une technique plus brève, que j'appelle «respiration calmante».

Respiration calmante

1. Inspirez profondément, en remplissant d'abord la partie inférieure de vos poumons, puis la partie supérieure.
2. Expirez *lentement,* en disant mentalement le mot «relaxe» (ou un autre mot).
3. Laissez vos muscles devenir mous et chauds; décontractez le visage et la mâchoire.
4. Demeurez dans cette position de «repos» physique et mental pendant quelques secondes, ou le temps de deux ou trois respirations naturelles.

Si vous devez garder les yeux ouverts en raison des circonstances (vous êtes au volant ou vous n'êtes pas seul), n'hésitez pas à le faire. Cependant, durant les premières semaines d'apprentissage, recherchez les occasions de vous exercer les yeux fermés. Cela augmentera les chances que votre corps réponde à vos suggestions.

Durant la respiration calmante, vous tirerez parti des signaux que vous avez établis en pratiquant les techniques de relaxation ou de méditation: vous répétez un «mantra», vous respirez d'une manière particulière et vous donnez à votre corps l'occasion de faire naître les mêmes sensations agréables qu'il éprouve durant la réponse calmante.

C'est là une autre technique, comme celle de l'énumération calmante, à laquelle vous devriez vous exercer durant la journée, que vous vous sentiez tendu ou non. Même si vous ne vous êtes jamais livré à de longs exercices de relaxation, vous pouvez commencer immédiatement à le faire en recourant à l'énumération calmante et à la respiration calmante. Il a été prouvé que ces techniques, utilisées plusieurs fois par jour, chaque jour, empêchent les tensions quotidiennes normales de s'accumuler. Si vous commencez à vous exercer régulièrement durant les périodes où il n'y a pas de crise, vous créerez dans votre cerveau de nouveaux circuits qui favoriseront le calme mental et la détente physique. Ainsi, quand vous aurez besoin de ces techniques dans une situation provoquant la panique, elles vous viendront quasiment comme une seconde nature.

En plus de dissiper les tensions, toutes les expériences méthodiques de ce chapitre vous enseigneront à vous débarrasser des pensées inutiles: vous en prenez conscience, puis vous les laissez s'évanouir. Presque chaque fois que vous pratiquerez l'une de ces techniques, vous verrez que des pensées viennent flotter dans votre esprit. Plus vous vous exercerez à les laisser s'évanouir, plus vous deviendrez habile, de telle sorte que, durant une crise réelle, il vous sera facile d'appliquer la technique. Ainsi, au lieu de prendre conscience de telle pensée inopportune durant l'énumération calmante, vous désarmerez l'ensemble des pensées négatives qui génèrent la tension en vous. La lenteur de vos progrès dans l'apprentissage de ces techniques ne doit donc jamais vous décourager. Plus vous affronterez de difficultés durant votre période d'apprentissage, mieux vous serez préparé pour les crises réelles. Je n'insisterai jamais assez sur les avantages de la répétition inlassable des exercices. Vous serez récompensé au centuple. Ces méthodes doivent vous venir aussi automatiquement que la réponse de panique, parce que durant le moment de panique vous aurez besoin de concentrer votre attention sur quelques pensées toutes simples. Plus ces techniques vous viendront naturellement, mieux elles vous serviront durant les périodes difficiles.

15

Une nouvelle attitude: l'Observateur bienveillant

Pour la plupart d'entre nous, le monde est fait d'une multitude de décisions à prendre, d'arguments à soupeser, de choix à faire. Chaque jour, nous devons faire des douzaines de choix: choisir nos vêtements le matin, choisir les aliments aux repas, choisir les activités de la journée. Comment prenons-nous ces décisions?

Dans chacun de ces domaines, avec le temps et par tâtonnement, nos goûts individuels se développent. Si l'on vous demandait de décrire vos aliments préférés, la musique que vous aimez ou vos vacances idéales, vous énuméreriez sans doute les qualités que vous recherchiez quand vous avez fait ces choix. Par exemple: «J'aime un lieu de villégiature où il y a beaucoup de soleil, mais où il ne fait pas trop chaud. Un endroit pas trop fréquenté. Et il devrait y avoir de l'eau: une piscine, un lac ou la mer.» Nous choisissons un lieu de villégiature en fonction des caractéristiques auxquelles nous accordons de la valeur.

Si nous prenons conscience de nos préférences et de nos goûts en général, chaque décision est rendue plus facile. Je ne passe pas une heure chaque matin, dans la cuisine, à me demander si, pour le petit déjeuner, je devrais prendre des céréales, des œufs, des crêpes, du gruau, des toasts ou rien qu'un verre de jus. Comme je connais bien ce que j'aime et ce que je n'aime pas, le choix est facile.

Filtrer les faits

La même règle s'applique à toutes les décisions à prendre. Plus nous prenons conscience de nos goûts, de nos préférences, de nos valeurs et de nos inclinations, moins nous devrons consacrer de temps au choix. Imaginez combien il serait ennuyeux, au restaurant, de devoir passer une demi-heure à analyser chaque plat du menu avant d'en choisir un. À un moment donné, il faut faire confiance à notre propre jugement. Nous devons nous décider.

La prise de décision se fait en trois étapes. Premièrement, nous observons et enregistrons l'information mise à notre disposition. («Ce menu offre du bifteck, des pâtes et du poisson.») Deuxièmement, nous interprétons l'information à partir de nos connaissances, de nos expériences et de nos préférences. («J'ai mangé du bifteck hier soir; je n'ai pas envie de pâtes. J'aimerais bien la truite.») Troisièmement, nous agissons, à partir de notre interprétation (nous commandons la truite farcie). En d'autres mots, durant l'étape de l'interprétation, nous filtrons l'information dans le tamis de nos préférences personnelles, avant de choisir l'action.

Ce filtrage ne se fait pas toujours dans notre intérêt. La personne sujette à la panique qui filtre l'information dans le tamis d'un Observateur négatif restreint son choix d'une façon qui lui fait du tort. Chacun des Observateurs négatifs manifeste une attitude bien particulière par rapport au monde.

Voici par exemple une attitude typique de l'Observateur inquiet: «Fort probablement, la situation se dégradera. Je dois faire preuve d'une prudence extrême avant d'agir. Quel choix dois-je faire pour me protéger de tout inconfort? Il me faut éviter les difficultés; je dois me sentir parfaitement à l'aise. Je suis disposé à sacrifier bien des choses pour arriver à me sentir en sécurité. Si je fais le mauvais choix, ce pourrait être catastrophique.»

L'Observateur désespéré pourrait filtrer ainsi l'information: «J'ai toujours été mal à l'aise dans ce genre de situation, et je le serai sans doute toujours. Rien n'y fera. Les problèmes que j'ai connus dans le passé se répéteront demain, la semaine prochaine et l'année prochaine. Je n'irai jamais mieux. La vie est trop difficile.»

L'Observateur critique, lui, pourrait filtrer l'information comme ceci: «Tu ferais mieux de ne pas commettre une autre erreur. Il est probable que, en essayant quelque chose de nouveau ou de hardi, tu te tromperas et tu te mettras dans l'embarras encore une fois. Tu n'as pas ce qu'il faut pour changer. Tu as l'échec dans le sang.»

Notre esprit s'occupe constamment à interpréter notre expérience du monde et à la commenter. L'une des capacités que vous devez acquérir pour contrôler la panique, c'est celle de reconnaître les commentaires des Observateurs négatifs et de les interrompre. Si vous ne mettez pas fin à ces attitudes négatives envers vous-même et envers le monde, vous continuerez de vous sentir mené par la panique, puisque ces attitudes vous empêchent de poser des gestes qui portent fruit.

Voyez aux Figures 6 et 7 le modèle que je vous propose pour illustrer ce concept. À chaque minute de veille, notre esprit scrute l'environnement au moyen de nos sens. Tout ce que nous voyons, entendons, sentons, touchons et goûtons constitue un stimulus qu'enregistre ce que j'appelle notre «Observateur». Mais si notre esprit permettait que ce déluge de sensations s'impriment dans notre cerveau, nous n'arriverions pas à saisir la signification du monde. Le monde ne serait qu'un énorme cafouillis. Par conséquent, tous les stimuli enregistrés par notre Observateur subissent un filtrage, afin que nous soyons en mesure de choisir la réponse appropriée. Ce filtre ne laisse passer que quelques stimuli simples, que nous interprétons ensuite. D'après notre interprétation de cette version simplifiée de nos observations, nous choisissons la manière de réagir. (Voir la Figure 6.)

Supposons que vous ayez décidé d'aller déjeuner au restaurant aujourd'hui (Figure 7). Vous arrivez au terrain de stationnement du restaurant. À ce moment-là, toutes vos sensations sont enregistrées par votre Observateur, notamment tout ce que vous voyez: la couleur, la forme et la grandeur de l'immeuble, le nombre et le type de voitures garées, et ainsi de suite. Au moment suivant, vous filtrez toutes ces données pour n'en tirer que quelques concepts, que vous interprétez ensuite: «C'est exactement le restaurant que je cherchais, et il ne semble pas trop bondé non plus.» À partir non pas de tous les stimuli, mais seulement de votre interprétation «post-filtrage», vous choisissez une réponse: «C'est ici que je vais déjeuner.»

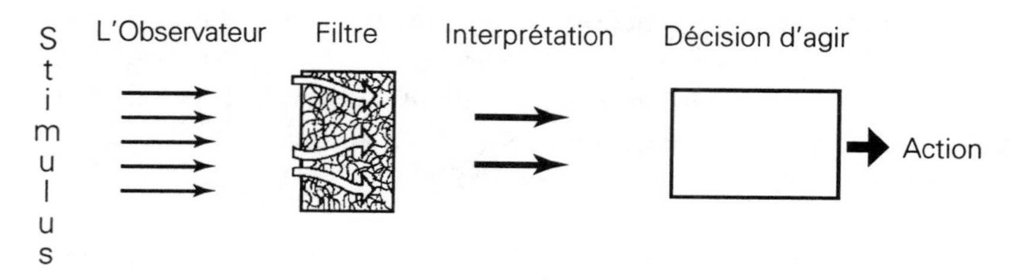

Figure 6. Processus décisionnel simple.

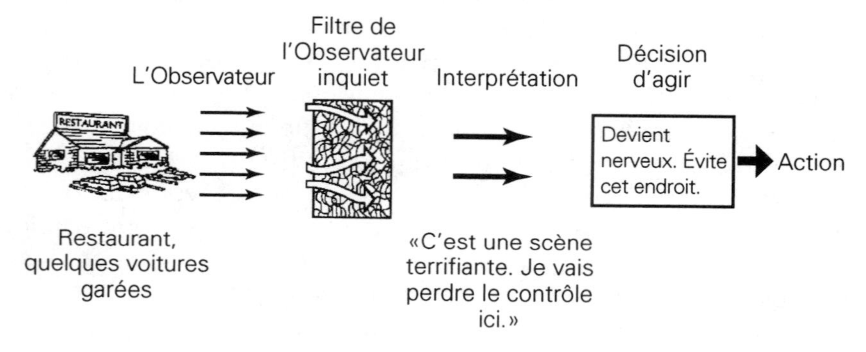

Figure 7. Processus décisionnel avec le filtre de l'Observateur inquiet.

Supposons maintenant que, dans un passé récent, vous ayez été victime d'une attaque de panique dans un restaurant. Vous décidez aujourd'hui d'aller déjeuner au restaurant avec un ami. Vous arrivez au terrain de stationnement et percevez les mêmes stimuli que dans l'exemple précité: couleur, forme et grandeur de l'immeuble, nombre de voitures garées. Par les fenêtres du restaurant, vous voyez même des gens attablés. Seulement, cette fois-ci, vous faites passer ces données, identiques à celles de l'exemple précédent, dans le filtre de l'Observateur inquiet. Votre interprétation de la situation est tout à fait différente: «C'est une scène terrifiante. Je vais perdre le contrôle ici. Ce n'est pas un endroit sûr.» Votre décision n'est pas la même non plus, parce que les décisions reposent toujours sur l'interprétation des faits, et non sur les faits eux-mêmes. Cette fois-ci vous vous dites: «Si je reste ici, je vais faire une crise nerveuse. Mieux vaut que j'évite cet endroit. Comment partir d'ici?»

Voilà pourquoi je vous dis que, pour contrôler la panique, vous devez apprendre à interrompre les commentaires de l'Observateur négatif. Mais, comme on le voit en physique, la nature a horreur du vide. Votre esprit doit toujours commenter vos observations. Si vous interrompez les commentaires négatifs durant une situation qui provoque la panique, mais négligez de les remplacer par d'autres commentaires, les mêmes pensées négatives reviendront assaillir votre esprit. En d'autres mots, votre esprit utilise constamment un filtre; si vous lui enlevez celui de l'Observateur négatif, vous devez le remplacer par un autre, plus bienveillant.

L'Observateur bienveillant

Quelles sont donc les qualités nécessaires à ce nouveau filtre? Dans une situation provoquant la panique, l'être humain a besoin de ressources importantes:

Le sentiment d'avoir le choix: Vous devez vous sentir libre de vous déplacer, de changer de direction. Vous devez savoir que vous n'êtes pas pris dans un piège, que vous n'êtes pas mené par une autre personne ou par une situation. Plus vous vous sentez libre, plus vous êtes à l'aise.

Le sentiment d'être en sécurité: Vous devez vous sentir protégé contre le danger, afin de poursuivre votre tâche. Vous devez vous sentir en sécurité dans votre environnement. Plus vous vous sentez en sécurité, plus vous êtes à l'aise.

Le sentiment d'être soutenu: Vous devez vous sentir stable et en sécurité. Vous avez besoin de vous sentir respecté, aidé et aimé. Les choix que vous faites doivent vous amener à bien vous sentir. Plus vous vous sentirez soutenu, plus il vous sera facile de vous engager dans de nouvelles activités.

Le sentiment d'être sûr de vous: Vous devez croire en vous-même, croire que vous allez arriver à vos fins. Vous devez espérer que tout ira pour le mieux, vous attendre à ce que tout aille pour le mieux. Vous devez avoir confiance en vos propres capacités, croire en votre réussite. Plus vous serez sûr de vous, plus vous serez maître de vos actes.

Bref, vous devez former en vous un nouvel Observateur — un Observateur bienveillant et assuré, qui vous offre des possibilités exemptes de risque. C'est ce que j'appelle l'Observateur bienveillant.

Je ne vous dis pas que vous pouvez effacer complètement tous les commentaires négatifs dans les situations de panique. Pour beaucoup de gens, ces commentaires reviennent automatiquement, chaque fois qu'ils envisagent de s'engager dans une situation génératrice de panique. Je vous suggère plutôt d'adopter une autre façon de voir les choses, qui raffermira vos intentions saines et positives, une perspective qui jouera le rôle d'un nouveau filtre durant les périodes de panique.

L'Observateur bienveillant

- vous rappelle que vous êtes libre, que vous avez le choix;
- vous permet de vous sentir en sécurité;
- soutient tous vos efforts;
- vous invite à être sûr de vous;
- vous fait confiance et vous permet de vous faire confiance à vous-même;
- s'attend à ce que l'avenir soit positif;
- vous fait remarquer vos réussites;
- cherche autour de vous les gens qui vous soutiennent;
- croit que vous pouvez changer;
- sait qu'il existe toujours plus d'une possibilité quand il faut prendre une décision;
- accorde plus d'importance aux solutions qu'aux problèmes.

Pour ce faire, vous aurez besoin d'un peu de temps et de beaucoup d'exercices. L'une des meilleures façons de vous lancer, c'est de considérer l'Observateur bienveillant comme une nouvelle attitude que vous pouvez adopter. C'est une façon particulière de voir les choses. Cet Observateur bienveillant possède sa propre voix.

«Je le peux... C'est normal...»

Dans le cas de l'Observateur négatif, la petite voix en vous est généralement sévère, dramatique, excessive: «Je ne peux *absolument* pas me permettre d'éprouver cela», «Cela va être *terrible*», «Je serai la *risée* de tout le bureau», «Je suis *ridicule*», «*Rien* ne marchera.»

L'Observateur bienveillant, lui, est souple, indulgent et compréhensif. Il vous laisse votre liberté; il vous donne plus de choix. Il travaille constamment à vous empêcher de vous sentir pris au piège, tout en vous aidant à atteindre vos objectifs. C'est ce qui rend si merveilleux l'Observateur bienveillant: il vous apporte un sentiment de sécurité tout en vous aidant à agir.

L'Observateur inquiet appose les mauvaises étiquettes sur vos émotions. Quand vous commencez à sentir les symptômes de l'anxiété, le filtre de l'Observateur inquiet vous amène à vous sentir terrifié. Cette réaction instinctive vous empêche de percevoir la moindre amélioration de vos capacités. L'Observateur bienveillant vous donne le temps de prendre conscience de vos propres émotions. Il vous aide à apposer une étiquette plus réaliste sur celles-ci. Quand vous éprouvez un peu d'anxiété, il fait échec à cette émotion: «Je commence à ressentir de la peur.» Il perçoit le moindre changement dans l'intensité de votre tension, à la hausse comme à la baisse.

L'Observateur désespéré sous-estime vos capacités: «Je ne peux pas. C'est impossible.» L'Observateur bienveillant dit: «Je ne suis pas prêt encore. Je vais faire un pas en arrière et m'essayer à une tâche moins menaçante.» Il vous rappelle que vous avez le contrôle et que vous pouvez résoudre vos problèmes.

Ces deux débuts de phrases expriment très bien cette attitude: «Je le peux...» et «C'est normal...» Voyez comment l'Observateur bienveillant en vous pourrait penser quand vous arrivez au terrain de stationnement du restaurant cité dans les exemples précédents.

> Nous voici dans le terrain de stationnement du restaurant. Je commence à me sentir nerveux. La dernière fois que j'ai mangé au restaurant, j'ai été victime d'une attaque de panique.

> Je ne suis pas obligé d'y aller si je ne le veux pas. C'est normal de dire à Suzanne que je ne me sens pas la force de le faire. Elle me comprendra. Je ne suis pas obligé de lui cacher la vérité.
> Je peux entrer dans le restaurant et voir ce qui se passera. Rien ne me force à avoir la même réaction que la dernière fois. Je peux me sentir en sécurité dans cet endroit. Si j'en ressens le besoin, je n'aurai qu'à partir. Ou je pourrai dire à Suzanne que je me sens nerveux et lui demander de m'aider. Rien ne m'oblige à rester au restaurant pour tout le repas si je ne le veux pas. Le pire qui puisse arriver, c'est que je ne finisse pas mon assiette. Ce n'est pas grave, ni pour moi, ni pour Suzanne. Je n'ai pas à m'en faire pour elle; en fait, elle me soutiendra probablement.
> Ma respiration commence à s'accélérer... Ce n'est *pas* une urgence. C'est normal de penser à ce dont j'ai besoin en ce moment. Je vais faire l'exercice de la respiration calmante. Je vais laisser mes muscles se décontracter un peu. Je peux prendre le temps de me calmer.
> Je crois que j'aimerais entrer dans le restaurant, rien que pour m'exercer à affronter cette situation.

Remarquez comme cette voix est indulgente; votre Observateur bienveillant sait que plus vous serez libre, mieux vous vous sentirez. Il n'exige aucune performance de votre part. Vous pouvez mettre fin à vos efforts quand vous le voulez. La petite voix vous rappelle aussi que vous pouvez chercher le soutien des autres: rien ne vous oblige à affronter seul la situation. En fait, vous allez vous rendre compte que le fait de vous confier à quelqu'un vous apporte un grand soulagement. Si vous vous obligez à garder en vous-même toutes vos pensées et émotions, vous allez vous sentir pris dans un piège, et vos symptômes vont s'aggraver.

Jusqu'au moment où vous aurez le sentiment d'avoir le choix, votre besoin premier sera l'évasion. Mais une fois que vous aurez acquis le sentiment de votre liberté, il vous sera possible d'envisager de vous rapprocher de votre objectif. Et à chaque pas que vous ferez vers l'avant, vous vous sentirez de plus en plus libre et de plus en plus soutenu.

Vous devez vous autoriser à alléger vos symptômes: «Ce n'est pas une urgence. Tu peux te calmer un peu.» Vous pouvez aussi continuer à éprouver un certain degré de nervosité. Rien ne vous oblige à vous sentir parfaitement calme quand vous expérimentez un nouveau comportement. Si vous avez récemment été pris de panique dans un restaurant, il est normal que vous vous sentiez un peu mal à l'aise dans un tel endroit. Vous devez vous attendre à cet inconfort et l'accepter, parce que vous finirez par ne plus avoir peur. Un jour, vous aurez «géré» la même situation assez souvent pour ne plus croire que vous allez vous écrouler, devenir fou ou vous sentir embarrassé.

La Figure 8 illustre la façon d'utiliser l'Observateur bienveillant pour remplacer l'Observateur négatif habituel. Grâce à l'attitude positive et indulgente de ce nouvel Observateur envers votre comportement, votre interprétation de la scène est tout à fait différente. Ce n'est plus: «C'est une scène terrifiante. Je vais perdre le contrôle ici.» C'est maintenant: «Je peux prendre un risque ici. C'est ici que je peux mettre mes capacités à l'épreuve.» Au lieu de devenir nerveux et de vous enfuir, vous décidez de persévérer, une étape à la fois, rien que pour vous entraîner.

Interrompre l'Observateur négatif

Nous recourons en permanence à un type de filtre ou à un autre, parce que, pour comprendre notre monde, nous devons analyser les faits à partir de nos croyances et de notre expérience. Non seulement ce filtre tamise toutes nos expériences, mais il semble aussi orienter notre attention intérieure. Certains jours, le filtre de l'Observateur négatif semble rivé en nous. Quoi que nous fassions et où que nous allions, nos soucis et nos difficultés nous obsèdent. Nous nous enlisons dans une façon de penser répétitive et négative au sujet d'une quelconque préoccupation. C'est un peu comme si nous étions un véhicule dont les roues patineraient et qui n'irait nulle part. Si cette situation persiste, nos difficultés s'en trouvent compliquées, parce que notre anxiété s'accentue. Si, à cause de mon Observateur désespéré, je me mets à penser: «Je ne finirai jamais ce livre. Je n'arriverai jamais à la fin. Je ne parviendrai pas à l'organiser», j'amorce un type de méditation bien particulier, une méditation *négative*. Je dirige toute mon attention vers une seule pensée. Mais au lieu de déclencher la réponse calmante, je génère moi-même anxiété et tension. Plus je deviens anxieux et tendu, plus je suis vulnérable à la panique.

Pour mettre fin à ce cycle, vous devez apprendre à reconnaître les moments où votre attention est concentrée sur les commentaires de votre Observateur négatif. Il arrive souvent que nous ne soyons pas conscients des pensées négatives qui affluent dans notre esprit. Quand vous commencerez à en prendre conscience, vous reconnaîtrez plus souvent les moments où votre attention est concentrée sur des commentaires négatifs. Quand vous prenez conscience d'un schème de pensée répétitif et négatif, décidez d'abord si vous voulez ou non y mettre fin. Demandez-vous à ce moment-là si ces pensées vous sont utiles. Le simple fait de vous poser une telle question interrompra momentanément la pensée négative. Si vous décidez de mettre fin à la pensée négative, laissez alors votre Observateur bienveillant renforcer cette décision: «J'ai la maîtrise de mes pensées. Rien ne m'oblige à me laisser mener par ces idées. Je peux cesser d'y concentrer mon attention.»

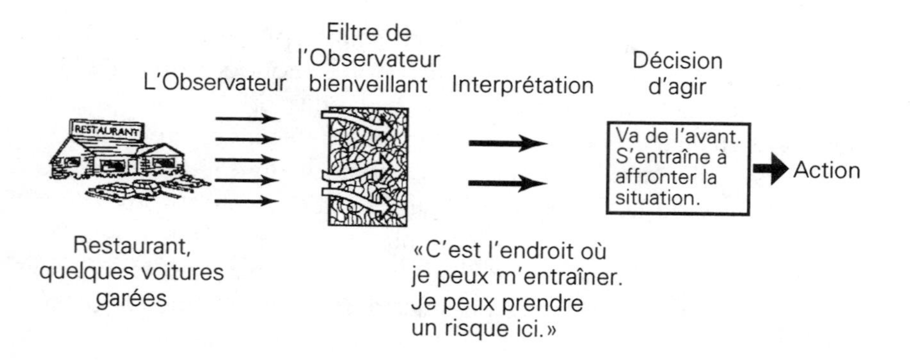

Figure 8. Processus décisionnel avec filtre de l'Observateur bienveillant.

Amorcez ensuite l'énumération calmante. Si vous voulez vous vider l'esprit pendant un instant, commencez à compter à partir de dix. Inspirez profondément. Expirez lentement en disant silencieusement le mot «relaxe». Comptez vos expirations, en partant de dix jusqu'à un. Cette énumération exigera moins d'une minute. Si vous croyez avoir besoin de plus de temps, commencez à compter à partir d'un chiffre plus élevé.

Interrompre l'Observateur négatif

1. Arrêtez-vous et écoutez vos pensées inquiètes, critiques ou désespérées.
2. Quand vous prenez conscience d'un schème de pensée négatif, décidez que vous voulez y mettre fin.
3. Renforcez votre décision au moyen de commentaires positifs. («Je peux laisser ces pensées se dissiper.»)
4. Amorcez l'énumération calmante.

Même si vos pensées négatives vous reviennent une minute plus tard, vous les aurez quand même interrompues pendant un instant. Il s'agit ici d'une méthode destinée à mettre de l'avant votre Observateur durant une période difficile. Quelques minutes plus tard vous voudrez peut-être interrompre à nouveau les pensées négatives au moyen d'une seconde énumération calmante. Lentement, vous commencerez à prendre du recul et à avoir une nouvelle perspective sur vos difficultés. Vous serez moins inquiet, et votre tension pourra se relâcher.

Vous pouvez adapter cette expérience à beaucoup de situations où vous vous trouvez en public. Par exemple, vous pouvez amorcer l'énumération calmante quand vous êtes sur le point de prononcer une allocution. Au lieu de ruminer des pensées négatives («Tout le monde va me voir trembler» ou «Je vais me rendre ridicule»), occupez votre esprit en lui faisant compter vos expirations.

Le même processus de pensée négative se produit quand nous envisageons d'affronter nos peurs. Par exemple, imaginez que, ce soir, vous deviez assister à une réception chez votre voisin. En règle générale, vous évitez ce genre d'activité, parce que le fait de vous trouver au milieu d'un groupe de personnes vous rend nerveux. Mais vous avez décidé d'affronter vos peurs en assistant à cette réception. Il est maintenant 11 h 30 du matin. Vous prenez conscience du fait que vous venez de passer une demi-heure complète à répéter silencieusement les commentaires de l'Observateur inquiet: «Je ne peux pas y aller. Je n'arriverai pas à rester là-bas. Et si je me sentais pris au piège? Je ne veux pas que cela m'arrive. Je ne peux pas y aller. C'est impossible.» C'est à ce moment que votre Observateur intervient.

> OBSERVATEUR: «Je ne fais que répéter dans ma tête les mêmes pensées à propos de la réception de ce soir. J'ai peur. J'ai décidé d'aller à cette réception, mais je continue de songer au moyen d'éviter d'y aller.»
> OBSERVATEUR BIENVEILLANT: «Ces pensées ne font que m'effrayer davantage. Elles ne m'aident en rien. Je dois y mettre fin.»
> ACTION: Asseyez-vous une minute et exécutez l'énumération calmante de dix expirations.
>
> OBSERVATEUR: «Maintenant que je suis un peu plus calme, je me rends compte à quel point mon estomac est contracté. Je suis encore effrayé.»
> OBSERVATEUR BIENVEILLANT: «Je ressentirai probablement un peu d'anxiété toute la journée. Je peux me permettre d'être quelque peu tendu, parce que c'est un vrai défi que je vais relever ce soir. Il faut que j'organise ma journée et que je me tienne occupé jusqu'au moment où je devrai me préparer à sortir. C'est un bon moyen de prendre soin de moi. J'ai aussi besoin qu'on me soutienne ce soir, afin que je ne me sente pas seul dans cette épreuve.»
> ACTION: Faites une liste d'activités qui demandent un peu de concentration pour occuper la journée. Confiez vos inquiétudes à une personne qui vous appuiera et qui assistera à la réception. Durant la journée, surveillez régulièrement le degré de tension de l'estomac; recourez à l'énumération calmante pour détendre les muscles au besoin.

Voyez ce qui s'est passé au début de l'exemple. J'ai montré que l'Observateur faisait irruption durant vos pensées négatives obsédantes. Ce phénomène se produit sans doute déjà en vous. Vous vous enlisez dans une pensée négative quand, tout à coup, une partie de vous prend un peu de recul et commente ce que vous faites. C'est précisément ce moment que vous devez exploiter, car c'est l'occasion pour vous de changer.

Commencez à être à l'affût de votre Observateur. Quand il se manifeste, saisissez-le. Rassemblez en toute objectivité les faits sur la situation du moment, puis adoptez un plan ou faites-vous une suggestion qui vous aidera à atteindre vos objectifs positifs. Si vous commencez à vous critiquer ou à faire des commentaires résignés, prenez-en conscience puis laissez-les disparaître. («Ruminer cette pensée ne me fait pas de bien en ce moment.»)

Briser le cycle

Réfléchissons au moment de panique et recourons au principe des filtres. Dans un processus décisionnel simple, nous franchissons trois étapes. Premièrement, nous rassemblons l'information pertinente. Deuxièmement, nous interprétons cette information. Et, troisièmement, nous choisissons l'action qui convient (Figure 9).

Figure 9. Processus décisionnel simple.

L'attaque de panique se produit quand ce processus s'enraye dans les deux premières étapes. Nous observons d'abord les sensations que nous éprouvons dans notre corps ou nous examinons l'environnement. Puis, avec le filtre de l'Observateur inquiet, nous interprétons ces sensations comme étant la «panique», ou notre environnement comme étant «dangereux». Nous recommençons alors le cycle: nous observons de nouveau ce que nous ressentons. Nous remarquons que ces sensations deviennent de plus en plus désagréables. Puis, nous interprétons l'aggravation de ces sensations comme étant la «panique», et ainsi de suite. L'état de crise physique et mentale s'intensifie (Figure 10).

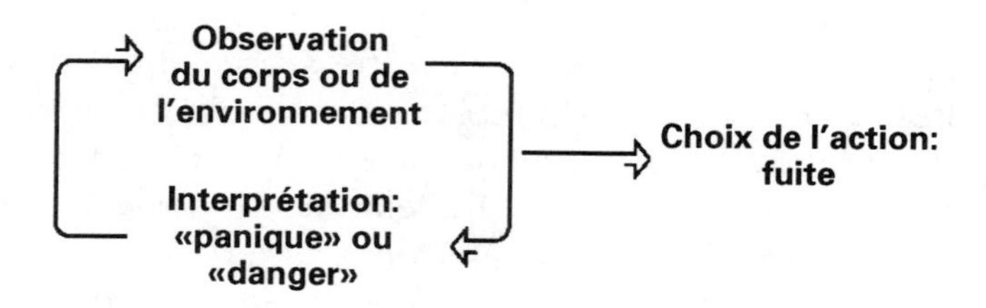

Figure 10. Processus décisionnel durant la panique.

C'est ainsi que nous créons la panique. Nous nous enlisons au point de concentrer notre attention sur l'idée qu'une difficulté existe et de renforcer cette idée. Notre esprit accorde toute son attention à la difficulté et à ses répercussions possibles au lieu de réserver un peu de temps à la recherche de la solution. Le processus s'enraye avant d'atteindre la troisième étape — le choix de l'action qui convient —, jusqu'au moment où la difficulté prend des proportions démesurées. Quand le processus atteint la troisième étape, la fuite devient la seule solution à cette crise auto-imposée.

Le premier geste à poser dans un moment de panique, c'est de briser le cycle. Si vous ne le faites pas consciemment, le cycle suivra automatiquement son cours normal, dont la conclusion est toujours la même: vous fuyez la situation afin d'éviter ce que vous interprétez comme étant votre «perte de contrôle».

À un moment donné durant le processus décisionnel, vous devez faire une pause qui soit assez longue pour vous permettre d'observer vos pensées. Si vous êtes attentif, vous entendrez s'élever la petite voix d'un Observateur qui vous parlera de l'expérience que vous êtes en train de vivre: «Mon cœur bat plus vite» ou «Je me sens étourdi» ou encore «Je prends peur.» *C'est le moment tout indiqué pour briser le cycle.* Vous devez créer une diversion du cycle de pensée négative qui, en général, suit immédiatement les commentaires de l'Observateur. («Oh non!

Quelque chose de terrible est sur le point de m'arriver.») Votre devoir est d'élever une cloison entre vos symptômes et vos pensées négatives.

Brisez le cycle au moment où votre Observateur fait un commentaire, puis saisissez l'occasion pour lui abandonner toutes les responsabilités. Donnez à votre Observateur une tâche simple à exécuter, une tâche qui ne requiert aucune interprétation, aucun filtre. Ce faisant, vous inciterez la réponse calmante à faire concurrence à la réponse aux situations d'urgence qui commence à se manifester.

Il y a bien des façons de s'extraire d'un schème de pensées négatives et de mettre votre Observateur à la tâche. Trouvez une occupation neutre ou agréable. Je vous propose plus loin quelques exemples dont certains, j'en suis sûr, vous sembleront un peu bêtes. Le début est toujours le même.

OBSERVATEUR: «Je commence à paniquer.»
OBSERVATEUR BIENVEILLANT: «Ce n'est pas une urgence. Je peux prendre soin de moi en brisant le cycle.»
ACTIONS POSSIBLES:

- Exécutez un exercice, comme l'énumération calmante ou prenez une minute pour répéter votre «mantra» avec chaque expiration.
- Faites un ou deux exercices de respiration calmante.
- Si vous travaillez à votre bureau, commencez à concentrer votre attention sur une petite tâche simple et répétitive. N'essayez pas de bien l'accomplir. Efforcez-vous plutôt de l'exécuter lentement. Par exemple, ouvrez le tiroir de votre bureau et comptez lentement les chemises qui y sont classées. Ou dressez sur un bout de papier telle ou telle liste, lentement et méthodiquement. Si vous êtes en train de faire fonctionner une machine, percevez un rythme quelconque et adaptez-y votre respiration et votre compte.
- Si vous marchez dans la rue, commencez à regarder autour de vous en marchant, ou arrêtez-vous pour vous appuyer contre un mur. Passez une minute ou deux à observer quelque chose, sans faire d'effort; trouvez, par exemple, quelle couleur prédomine dans les vêtements

des passants. Vous pouvez aussi accorder le rythme de vos pas à celui de votre respiration: deux pas en inspirant, trois pas en expirant, par exemple.

- Si vous êtes au restaurant, ou si vous êtes passager dans un véhicule, sortez votre portefeuille ou votre sac à main, pour mettre un peu d'ordre dans vos cartes ou dans vos photos. Ou encore sortez tous vos billets de banque et mettez-les dans l'ordre numérique.
- Si vous êtes à la maison, pelez avec beaucoup de concentration une pomme ou une orange. Observez la brume de jus qui se forme chaque fois que vous détachez un quartier d'orange. Comptez chaque morceau de fruit que vous brisez. Ou encore, remettez de l'ordre sur vos étagères de livres. Ou refaites un lit comme à l'armée ou comme à l'hôpital, en faisant attention au moindre détail.
- Si vous assistez à un match quelconque ou à un concert, commencez à étudier attentivement le programme.

Comme je l'ai dit, certaines de ces suggestions peuvent sembler un peu idiotes. Mais ce qui compte, c'est de trouver une tâche simple et sans importance, que vous pouvez exécuter lentement et méthodiquement, et sur laquelle vous pouvez concentrer votre attention, comme une distraction qui vous empêchera de déclencher la réponse aux situations d'urgence. Au fond, il s'agit de provoquer un temps mort dans vos pensées négatives. Vous réservez un moment pour ne faire rien d'autre que vous concentrer sur la tâche de l'Observateur. Vous ne surveillez pas vos symptômes physiques; vous n'évaluez pas l'efficacité de cette interruption. Rappelez-vous qu'il s'agit de la première étape, celle de l'observation pure et simple. Toute interprétation («Cela ne marchera pas») qui flotte dans votre esprit durant ce moment — de trente secondes à deux minutes — doit être doucement rejetée.

Prendre le contrôle durant ces premiers instants constituera un point tournant. Une fois que vous aurez interrompu le cycle, ne serait-ce qu'un instant, votre esprit fera de la place pour des pensées positives sur le problème en question. Quand vous faites jouer le temps en votre faveur, vous acquérez de la perspective. Vous pourrez alors, quand vous serez prêt, diriger de nouveau votre Observateur sur vos sensations physiques, sur vos pensées négatives ou sur votre environnement.

Par exemple, vous roulez sur une autoroute quand, à un moment donné, vous commencez à vous sentir anxieux.

OBSERVATEUR BIENVEILLANT: «Je commence à éprouver un sentiment de panique. Mais nul besoin de m'énerver. Ce n'est pas une urgence. Je dois briser ce cycle.»
ACTION: Commencez à observer les plaques et la couleur des voitures qui roulent dans la voie de gauche.
OBSERVATEUR: «Voilà. Je suis encore au volant. J'ai observé les plaques et la couleur des voitures pour acquérir un peu de perspective. Il ne semble pas que j'aille plus mal. Je ne perds pas le contrôle. Que puis-je observer à propos de mon corps? Mon cœur ne bat plus aussi vite qu'avant. Mais je serre trop le volant; j'ai les jointures blanches. Je sens une tension dans les épaules. J'ai l'impression que mes épaules se soulèvent jusqu'à mes oreilles.»
OBSERVATEUR BIENVEILLANT: «Je contrôle parfaitement la conduite de cette voiture, même si je suis nerveux. Je peux desserrer les poings et bien tenir le volant quand même. Je peux détendre mes épaules. Je vais bien.»
ACTION: Inspirez profondément, expirez. Desserrez les poings, détendez les épaules. Concentrez votre attention afin de respirer calmement.
OBSERVATEUR BIENVEILLANT: «Je conduis très bien en ce moment. Je pense avoir commencé à paniquer à la vue du panneau "Prochaine sortie 15 km". J'ai besoin de me rassurer.»
ACTION: Continuez à écouter les commentaires de l'Observateur bienveillant: «Je me débrouille bien. Je me suis rattrapé à temps cette fois-ci. Je mérite des félicitations. Même nerveux, je suis capable de bien conduire cette voiture. J'arriverai à destination et je pourrai revenir.»

Prendre le contrôle du moment de panique

1. Écoutez vos pensées inquiètes, critiques ou résignées à propos de votre corps ou à propos des circonstances.
2. Brisez ce cycle négatif.
   - Recourez à la respiration calmante ou à l'énumération calmante.
   - Trouvez une tâche neutre ou agréable pour vous occuper l'esprit.
3. Quand vous reprenez le contrôle de vos pensées et de votre respiration, observez vos sensations physiques, vos commentaires négatifs et votre environnement.
4. Répondez à cette question: «Comment puis-je me rendre service en ce moment?»
5. À partir de cette réponse, engagez-vous dans une action positive.

Dans une situation où vous êtes sujet à la panique, vous ne resterez pas tout le temps dans votre rôle d'Observateur ou d'Observateur bienveillant. Comme c'est le cas durant vos exercices, votre esprit sera assailli par les commentaires de l'Observateur inquiet, critique ou désespéré. C'est normal. Aussitôt que vous vous rendez compte que vos pensées sont négatives, brisez le cycle. Reprenez le rôle d'Observateur, écoutez les commentaires de votre Observateur bienveillant et choisissez l'action qui convient. Chaque fois que vous êtes en difficulté, demandez-vous d'abord: «Comment puis-je me rendre service en ce moment?» Tant et aussi longtemps que vous pourrez trouver votre Observateur bienveillant, vous ne serez jamais anéanti par la panique.

16

Le paradoxe en action

Comment combattre une attaque de panique?

Je suis assis avec *Linda M.*, dans son salon. Elle me parle de sa lutte contre la panique, lutte qui dure depuis cinq ans. Les rideaux sont tirés, comme pour repousser la peur. Elle reste enfermée dans sa maison depuis maintenant six ans; elle craint trop de s'aventurer à l'extérieur.

> Aussitôt que j'envisage de faire une promenade seule, mon cœur commence à battre à tout rompre, et je ressens une espèce de picotement dans tout le corps, de la poitrine jusqu'aux genoux et aux pieds. J'ai l'impression que ma gorge se rétrécit; j'arrive mal à avaler. J'essaie de lutter contre tous ces symptômes à la fois, mais cela semble déclencher la panique. Plus je lutte, plus mon état s'aggrave. Je me pose toujours les mêmes questions: «Qu'est-ce qui me rend comme cela? Pourquoi cet état persiste-t-il? Pourquoi cet état s'aggrave-t-il?»

Vous vous souvenez de *Diane B.*, dont je vous ai parlé au quatrième chapitre. Elle est agoraphobe; elle subit des attaques de panique depuis plus de vingt et un ans. Durant les pires périodes, seul le fait de rester dans sa chambre pouvait la protéger des symptômes pénibles.

> Quand je commence à sentir la panique monter en moi, je veux lutter contre elle. Mais, la plupart du temps, je m'enfuis. Et il semble que plus je cours vite, plus vite elle me rattrape. Cette situation me fait penser à des sables mouvants. Plus je me débats, plus je m'enfonce profondément. Après un certain temps, j'ai vraiment l'impression de me rendre et de dire à ma peur: «D'accord. Tu es la plus forte.»

Linda et Diane se battent contre la forme de panique la plus dévastatrice. Ce sont des cas extrêmes, où la victime est contrainte de rester enfermée chez elle. Ces deux cas illustrent bien les deux façons principales que chaque être humain a tendance à utiliser dans sa lutte avec ses ennemis. Si nous devons affronter l'ennemi, nous rassemblons toutes nos ressources et l'attaquons directement. Mais si nous nous sentons trop mal préparés pour nous battre et pour vaincre l'ennemi, nous choisissons de l'éviter, d'éviter tout affrontement.

Dans le cas de la panique, ces deux stratégies semblent inefficaces. Comme dans le cas de Linda, plus vous luttez directement contre les symptômes, plus ils semblent s'intensifier. Plus vous évitez les situations génératrices de panique, plus la panique dirige votre vie. Et, comme dans le cas de Diane, plus vite vous courez pour fuir la panique, plus vite elle semble vous rattraper.

Nos moyens de défense instinctifs n'arrivent pas à vaincre la panique. En fait, ils favorisent plutôt la répétition des crises d'anxiété. Nous encourageons la panique et la renforçons quand nous la traitons comme l'«ennemie», face à laquelle il nous faut nous battre ou prendre la fuite. Si nous restons toujours sur nos gardes, à l'affût de tout signal qui annonce une difficulté, nous invitons la panique à revenir encore plus tôt. Pourquoi? Parce que nous établissons une «relation» toute particulière avec la panique, une relation d'opposition. Pour prendre le contrôle de la panique, il vous faut comprendre cette relation et apprendre comment la modifier.

L'équilibre des forces

Examinons d'abord cette relation d'opposition. Dans l'univers, toutes les activités se fondent sur la tension dynamique qui existe entre des forces opposées. Au huitième chapitre, j'ai parlé de l'équilibre entre le repos et l'activité, et entre la dilatation et la contraction, en donnant comme exemples les marées, le pendule, l'été et l'hiver, le jour et la nuit, et les mouvements du cœur et des poumons. J'ai dit qu'il s'agissait là de rythmes essentiels à l'entretien de la vie. La réponse aux situations d'urgence et la réponse calmante forment également dans le corps une relation entre deux systèmes opposés et également puissants, ce qui favorise un sain équilibre.

La polarité crée et entretient tous les types d'activités. Romans, nouvelles, films, émissions de télévision, pièces de théâtre — chacune de ces créations artistiques recourt à au moins une polarité de base: héros «contre» méchant, détective à qui «manquent» des indices, homme qui «désire» une femme, adolescent qui «lutte» entre le bien et le mal, famille pauvre qui «cherche» un toit ou un repas. Sans cette navette trouvée dans le conflit, le désir, la lutte, les décisions, ou d'autres différences, ces «drames» n'auraient aucun succès. C'est la tension que crée la non-résolution des problèmes qui pique notre curiosité et nous pousse à nous engager dans le monde. Dans la politique mondiale, il n'y a d'activité que là où existent des pôles, comme c'est le cas avec les différences idéologiques qui opposaient les États-Unis à l'Union soviétique ou quand un pays a besoin d'importer ce qu'un autre pays a besoin d'exporter.

Sur le plan humain, tous les parents ont fait l'expérience de cette même dynamique quand ils ont enlevé un jouet à leur enfant. La lutte commence aussitôt, parce que l'enfant veut le jouet. Si vous lui cédez et lui rendez le jouet, il s'en fatiguera vite et passera à une autre activité.

Dans le monde scientifique, les contraires s'attirent. Placez le pôle nord d'un aimant près d'un autre aimant: le premier repoussera le pôle nord du second et se fixera à son pôle sud. Pour la survie de l'espèce humaine, la nature a fait de l'homme et de la femme des êtres opposés qui s'attirent, ce qui donne lieu au désir.

Dans chacun de ces exemples, il existe une relation de complémentarité entre les deux opposés. Songez à votre vie et à celle des gens qui vous entourent. Chaque fois que nous nous établissons un objectif — recevoir un diplôme scolaire, faire reconnaître ses talents, cuisiner un repas ou prendre des vacances —, nous créons cette tension dynamique en choisissant quelque chose que nous ne possédons pas déjà. Notre élan positif orienté vers un objectif naît de la distinction entre ce que nous avons et ce que nous voulons. Ce diplôme, cette reconnaissance, ce souper ou ces vacances nous «manquent». Et nous cherchons à obtenir ce qui nous manque. Une fois l'objectif atteint, nous mettons fin à nos efforts et nous nous reposons. (Bien sûr, quelques instants plus tard, nous établissons un nouvel objectif, grand ou petit, parce qu'il s'agit d'un processus continu.) Les polarités, et les tensions qui s'ensuivent, ne sont ni bonnes ni mauvaises. En fait, elles sont le moteur de toute action. S'il y a de l'activité dans tel ou tel domaine, il est certain qu'il y règne une tension fondamentale entre deux opposés.

Maintenant, retournons la situation. Comment écrirez-vous une pièce qui ne remportera aucun succès? Voici une des façons d'y arriver: ne créez que des personnages heureux et satisfaits. Ne laissez aucun d'entre eux s'inquiéter, établir un objectif difficile à atteindre ou se rendre compte qu'il a besoin de quelque chose de plus dans sa vie. Qu'aucun de vos personnages ne se batte pour réaliser un rêve. Comment votre auditoire réagira-t-il à une telle pièce? Il ronflera.

Comment réduire les tensions hostiles entre deux puissances mondiales? On pourrait, par exemple, s'attarder plus longtemps dans les médias et au gouvernement sur les similarités qui existent entre les deux peuples, plutôt que de mettre l'accent sur leurs différences, ce qui réduirait la polarisation. Ou bien ces deux puissances pourraient se trouver un «ennemi» commun beaucoup plus fort que chacune d'elles (une catastrophe naturelle, un nouvel Hitler, ou des extraterrestres). Ainsi, la tension dynamique créerait une nouvelle polarité, un genre de «nous contre eux».

Comment pouvez-vous vous déprimer vous-même? En n'établissant jamais d'objectif, en ne vous efforçant jamais d'améliorer votre avenir. En refusant de croire que les choses vont changer ou que vous-même allez changer. En vous attendant à ce que demain soit aussi désagréable qu'hier. Comment arriverez-vous à rendre votre dépression encore plus profonde? En créant dans votre esprit une polarité entre «les autres» (qui peuvent changer) et vous (qui ne pourrez jamais changer).

Le terreau de la panique

À partir du principe de la tension entre forces opposées, comment les attaques de panique peuvent-elles se répéter dans la vie de quelqu'un? *Chaque fois que vous résistez à quelque chose, ce quelque chose persiste,* parce que vous créez une polarité. En résistant à l'attaque de panique, vous l'entretenez; plus vous résistez, plus vous l'entretenez. Voici plusieurs moyens de prolonger l'existence de la panique dans votre vie:

- Craindre la panique.
- Lutter activement contre l'attaque de panique.
- Éviter les situations génératrices de panique.
- Établir comme objectif de ne plus jamais être victime d'une attaque d'anxiété.
- Vous inquiéter de la prochaine fois où vous pourriez ressentir les symptômes de la panique.
- Essayer d'ignorer les tensions.
- Vous attendre à maîtriser la panique avant de l'affronter de nouveau.
- Fuir devant les symptômes de la panique.

Chacun de ces moyens favorise les attaques de panique en créant une tension dynamique entre vous et la panique. Cette tension acquiert une vie propre et devient le moteur d'un processus continu. Elle fournit le carburant à ce moteur. C'est là le cycle que vous devez briser pour arriver à prendre le contrôle. Et ici aussi apparaît le paradoxe: pour l'emporter sur la panique, vous devez cesser de lutter contre elle ou de la fuir.

Imaginez que vous marchiez, seul, sur un chemin de terre désert, dans un pays étranger. Vous savourez cette belle journée tranquille quand, au loin, vous voyez monter un nuage de poussière. Vous observez ce nuage de poussière avec curiosité pendant un certain temps. Vous êtes bientôt en mesure de distinguer une forme vague. Finalement, vous voyez clairement de quoi il s'agit. Deux cents guerriers indigènes marchent dans votre direction. Chacun est en tenue de combat et porte une longue lance bien pointue. Ils continuent de se rapprocher. Ils arrivent à votre hauteur. Que faites-vous? Vous montrez-vous agressif? Leur dites-vous de s'ôter de votre chemin? Vous enfuyez-vous à toutes jambes? L'attaque comme la fuite semblent de mauvaises stratégies. L'une et l'autre provoqueraient une réaction belliqueuse des indigènes.

Reprenons ce même exemple de la route et des guerriers indigènes. Cette fois-ci, imaginez que, en les voyant venir, vous vous écartiez calmement. Vous vous asseyez en bordure du chemin et, les jambes croisées, vous vous contentez de les regarder passer. Que feront-ils?

Vraisemblablement, le pire qui puisse vous arriver, c'est qu'ils vous crient des insultes en passant devant vous. Quel puissant guerrier aurait besoin de prouver sa valeur en attaquant une victime assise, passive et sans défense? Si vous vous enfuyez ou si vous décidez de vous battre, vous créerez exactement la polarité pour laquelle ces guerriers sont préparés. Si vous ne faites rien d'autre qu'*observer passivement,* vous n'attirerez pas leur attention.

Abandonner la lutte

Il en va avec la panique comme avec les guerriers de l'exemple. Votre moyen de défense le plus efficace contre les attaques d'anxiété fait appel au paradoxe. Le docteur Claire Weekes, dans son ouvrage *Simple, Effective Treatment of Agora-*

phobia, recommande quatre moyens de gérer les symptômes de l'anxiété: *faire face* aux symptômes, ne pas s'enfuir; *accepter* ce qui se passe, ne pas lutter; *se laisser flotter* sur la vague des sensations, ne pas se contracter; *laisser passer* le temps, ne pas être impatient.

Chacun de ces moyens est en fait une réaction paradoxale qui semble défier la logique. La logique dit que, dans une situation qui nous menace, nous devons déclencher la réponse aux situations d'urgence; contracter les muscles du corps et commencer immédiatement à nous battre. Ou bien, si nous nous attendons à perdre la lutte, la logique dit que nous devons prendre nos jambes à notre cou et fuir.

Ce que je vous recommande plutôt, c'est de déclencher votre réponse calmante, de détendre les muscles de votre corps, de ne pas lutter contre les sensations physiques que vous éprouvez, et de ne pas vous enfuir. Tout cela me fait penser à un jeu auquel nous jouions, enfants. Vous rappelez-vous ces petits tubes chinois, en bambou tressé, juste assez larges pour qu'on glisse dans chacune de leur extrémité un doigt de chaque main. Nous donnions un tube à un ami qui ne se doutait de rien et lui demandions d'essayer d'y mettre les doigts. C'était la partie facile du jeu. Quand il essayait d'ôter ses doigts, le tube se resserrait. Plus il tirait, plus fort le tube enserrait ses doigts. Ce satané tube chinois défiait la logique parce que son principe est paradoxal. Pour retirer les doigts du tube, il faut les pousser l'un vers l'autre et ainsi desserrer le tube, plutôt que de chercher à arracher les doigts du tube. Songez aussi aux sables mouvants: si vous vous débattez, vous vous enfoncez. Par contre, si vous restez immobile (ce qui va à l'encontre de votre instinct), vous avez de bonnes chances de rester à la surface.

Au septième chapitre, je vous ai parlé de *Michelle R.*, que l'idée de la panique a fini par terrifier au point de la faire renoncer à conduire, à se promener à pied, à rester seule à la maison et à aller faire seule ses courses. Après quelques séances, elle s'est rendu compte qu'elle favorisait ses symptômes de panique par le biais de son Observateur inquiet. Un beau matin, juste avant une réunion d'affaires, elle s'est surprise à ruminer ces questions: «Que feras-tu si tu te sens dépassée par la situation? Ou si tu éprouves un sentiment de panique?» Au moment même où elle se posait ces questions, ses symptômes commençaient à se manifester; quelques minutes plus tard, elle déclenchait une attaque d'anxiété. C'est alors qu'elle a pris conscience du fait que ses pensées appréhensives sur la panique pouvaient conduire directement à l'apparition des symptômes de la panique.

Dès lors, consciente de ce fait, Michelle a accompli de rapides progrès. Quelques semaines plus tard, elle a commencé à s'exercer à conduire seule dans sa voiture et à faire de courtes promenades. Mais les commentaires de son Observateur inquiet continuaient de lui nuire.

> Nous avons convenu, la semaine dernière, que je rentrerais de la séance en conduisant ma voiture sur l'autoroute; c'est ce que j'ai fait. Juste avant de m'y engager, j'ai commencé à me sentir anxieuse. Je me demandais ce qui se passerait si je subissais une crise de panique et qu'il m'était impossible de quitter l'autoroute. Je suis restée tendue durant tout le chemin du retour; j'avais les mains moites. J'ai songé que j'avais le choix de m'arrêter ou de poursuivre ma route, et ce que je voulais vraiment, c'était de continuer. Je me suis félicitée de mes progrès. Le plus difficile, c'était l'attente appréhensive du déplacement, pas le déplacement même.

Vous voyez comment Michelle a réussi à faire taire son Observateur inquiet pour laisser parler son Observateur bienveillant. Elle nous a dit que le pire moment avait été celui qui précédait immédiatement son départ, parce que c'est généralement à ce moment-là que son Observateur inquiet commence à faire se dérouler dans sa tête toute une série de fantasmes négatifs sur l'avenir immédiat. Michelle commençait à s'inquiéter d'un quelconque événement catastrophique qui pourrait se produire si elle continuait de conduire. Une fois engagée sur l'autoroute, elle s'est autorisée à avoir le choix de son comportement en laissant intervenir son Observateur bienveillant: «Je peux m'arrêter de conduire s'il le faut. Ou bien je peux poursuivre ma route si je le veux.» En s'offrant toujours toutes les possibilités, elle a acquis l'assurance nécessaire pour rester au volant. Et elle a été capable de concrétiser son souhait, c'est-à-dire de mener à bien la tâche entreprise.

Lutter contre la panique au moyen du paradoxe va à l'encontre de notre instinct. Je savais que Michelle, avant d'être prête à recevoir d'autres instructions de ma part, avait besoin de sentir qu'elle réussissait jusqu'à un certain point à «gérer» son anxiété. Maintenant qu'elle était en mesure de persévérer malgré de légers symptômes et malgré les commentaires persistants de son Observateur inquiet, je l'ai instruite du principe du paradoxe: si tu cesses de lutter contre la panique, elle disparaîtra. Pour la semaine suivante, je lui ai donné ces directives: «La prochaine fois que tu auras des pensées appréhensives au sujet de la panique, je veux que tu essaies, à ce moment précis, de déclencher une attaque de panique totale. Dis à ton cœur de battre plus vite et dis-toi de devenir étourdie. Essaie de déclencher tous tes symptômes.»

Comme vous pouvez l'imaginer, Michelle a ri nerveusement de ma suggestion et m'a demandé si j'étais sérieux. Je lui ai donc expliqué la logique de ce conseil qui ne semblait pas en avoir. Quand nous avons peur des symptômes, nous en favorisons l'apparition, parce que nous créons une relation d'opposition. Plus nous sommes effrayés, plus ces symptômes s'aggravent. En nous affranchissant de notre peur, nous mettons fin à cette relation. La panique est alors vidée de toute force, parce qu'elle a besoin de notre résistance pour vivre.

De la même façon, si vous essayez de mettre fin aux symptômes ou de lutter contre ceux-ci, vous les alimenterez et les prolongerez. Si vous exécutez une quelconque technique de méditation en attendant anxieusement qu'elle atténue vos symptômes, vous serez déçu. Ce ne sont pas les techniques qui viendront à bout de la panique, mais bien les attitudes.

Incitation aux symptômes

Dans la stratégie du paradoxe, votre attitude doit être celle-ci: «Je veux que ces symptômes tombent sous mon contrôle volontaire. Je veux intensifier tous mes symptômes, immédiatement.» Songez ensuite à chacun de vos symptômes habituels: «J'aimerais maintenant transpirer davantage. Voyons si je peux devenir étourdi ou faire trembler mes jambes, immédiatement.» Par le biais de cette attitude, vous acceptez vos symptômes, vous permettez qu'ils existent. Si vous exécutez une technique de relaxation à ce moment-là, vous le faites pour interrompre la réponse aux situations d'urgence et pour mettre fin aux commentaires de l'Observateur négatif, afin de pouvoir continuer à accepter les symptômes et à les favoriser.

Voici comment Michelle a décrit l'expérience, la semaine suivante:

> MICHELLE: J'ai fait une longue promenade samedi. Je me suis d'abord rendue au centre commercial où j'ai fait quelques achats. Cela ne m'ayant pris qu'une trentaine de minutes, j'ai décidé d'aller me promener dans le quartier résidentiel. J'ai ressenti un peu de panique, parce qu'il n'y avait là aucun magasin, aucune cabine téléphonique — j'étais en territoire inconnu. J'ai exécuté l'exercice de la respiration calmante pour me rassurer. Encore une fois, j'ai trouvé que mon anticipation des difficultés me causait plus de problèmes que les symptômes réels.
> Dr W.: Quel genre de pensées entreteniez-vous?
> MICHELLE: Je pensais au fait que j'étais dans un endroit où les gens ne me connaissaient pas. Je me demandais ce qui se passerait si je m'évanouissais. Personne ne viendrait m'aider. Je pourrais me sentir étourdie. C'est alors que je me disais d'exécuter mon exercice de respiration et de m'adresser quelques commentaires positifs pour me rassurer.
> Je me suis rappelé l'exercice dont vous m'avez parlé la semaine dernière, celui où je dois tenter de déclencher les symptômes moi-même. J'ai été assez étonnée que cette pensée me traverse, mais je me suis dit à ce moment-là: «Allez, vas-y. Fais comme si tu allais t'évanouir; on verra bien.» C'est comme cela que j'ai remis la situation en perspective.
> Dr W.: Que voulez-vous dire par «remettre la situation en perspective»?
> MICHELLE: Eh bien, pendant quelques instants, *rien* ne s'est passé. Je me suis dit alors: «Non, tu sais bien que tu ne vas pas t'évanouir. C'est toujours la même chose. Tu vas te pro-

mener dans ce quartier, et tu seras satisfaite de toi-même quand tu penseras à ce que tu viens d'accomplir.» Après cela, tout a été plus facile.

Quelque chose d'autre semble avoir changé après ce samedi-là. J'ai remarqué un changement général de mon attitude... envers moi-même. On dirait que j'avais cessé de me critiquer. Je ne m'acharnais plus sur moi-même. C'est un peu comme si j'avais commencé à accepter mes symptômes et à m'accepter, moi. Puis, le mardi, j'ai passé la soirée seule pour la première fois depuis des lustres. Cette soirée s'est bien déroulée; je n'ai pas eu de difficultés.

L'expérience du paradoxe que Michelle a connue est typique. Quand vous essayez honnêtement d'intensifier vos symptômes, ils ont en général plutôt tendance à diminuer. Il importe, cependant, que vous ne fassiez pas de pseudo-tentatives comme celle-ci: «Je commence à me sentir anxieux. J'aimerais que cette anxiété s'intensifie... mais j'espère que ce ne sera pas le cas, parce que je ne pourrais pas m'en sortir. Donc, ce truc ferait mieux de marcher.» En craignant une intensification des symptômes tout en espérant qu'ils se dissiperont rapidement grâce au «truc», vous retombez dans le panneau: vous vous opposez à la panique, ce qui favorise l'apparition des symptômes et en prolonge la durée.

Voici comment nous pourrions analyser l'activité de Michelle ce samedi-là, au moyen de l'expérience vécue par son Observateur.

[En se promenant dans le centre commercial]

OBSERVATEUR: «Je vais bien aujourd'hui. Cela m'étonne et me ravit. Je suis ici depuis une trentaine de minutes déjà. Je veux y rester encore une heure pour renforcer mon assurance. Je pourrais aller me promener dans le quartier résidentiel, mais je risque de m'y sentir nerveuse.»

OBSERVATEUR BIENVEILLANT: «Le moment est venu pour moi de prendre un peu plus de risques. J'ai besoin de cet entraînement.»

[En se promenant dans le quartier résidentiel]

OBSERVATEUR INQUIET: «Me voilà dans un endroit qui ne m'est pas familier. Les gens ne me connaissent pas. Que se passera-t-il si

je m'évanouis? Personne ne viendra m'aider. Je pourrais commencer à me sentir faible.»
OBSERVATEUR: «Je commence à m'inquiéter et à paniquer. Je sens mon cœur battre.»
OBSERVATEUR BIENVEILLANT: «Je dois me calmer et me sentir rassurée.»
ACTION: Elle exécute l'exercice de respiration calmante. Elle se dit: «Ce n'est pas une urgence. Il est normal que je me sente un peu anxieuse, puisque j'expérimente quelque chose de nouveau. Même si j'ai un peu peur, je peux faire cette promenade. C'est moi qui ai le contrôle.»
OBSERVATEUR INQUIET: «Il n'y a pas de magasins ici, où je pourrais chercher de l'aide. Aucune cabine téléphonique, si j'ai une attaque. Je ne m'en sortirai jamais.»
OBSERVATEUR: «Je commence encore une fois à être bouleversée.»
OBSERVATEUR BIENVEILLANT: «J'ai besoin de prendre soin de moi, dès maintenant. Je vais essayer de faire ce que le docteur Wilson m'a conseillé la semaine dernière.»
ACTION: Elle se dit: «Pourquoi ne pas essayer sa suggestion et faire comme si j'allais m'évanouir; on verra bien. Je vais intensifier mes symptômes, immédiatement. Je vais essayer de me sentir étourdie et de tomber évanouie sur le trottoir.» Elle cesse de marcher et tente délibérément de s'évanouir.

[Après quelques minutes]
OBSERVATEUR: «Je suis sûre de ne pas m'évanouir. Malgré mes efforts, mes symptômes ne s'intensifient pas.»
OBSERVATEUR BIENVEILLANT: «Je peux me promener dans ce quartier, et je me sentirai bien quand je l'aurai fait.» [Les symptômes s'allègent; Michelle peut poursuivre sa promenade.]

Recourir au paradoxe, ce n'est pas seulement s'ordonner d'intensifier ses propres symptômes. C'est une attitude, une perspective qu'il faut utiliser chaque fois que l'on doit affronter une situation génératrice de panique. C'est aussi le principe qui sert de base à la plupart des techniques pratiques décrites dans le présent ouvrage. Par exemple, dans l'exercice de la relaxation musculaire profonde, vous contractez tel groupe de muscles afin de l'amener à se détendre. Dans une situation génératrice de panique, vous apaisez votre esprit et détendez votre corps. En vous calmant, vous devenez plus alerte et mieux préparé pour prendre le contrôle de la panique que si vous vous contractiez, prêt à vous battre.

Utilisation du paradoxe durant la panique

- Exécutez l'exercice de respiration calmante, puis commencez à respirer naturellement.
- Ne luttez pas contre les symptômes physiques; ne prenez pas la fuite.
- Décidez si oui ou non vous voulez utiliser le paradoxe.
- Prenez note du symptôme physique prédominant à cet instant.
- Dites-vous: «Je veux prendre le contrôle de ces symptômes. Je veux intensifier [nommez ici le symptôme prédominant].»
- Efforcez-vous d'intensifier le symptôme physique en question.
- Essayez ensuite d'intensifier tous les autres symptômes observés: «Je veux transpirer plus que je ne le fais maintenant. Voyons si je peux me sentir étourdi et avoir les jambes en coton, immédiatement.»
- Continuez de respirer naturellement, tout en vous efforçant d'intensifier tous les symptômes de panique.
- Ne vous enlisez pas dans des commentaires inquiets, critiques ou désespérés. («Ce truc ferait mieux d'être efficace dès maintenant. Probablement que je ne m'y prends pas de la bonne façon. Cela ne marchera jamais.»)

Quand la panique vous contrôle, c'est la voix de votre Observateur négatif qui vous dirige: «Je ne peux pas...» («Je ne peux pas me sentir comme cela», «Je ne peux pas être pris d'anxiété, parce que quelqu'un va le remarquer», «Je ne peux pas passer au travers de cette expérience.») Quand vous commencerez à prendre le contrôle de la panique, vous remarquerez que c'est la voix de l'Observateur bienveillant qui supplante l'autre: «C'est normal... Je peux...» («Il est normal que je me sente comme cela», «Je peux être anxieux et continuer d'exécuter mon travail», «Je peux venir à bout de ces symptômes.») Grâce au paradoxe, vous assumez vos symptômes, en les incitant à se manifester: «Je veux que...» («Je veux que mon cœur batte plus vite», «Je veux voir jusqu'à quel point je peux transpirer en ce moment», «Je veux intensifier tous ces symptômes, immédiatement.») Rappelez-vous qu'il ne s'agit pas simplement d'une différence d'ordre sémantique, mais bien du reflet d'une nouvelle attitude.

Observateur négatif → Observateur bienveillant → Paradoxe
«Je ne peux pas...» → «Je peux... C'est normal...» → «Je veux...»

Figure 11. Changement d'attitude face aux symptômes de la panique.

Commencez par vous entraîner à l'utilisation du paradoxe quand vous ne présentez que quelques symptômes mineurs. Si vous avez de la difficulté à maîtriser cette approche, regardez d'abord du côté de votre attitude. Une fois que celle-ci sera établie — c'est-à-dire que vous serez parfaitement déterminé à accueillir vos symptômes afin d'en diminuer le pouvoir —, vous acquerrez vite une grande habileté en cette matière.

Expérimentez l'humour, il vous aidera à prendre du recul par rapport à vos symptômes. Essayez de prouver à la terre entière que vous êtes le champion de l'évanouissement. Voyez si vous êtes capable de resserrer le nœud de votre estomac au point d'étouffer.

Ne vous laissez pas décourager par vos revers initiaux: une fois que vous aurez adopté la nouvelle attitude, vous aurez une nouvelle perspective sur tout. Il s'agit ici d'accepter l'anxiété, de l'intensifier, et non de vous libérer de toute anxiété. La panique surgit quand vous tentez de contrôler votre anxiété et que vous n'y arrivez pas. Puisque vous ne tentez plus de contrôler vos symptômes, vous risquerez moins d'avoir une impression d'échec. Et, en règle générale, quand vous n'avez pas l'impression d'échouer, la panique ne peut pas s'installer en vous.

Pour vaincre la panique, cessez de la combattre. Pour vous en débarrasser, laissez-la exister. Cessez de lui résister pour la vaincre. C'est là que se trouve le paradoxe.

17

Choix de solutions: une affaire de temps

Si je voulais commander par catalogue un cadeau d'anniversaire pour mon frère, je commencerais par feuilleter ce catalogue et en examiner les illustrations. Devant la photo d'une chemise en denim, je pourrais me représenter en esprit mon frère occupé à travailler dans son jardin le samedi après-midi. Je l'imagine un instant dans cette chemise. Est-ce son style de chemise? Je le vois en esprit portant d'autres types de vêtements de travail. Aimerait-il cette chemise de denim? Je le vois en train d'ouvrir mon cadeau et me sourire. Je le vois sortir la chemise de l'emballage et montrer son approbation d'un hochement de la tête. Je pense qu'il aimerait bien recevoir cette chemise; je la commande donc.

Quand l'esprit se mêle de prédire l'avenir, il le fait en comparant toutes les possibilités avec l'information qu'il possède. Il estimera les probabilités de voir telle ou telle chose se produire selon qu'il lui est plus ou moins facile de se rappeler d'autres exemples analogues. Si j'avais eu de la difficulté à imaginer mon frère occupé dans son jardin ou si je n'avais eu aucun souvenir de lui en train de manifester sa joie de recevoir des vêtements comme cadeau, je n'aurais pas envisagé de lui donner cette chemise de denim et j'aurais continué à feuilleter le catalogue.

Nos images mentales ne sont pas nécessairement des «films» que nous voyons en esprit. Il peut s'agir de l'expérience du passé ou du futur, expérience interne fondée sur les sens, qui fait appel à l'ouïe, à l'odorat, au goût, au toucher ou à des sensations physiques. Pendant que je choisissais la chemise de denim, par exemple, j'ai peut-être imaginé la sensation du denim sur la peau, sensation que j'ai peut-être comparée à celle que procurerait une chemise un peu plus légère.

Nous recourons à des images mentales toute la journée. Chaque fois que nous ne sommes pas parfaitement attentifs à ce que nous faisons à tel moment précis, notre esprit flotte dans le passé ou dans l'avenir. Nous examinons les expériences que nous avons vécues, un peu comme si nous regardions de vieux films. Nous nous projetons dans l'avenir, en imaginant l'aboutissement possible d'une situation. Si nous envisageons d'adopter un nouveau comportement, nous le répétons en esprit, pour voir s'il portera fruit. À notre réveil, le matin, nous songeons à nos activités de la journée, non seulement en les énumérant, mais en les voyant se dérouler dans notre esprit. Nous modifions notre attitude selon ce que nous croyons que la journée nous réserve.

Modifier la prédiction

Notre esprit renferme un registre de chaque moment de notre passé, construit en partie grâce à l'imagerie mentale. C'est cette imagerie qui programme notre état d'esprit du moment. Chaque jour, les pensées et les émotions auxquelles nous accordons notre attention créent de nouvelles images mentales. Plus longtemps nous nous attardons sur une image mentale et plus l'expérience sensorielle qui y est associée est intense, plus cette image influencera nos activités. Quand un événement quelconque est sur le point d'arriver, les images mentales les plus susceptibles de se manifester sont celles que nous avons imaginées assez longtemps et assez intensément pour qu'elles se projettent à l'avant-plan de notre esprit.

Par exemple, dans l'art dramatique, il existe une technique que l'on appelle «la Méthode»: l'acteur rappelle des émotions et des réactions de son propre passé et s'en sert pour mettre au point le rôle qu'il doit jouer. Durant les semaines de répétition, il fait sans cesse reparaître ces souvenirs, afin de dessiner les traits particuliers de son personnage. Le soir de la première, l'acteur adepte de la Méthode est capable de ne plus faire qu'un avec le personnage qu'il joue. Ses gestes, son ton, les inflexions de sa voix, les expressions de son visage représentent le mélange naturel de ses propres expériences et de celles de son personnage. Il joue son rôle instinctivement.

Prenons un autre exemple. Dans les cours de préparation à l'enfantement, le moniteur explique à la future mère et à son partenaire chacune des étapes du travail et de l'accouchement. Pour chacune de ces étapes, il enseigne une façon particulière de respirer qui favorise les changements qui s'opèrent, en plus de décrire les changements physiques et émotionnels qui se produisent alors. Par la suite, semaine après semaine, le moniteur revient sur ces étapes et sur les techniques qui leur sont propres. Il encourage les participants à répéter chaque jour ces façons particulières de respirer. Durant les cours, le moniteur propose aux partenaires des visualisations guidées de l'accouchement, en faisant ressortir à chaque étape les signaux indiquant qu'il faut respirer de telle façon, qu'il faut se détendre et, finalement, qu'il faut pousser pour accoucher. Un tel entraînement répétitif et détaillé prépare le couple grâce à l'imagerie mentale, et il les aide à garder le contrôle durant cet événement extraordinaire.

Les acteurs qui se préparent pour un rôle et les futurs parents qui se préparent pour une naissance, voilà deux cas d'utilisation positive de l'imagerie mentale. Il existe aussi des moments où nos souvenirs peuvent jouer contre nous. Si vous avez subi bon nombre d'attaques de panique dans le passé et si vous devez affronter une situation semblable à celle qui les a déclenchées, il est probable que ce seront les images de ces moments de panique qui occuperont l'avant-plan de votre esprit. Notre système nerveux ne peut distinguer entre l'expérience réelle du moment et l'expérience imaginée. Aussi, quand vous êtes simplement en train d'envisager telle activité future, ces images déclenchent des changements physiologiques réels.

C'est un peu comme une prophétie dont vous provoqueriez la réalisation. Vous prédisez un résultat à partir de l'image mentale d'expériences du passé. En prédisant ce résultat, votre esprit produit une image de ce futur inventé. Votre système nerveux réagit à la prédiction comme s'il s'agissait de la réalité, ce qui vous fait vivre par anticipation le nouvel événement de la même façon que vous avez vécu dans le passé des événements analogues. Par exemple, la femme qui craint de conduire seule s'imagine en train de le faire. Son imagination lui fait revivre les moments d'anxiété qu'elles a vécus au volant dans le passé. Elle imagine que ces moments anxieux peuvent se reproduire la prochaine fois qu'elle conduira. À cette seule pensée, elle sent la tension physique la gagner, puis elle se dit: «Je suis trop anxieuse pour conduire.»

À cause de son intensité physique et psychologique puissante, immédiate et impressionnante, l'attaque de panique devient une image vivante qui se grave dans l'esprit et qui programme le déclenchement d'autres attaques. Toute situation qui ressemble de près ou de loin à celle qui a déclenché la panique dans le passé fait réapparaître cette image mentale, et une réaction psychophysiologique suit immédiatement. Mais si l'esprit peut être programmé par l'imagerie, nous pouvons le reprogrammer en contrôlant les images mentales que nous entretenons. Nous pouvons même implanter dans notre esprit de nouvelles images, aussi fortes que les anciennes, pour nous aider à atteindre nos objectifs.

Modèle de solution de problème

Dans les chapitres précédents, j'ai décrit les étapes à franchir pour vaincre la panique. L'étape finale consiste à donner à l'esprit et au corps des expériences sensorielles assez puissantes pour faire concurrence aux sensations associées à la panique.

Chaque fois que nous devons résoudre un problème, nous faisons monter dans notre esprit des souvenirs ou des images du futur, en même temps que nous concentrons notre attention sur la situation du moment. Même durant un exercice aussi simple que la vérification de notre carnet de banque, notre esprit fait l'expérience du «problème» à résoudre («Solde de 423 $ moins chèque de 12 $ égale?») en même temps qu'il fait remonter dans la mémoire nos connaissances de l'arithmétique.

Pour choisir une nouvelle voiture, nous en examinons une chez le concessionnaire tout en la comparant en esprit à l'image de notre ancienne voiture. Chez le concessionnaire, nous nous assoyons sur le siège du conducteur, nous vérifions s'il est confortable, nous observons la disposition du tableau de bord. En même temps, nous imaginons ce que ce serait de conduire sur l'autoroute au volant de cette voiture.

Chaque fois que nous résolvons un problème, nous puisons en nous-mêmes les ressources dont nous avons besoin et les appliquons à la situation. Quelquefois, ces ressources sont le souvenir d'une aptitude susceptible de résoudre le problème. Nous faisons appel, par exemple, à notre connaissance de la soustraction. D'autres fois, ces ressources sont notre capacité d'imaginer l'efficacité future de la solution envisagée. Nous imaginons, par exemple, que le coffre de la nouvelle voiture contient tous les bagages dont nous avons besoin pour partir en vacances.

Nous utilisons nos souvenirs et nos représentations de l'avenir et les appliquons à la situation courante pour arriver à la comprendre. Nous jetons sur le présent la lumière de la perspective. Nous prenons juste assez de recul pour comprendre le présent, en nous fondant sur d'autres données pertinentes que nous puisons en nous. C'est la seule façon pour nous de prendre une décision rationnelle (voir la Figure 12).

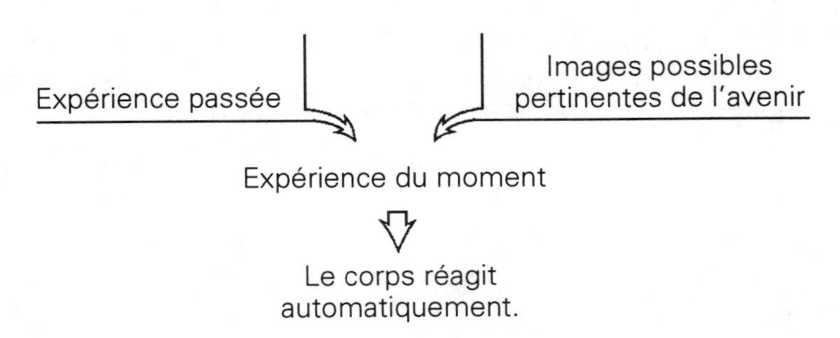

Figure 12. Comprendre l'expérience du moment.

Durant la panique, cette aptitude à résoudre les problèmes, que nous possédons et qui est normale, s'altère. L'esprit se transporte instantanément du présent à une image négative du passé, ou il imagine immédiatement une quelconque catastrophe future, ou encore, il fait les deux. Le corps réagit automatiquement aux images créées par l'esprit, et non à la réalité. Comme l'esprit est tout entier concentré sur une image, du passé ou de l'avenir, génératrice de panique, le corps déclenche automatiquement la réponse aux situations d'urgence (voir la Figure 13). L'esprit renforce cette réponse en continuant de se concentrer exclusivement sur le problème, plutôt que d'en envisager les solutions.

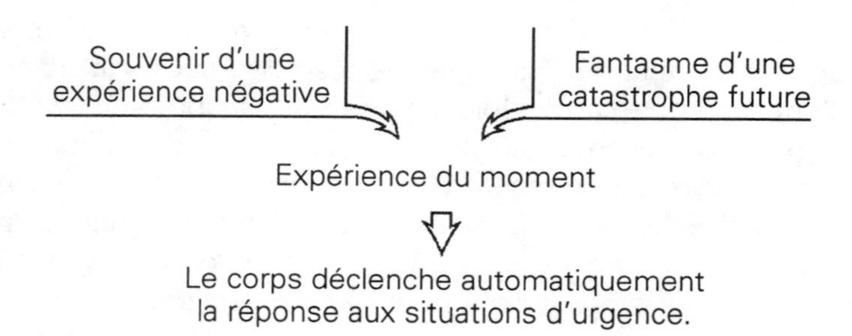

Figure 13. Processus mental altéré par la panique.

Au début de votre apprentissage du contrôle de la panique, vous devrez présumer que cette réponse automatique continuera de se produire pendant quelque temps. Ne croyez pas que vous vous débarrasserez du jour au lendemain d'un phénomène dont vous faites involontairement l'expérience. Présumez que le processus altéré de la Figure 13 se reproduira chaque fois que vous affronterez une situation difficile. Que faire ensuite?

Éteindre les flammes

Voici le moment où vous avez un choix à faire. Vous ne pouvez pas contrôler le déclenchement instantané de la réponse aux situations d'urgence. Cependant, vous pouvez contrôler ce que vous faites, quand vous vous rendez compte de ce qui se passe. C'est le moment où vous devez choisir d'utiliser votre Observateur bienveillant. Vous tirez de votre passé le souvenir d'une application de la réponse calmante. Vous vous rappelez, par exemple, la petite voix en vous qui vous dit: «Ce n'est pas une urgence. Tu peux penser lentement à ce dont tu as besoin.» Ou vous vous rappelez l'exercice de respiration calmante et comment votre corps réagit à une longue expiration. Ou encore, vous vous rappelez cette consigne: «Pense à une tâche quelconque, afin d'occuper ta pensée.» Le souvenir de votre capacité de faire face adéquatement à la situation peut faire naître en vous une image: vous voici en train de résoudre votre problème; vous vous sentez à l'aise; vous avez repris le contrôle. Ce sont là les ressources que vous ajoutez à l'expérience du moment pour arriver à trouver une perspective qui vous aide à résoudre le problème.

C'est précisément de perspective dont vous avez besoin durant le moment de panique. Mentalement, vous prenez juste assez de recul pour faire apparaître des pensées ou des images positives. Ensuite, vous les ajoutez à l'expérience du moment (voir la Figure 14). Il ne faut pas jeter de l'huile sur le feu en suscitant une image de votre dernière panique ou en scrutant la moindre sensation physique éprouvée. Commencez plutôt à éteindre les flammes en concentrant votre attention sur quelque chose d'extérieur à votre corps, en envisageant l'une ou l'autre des nombreuses possibilités à votre disposition.

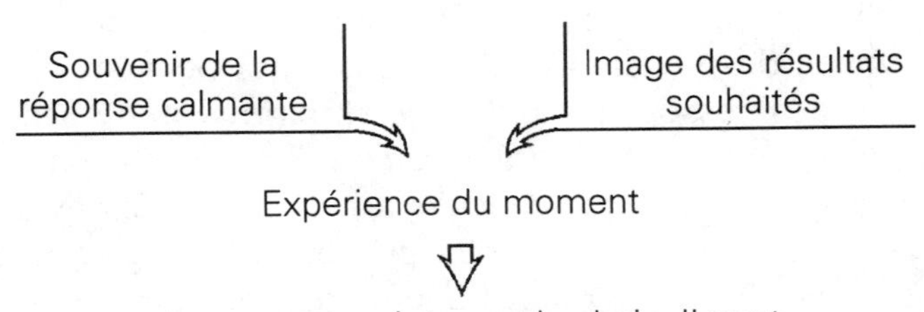

Figure 14. Processus mental positif servant à interrompre la panique.

En fait, vous suscitez des solutions de remplacement: «Je peux continuer de constater à quel point je suis tendu et nerveux en ce moment, ou je peux exécuter l'exercice de respiration calmante comme je me suis entraîné à le faire.» Si vous vous donnez ce choix, pour laquelle de ces deux possibilités opterez-vous? «Je pourrais immédiatement fuir ces sentiments» ou «Je pourrais imaginer que je ne fuis pas et commencer à sentir que j'ai le contrôle de la situation.» Ou encore «Je pourrais imaginer que j'attends de me calmer avant de partir. Quoi que je fasse, c'est bien.»

On a souvent dit que l'on contribue soit à la solution, soit au problème. En politique, cela signifie que si l'on ne fait rien pour modifier une mauvaise situation, on y contribue directement. C'est exactement comme cela que vous devez voir votre rôle dans une situation génératrice de panique: si vous ne recherchez pas activement une façon de vous venir en aide, vous entretenez probablement des pensées ou des images négatives qui alimentent les flammes. Les prochaines fois que vous commencerez à éprouver de légers symptômes d'anxiété, faites des expériences: essayez de passer à des pensées positives. Découvrez si en changeant l'objet de votre concentration vous ne privez pas, de ce fait même, la panique de son oxygène.

Un outil de plus

Le chapitre suivant, intitulé «Le Guide», vous aidera à entretenir certaines des pensées et des images qui peuvent constituer pour vous des ressources dans les situations génératrices de panique. Puisque l'esprit peut faire remonter à la surface une expérience aussi dramatique que celle de la panique, vous devez entretenir des images et des souvenirs positifs d'une égale intensité. Heureusement, l'intensité dramatique d'un événement n'est pas le seul critère de mémorisation d'une expérience aux fins d'un rappel ultérieur. La répétition en est un aussi. C'est pourquoi j'ai conçu le dix-huitième chapitre sous forme d'un scénario à enregistrer ou à faire lire par un ami, lentement et d'une voix apaisante.

Le Guide vous aide à concentrer votre attention sur une tâche ou sur un objectif précis. Avant de l'écouter, choisissez toujours un objectif positif pour votre avenir. Vous pouvez changer d'objectif à chaque audition du Guide ou renforcer tel objectif précis par la répétition. Voici quelques exemples d'objectifs positifs précis:

«Je me sentirai en sécurité dans les restaurants et y savourerai confortablement des repas avec mes amis.»

«Je pourrai prendre l'avion régulièrement.»

«Je sentirai que j'ai le contrôle de la situation dans les réceptions et je n'aurai pas besoin d'alcool pour me détendre.»

«J'aurai hâte de connaître les aventures de ma vie sans craindre la panique.»

«Je resterai calme et maintiendrai ma façon normale de respirer quand je grimperai l'escalier qui mène à mon appartement.» (Cet exemple s'adresse aux victimes d'un infarctus du myocarde et aux personnes atteintes d'une bronchopneumopathie chronique obstructive.)

«Je remarquerai certains signes de tension durant les quelques jours qui précèdent ma menstruation et je ferai ce qu'il faut pour me sentir mieux.» (Pour les cas de syndrome prémenstruel.)

«Je prendrai conscience de ma respiration chaque fois que je serai pris d'hyperventilation. Je reprendrai le contrôle de ma respiration.» (Pour les cas de syndrome d'hyperventilation.)

Pour voir comment vous pourriez réagir au Guide, pensez un instant à un objectif personnel qui vous intéresse. Ensuite, lisez en silence le chapitre suivant, en faisant une pause pour réfléchir à chacune des idées exposées. Le scénario vous guidera à travers quelques démarches.

Premièrement, vous consacrerez quelques instants à vous mettre à l'aise pendant que vous apprendrez comment réagir aux idées contenues dans le Guide. On y dira que vous n'avez pas besoin de travailler ou de lutter pour faire naître des images dans votre esprit ou pour éprouver telle ou telle sensation. Vous devez vous contenter de songer sans effort à ces idées, comme elles se présentent.

Deuxièmement, on vous donnera des occasions de vous entraîner à mettre en valeur votre Observateur, cette partie de vous qui vous donne une perspective calme sur vos problèmes. C'est cette partie de vous qui, durant un moment de panique, prendra juste assez de recul pour vous permettre de penser d'une façon positive.

Troisièmement, on vous présentera la voix d'un Observateur bienveillant. Permettez-vous de faire l'expérience de chaque énoncé comme une indication de l'attitude positive que vous pouvez acquérir. Une fois acquise cette attitude intérieure, vous commencerez à entendre la voix de votre propre Observateur bienveillant durant les moments difficiles. Jusqu'à ce que cela se produise, considérez comme une amie la voix présentée. Sentez-vous libre d'absorber les idées proposées et voyez comment votre corps y réagit.

Quatrièmement, on vous demandera de commencer à concentrer votre attention sur votre objectif précis pour ce Guide. Dans cette partie du Guide, on vous invitera à avancer en esprit dans le futur, aussi loin que nécessaire pour arriver à imaginer une époque à laquelle votre problème aura été résolu depuis longtemps. Nul besoin d'attendre d'avoir atteint tel objectif pour savourer le bien-être qu'apporte la réussite. En imaginant que vous avez résolu les difficultés qui vous séparent de votre objectif, vous apprenez à quel point il est agréable de cesser la lutte. En même temps, vous avez l'occasion de voir une image de la réussite qui peut faire concurrence à l'image de l'échec que dessine l'Observateur désespéré. Et, comme vous le devinez sans doute, entretenir une image positive de votre avenir suscitera dans votre corps une sensation tout à fait différente de celle qu'entraîne l'attente de l'échec.

Avant de passer au chapitre suivant, je veux insister encore sur l'importance du Guide. Ce n'est pas un outil dont on ne se sert qu'une seule fois. Sa force réside dans la répétition. Ses messages, avec le temps, deviendront vos propres messages. Vous trouverez peut-être, comme cela a été le cas pour beaucoup d'autres, que chaque fois que vous faites l'expérience du Guide vous entendez des messages différents ou vous prêtez attention à des suggestions différentes.

Il faut environ vingt-cinq minutes pour lire le Guide lentement. Traitez cette lecture comme vous traiteriez un moment de calme et de méditation: trouvez un endroit paisible, asseyez-vous confortablement, choisissez un objectif positif et écoutez le Guide, sans faire d'effort, en adoptant une attitude passive et ouverte par rapport aux expériences que vous vivez. Nul besoin de vous efforcer de faire naître une image. Contentez-vous d'inviter l'image dans votre esprit, en laissant votre inconscient produire l'une ou l'autre des réactions désirées. Si une image négative apparaît, dites-vous «Je choisis de ne pas concentrer mon attention sur cette image» et laissez-la s'évanouir. L'utilisation du Guide est censée être l'expérience positive d'idées et d'images sereines et rassurantes. Rien ne justifie que vous passiez un seul instant en compagnie de pensées ou d'images négatives. Si celles-ci se présentent, considérez qu'elles sont le fait de l'un de vos Observateurs négatifs, dont vous devriez vous débarrasser.

Même si vous ne devriez pas vous obliger à connaître telle ou telle expérience durant l'audition du Guide, vous devez quand même faire preuve de concentration. L'esprit conscient se laisse facilement distraire. Vous devez constamment rediriger votre attention sur la tâche en cours. Plus vous vous engagerez totalement dans les énoncés et les questions du Guide, plus vous y gagnerez. Grâce à l'engagement, à la patience et à la persistance, votre apprentissage se poursuivra.

18

Voir des résultats: le Guide

[*Note de l'auteur*: Ce chapitre, qui doit être lu lentement et avec réflexion, est destiné à consolider beaucoup des apprentissages contenus dans cet ouvrage. Pour savoir comment l'utiliser, veuillez lire le chapitre précédent.]

Commencez par vous asseoir confortablement dans un fauteuil, de sorte que chaque partie de votre corps soit bien soutenue. Vous pouvez poser les mains sur vos cuisses. Vos pieds reposent sur le sol. Sentez le dossier de votre fauteuil contre votre dos, laissez ces muscles se détendre. Votre tête est appuyée doucement, portée par votre cou.

À mesure que vous vous sentez plus à l'aise, enfoncez-vous davantage dans le fauteuil, en laissant vos muscles se détendre. Ne vous laissez pas distraire par les bruits environnants. En fait, moins votre attention sera dirigée sur votre environnement, mieux vous pourrez la concentrer sur vos propres pensées, idées et émotions. Si vous le voulez, laissez vos yeux se fermer.

Prenez un instant pour voir comment vous pouvez vous détendre dans ce fauteuil. Ajustez votre position de façon à la rendre encore plus confortable. Chacun de nous a sa façon de se trouver des moments privilégiés de solitude: ce moment-ci vous appartient. Vous n'avez aucun souci, aucun problème. Personne ne vous dérange. Vous avez laissé dehors toutes vos préoccupations. C'est un moment que vous vous réservez, que vous méritez. Ce moment n'appartient qu'à vous.

Je ne sais pas quelle a été la dernière fois où vous vous êtes autorisé à passer un moment privilégié de solitude, où vous avez donné à votre corps l'occasion de se détendre, loin des tensions du monde, des petites tensions quotidiennes qui vous assaillent sournoisement.

En faisant mentalement le tour de votre corps, vous y remarquerez peut-être des zones tendues. Prenez conscience de chaque partie de votre corps. Faites une pause quand vous arrivez à la zone tendue; contentez-vous de l'observer. Peut-être pouvez-vous vous la représenter symboliquement comme un nœud très serré. Vous pouvez imaginer que chaque expiration décontracte peu à peu ces muscles, les dénoue et les réchauffe. Doucement. Avec chaque expiration, vous pouvez laisser cette zone s'apaiser et baigner dans le confort.

Il n'est pas nécessaire de devenir parfaitement détendu. Vous pouvez remarquer certaines zones de tension et ne pas vous en préoccuper. En fait, plus vous reconnaîtrez les tensions qui vous habitent, plus il vous sera facile de prendre conscience des zones de votre corps qui sont détendues et à l'aise.

Quelque part en vous, vous pourriez bien vous demander si vous êtes même capable de vous sentir parfaitement à l'aise maintenant. Mais, en même temps, une autre partie de vous peut se sentir libre de nourrir des pensées, des images ou des souvenirs — vous vous demandez dans quelle mesure vous pouvez vraiment bénéficier de cette expérience. Durant tout ce temps, vous êtes libre de modifier la position de votre corps pour la rendre plus confortable.

Durant cet intermède de tranquillité, je veux vous rappeler que vous n'avez pas besoin de faire d'efforts pour vivre cette expérience. Contentez-vous de garder l'esprit ouvert pour acquérir une nouvelle perspective. Pour ralentir. Pour réconforter votre moi. Tout cela, vous pouvez le faire sans effort, sans attentes. Écoutez simplement, sans faire d'effort. Nul besoin de vous attendre à quoi que ce soit. Rien ne vient vous déranger. Laissez vos muscles se décontracter de plus en plus, tandis que votre esprit garde le contrôle. En écoutant ma voix, laissez se dissiper les tensions, laissez disparaître toutes les pensées qui viennent vous déranger. Comme des ronds dans l'eau qui seraient provoqués par la chute d'un caillou, laissez ces pensées négatives s'évanouir, et laissez-vous envahir par le calme et la paix.

Il n'y a rien à faire, pas d'effort. Contentez-vous de profiter de ce moment tranquille. De ce moment où vous pouvez laisser disparaître tensions et soucis. Peut-être devenez-vous de plus en plus à l'aise et vous sentez-vous de plus en plus en sécurité avec chaque expiration. Vous ralentissez. Vous réconfortez votre moi. Plus vous êtes près de vous sentir à l'aise — vous êtes détendu, dans un état d'esprit tout à fait unique —, plus vous avez de chances de sentir une paix intérieure demain, la semaine prochaine, l'an prochain. Et cette paix s'accompagne de perspicacité, de la capacité de voir au-delà des tensions de la vie quotidienne, de percevoir un avenir positif dans lequel vous aurez le contrôle de votre propre vie et pourrez faire vos propres choix. Donc, plus vous arrivez à profiter pleinement de l'expérience de ce moment, plus vous serez conscient de ces sentiments dans l'avenir. Vous aurez l'impression d'avoir des garanties. Vous vous sentirez stable, ancré, solide. Tout cela vient avec le temps.

Chaque fois que vous entendez un mot comme «solide» ou «stable», vous pouvez y attacher le sens que vous voulez. Vous avez votre propre définition de la solidité, de la sécurité ou du sentiment d'être protégé.

Chacun de nous a sa propre façon de se sentir en sécurité, de se sentir protégé. Avec le temps, vous apprendrez les meilleures façons d'y arriver. Le sentiment d'être en sécurité peut se développer en vous. Sécurité, chaleur, agrément. Avec le temps, à mesure que vous vous sentirez de plus en plus protégé, de nouvelles occasions se présenteront à vous. De la même façon que vous vous êtes peut-être senti plus en sécurité dans le passé que maintenant, vous pouvez espérer une plus grande sécurité pour l'avenir. Et plus vous vous sentirez en sécurité à l'intérieur de vous-même, plus vous serez capable d'atteindre les objectifs que vous vous serez fixés.

L'Observateur

Toute la journée, vous observez votre environnement. Au lever, le matin, vous regardez le ciel, pour voir s'il est bleu, gris ou blanc. Vous mettez le nez dehors et votre corps fait l'expérience de la température ambiante. Vous prenez le temps de rassembler l'information dont vous avez besoin avant de choisir les vêtements qui vous protégeront le mieux ce jour-là. Ce même observateur tient compte de la couleur et du dessin des vêtements, de la sensation qu'ils procurent, pour vous aider à choisir ceux qui conviennent le mieux et ceux qui sont le plus confortables. Vous vous regardez dans le miroir pour avoir une perspective sur vous-même, pour voir si tout est bien. Un léger sourire peut s'esquisser sur vos lèvres si vous êtes satisfait de votre choix. Vous restez libre de faire un autre choix susceptible de vous servir autrement.

Il est si agréable de s'éloigner de ses problèmes, de s'en distancier juste assez longtemps pour les mettre en perspective. Des vacances arrivent à nous faire oublier les tensions du foyer. Une promenade sur la plage, dans la tranquillité de l'aube, peut apporter à l'âme paix et sérénité. Durant ce moment de solitude privilégié, si vous le voulez, les problèmes laissés derrière vous peuvent sembler bien loin. Il y a un endroit et un moment pour toute chose et, quelquefois, c'est le moment de dire: «Repos! Je mérite un moment de solitude, un moment rien que pour moi.» C'est alors que votre Observateur peut regarder vos problèmes à distance sûre.

Si vous souhaitez mieux connaître votre Observateur, pourquoi ne pas prendre le temps de le faire dès maintenant. Si vous êtes capable de visualisation, laissez votre esprit imaginer un endroit sûr et confortable. L'endroit où vous êtes et les gens qui s'y trouvent avec vous n'ont aucune importance. Peut-être est-ce un endroit où vous êtes déjà allé ou un endroit où vous avez toujours eu envie de vous rendre. Il peut s'agir d'un lieu réel ou d'un lieu imaginaire.

Prenez le temps de regarder autour de vous. Nul besoin de commenter ce que vous voyez. Contentez-vous d'observer les couleurs, les objets, les formes. Vous pouvez être seul ou accompagné. Vous entendez peut-être des bruits... le vol d'un oiseau ou le vent qui siffle dans les arbres. Vous pouvez même sentir des parfums: embruns, fleurs, fumée...

Maintenant, faites l'expérience d'un objet proche de vous: regardez ses couleurs et ses formes, sentez sa texture. Voyez combien d'autres détails il offre à votre examen. Prenez le temps de prêter attention à votre environnement.

Plus vous avez de temps pour observer votre environnement, plus vous pouvez vous y sentir en sécurité.

L'Observateur bienveillant

Vous pouvez donc ralentir votre rythme, prendre le temps de penser à des moyens de vous sentir soutenu. Tout comme votre fauteuil soutient votre dos pour vous permettre d'être plus à l'aise pour nourrir de nouvelles idées, vous pouvez trouver en vous-même le soutien dont vous avez besoin pour être plus à l'aise pour faire face à votre avenir.

Avec le temps, vous découvrirez votre propre petite voix qui soutiendra vos espoirs, vos rêves et vos projets pour un avenir sûr et confortable. Vous créerez votre propre voix pour satisfaire vos besoins personnels — tout cela, en son temps. Pendant que vous apprendrez à prêter l'oreille à votre petite voix intérieure, les pensées que je suis sur le point de vous communiquer vous guideront peut-être. Vous pouvez les absorber et les transformer en votre propre voix, les modifier selon votre bon plaisir. Mais, pour l'instant, pourquoi ne pas simplement écouter ces paroles comme si elles sortaient de vous-même. Laissez votre Observateur voir comment vous vous sentiriez si vous croyiez ces paroles, comment votre vie quotidienne pourrait changer. Si quelque chose ici ne vous convient pas, ignorez-le et remplacez-le par vos propres pensées.

Voici l'attitude de l'Observateur bienveillant: «Chaque être humain a le droit de se sentir libre. Je suis quelqu'un d'important. Je mérite de me sentir libre. Je ne suis pas obligé de me laisser contrôler par mon environnement. Je mérite de me sentir en sécurité et protégé où que je sois. En sécurité et protégé.»

Laissez ces paroles vous imprégner. Nul besoin d'en douter ou de douter de vous-même. Contentez-vous de réfléchir à ces paroles. Sans effort. «Où que j'aille et quoi que je fasse, je suis libre de choisir. J'ai toujours le choix, quoi qu'il arrive. J'ai le droit de choisir comment je me sens, à chaque instant. Je peux décider de ce que je veux faire, n'importe quand. J'ai le droit d'aller et de venir au gré de mon confort. Personne au monde n'a le droit de me contrôler. Ni aucun endroit, ni aucun événement. C'est moi qui décide dans quelle mesure je suis à l'aise, à chaque moment. Plus j'ai le sentiment de ma liberté, plus je serai à l'aise dans les jours et les semaines à venir.»

Continuez de vous autoriser à absorber ces paroles. Ce ne sont que des idées qui s'imprégneront en vous si vous les accueillez — comme si vous ouvriez la porte à un ami. «Je peux penser à ce dont j'ai besoin. Mieux je connaîtrai mes besoins, plus je me sentirai en sécurité. Je peux ralentir et réfléchir. J'ai le temps de penser avant d'agir; quand je ralentis, je peux m'apporter du soutien à moi-même. Je mérite de me sentir soutenu.

«Je peux faire confiance à mon corps, comme mon corps fait confiance au fauteuil et y laisse ses muscles se décontracter. À mesure que j'apprendrai à faire confiance à mon corps, je me sentirai de plus en plus soutenu. En apprenant à faire confiance à mon corps, j'aurai de plus en plus de contrôle sur lui. Je peux prendre tout le temps que je veux pour apprendre à faire confiance à mon corps.

«Je mérite d'être respecté, nourri et soigné. Je peux me respecter, quel que soit le choix que je fasse. Je n'ai rien à prouver. Je n'ai pas à changer. Je suis déjà un être humain digne de respect.

«Mon premier devoir, c'est de prendre soin de moi-même. Plus je répondrai à mon besoin d'amour, de repos et d'attention, plus je serai capable de donner aux autres. Maintenant, c'est le temps de sentir le repos, l'amour et l'attention.»

Tout comme un entonnoir peut diriger et concentrer l'eau qui y coule, vous pouvez laisser ces pensées couler en vous. Elles peuvent se développer comme des petites semences plantées en sol fertile, nourries par le sol et par l'eau, réchauffées par le soleil. Et chaque jour, ces sentiments peuvent prendre de la force. Le changement sera d'abord imperceptible. Mais une fois que ces semences auront germé et qu'elles seront montées à la surface de votre esprit, vous saurez que se seront formées des racines qui vous ancreront dans vos propres ressources.

«Il n'y a rien de mal à avoir confiance en l'avenir. Plus je me sens soutenu, plus il m'est facile de tenter de nouvelles expériences. Je peux prendre tout le temps dont j'ai besoin pour me sentir à l'aise et en sécurité. Le plus long des voyages commence tout de même par un premier pas.

«Toute la vie est composée d'activité et de repos. Je peux faire un pas en avant, petit ou grand, comme je l'entends. Je peux me reposer quand je le veux. Je ne suis pas toujours obligé de faire un effort. Il me suffit de laisser mon regard fixé sur l'objectif, et de m'en approcher, petit à petit, chaque jour. Tout dans notre univers est en mutation constante. Je change à chaque instant. Personne ne peut m'empêcher de changer. Mais il y a une chose qui ne change jamais: la capacité que j'ai de me soutenir moi-même. Où que je sois et quoi que je fasse, je peux toujours décider de me soutenir moi-même. Je me dirai peut-être quelque chose comme "Je mérite de me sentir à l'aise en ce moment" ou "Je suis digne d'amour et compétent".»

Le seul fait d'écouter ces paroles peut vous apporter un sentiment de calme intérieur. Vous constaterez peut-être dans les jours ou les semaines à venir que certaines de ces paroles refont surface dans votre esprit. Quand cela se produira, vous aurez de plus en plus confiance en votre capacité de prendre soin de vous-même en toute situation.

Écouter votre Observateur bienveillant, c'est comme entendre la voix d'un ami. Prenez maintenant un moment pour parler en silence, du point de vue de votre Observateur bienveillant. Offrez-vous le message que vous voulez. Autorisez-vous à absorber ce message, croyez-le, ne serait-ce qu'un instant. Dites-vous maintenant, en silence, quelque chose de positif, quelque chose qui vous aidera.

Après avoir entendu ce message et vous en être imprégné, voyez si vous êtes capable de vous représenter le visage de quelqu'un qui le partagerait avec vous. Peut-être est-ce votre propre visage, celui d'un proche, ou celui d'une personne solide et sûre d'elle qui souhaite partager avec vous solidité et assurance.

Imaginez maintenant qu'une fontaine intarissable de force et d'assurance coule en vous. Elle remplit votre corps: vous avez le sentiment d'être à l'aise, en sécurité, protégé. Imaginez, si vous le voulez, comment votre visage se transforme quand vous vous sentez fort et assuré. Comment vous vous tenez et comment vous tenez la tête. Imaginez, si vous le voulez, que vous vous regardez dans une grande psyché, que vous vous y voyez fort et assuré. Ou encore, songez que cette situation est possible. Persuadez-vous de cette possibilité.

Voir des résultats

Vous avez vos raisons d'écouter ces paroles. Vous avez vos propres besoins et désirs à satisfaire. Pendant que vous continuez de vous autoriser à vous sentir fort et assuré, grâce à la source intarissable qui coule en vous, réfléchissez un instant à votre objectif. Un objectif précis; un objectif positif. Aussitôt cet objectif précis et positif inscrit dans votre esprit, je veux que vous fassiez quelque chose de très spécial. Chaque jour, nous laissons notre esprit imaginer l'avenir. Nous imaginons le déroulement de la journée; nous imaginons la réalisation de tel ou tel projet. Nous imaginons comment nous nous sentirons si nous venons à bout de la tâche.

L'imagination, ce n'est rien de plus qu'envisager une idée. Nous pouvons transformer l'image représentée aussi rapidement que nous changeons d'idée. Vos images servent à vous montrer les choses exactement comme vous aimeriez qu'elles soient. Aucune difficulté, aucun problème, aucune pression. Rien que les choses comme vous aimeriez qu'elles soient. Vous vous sentez comme vous voulez vous sentir. Vous faites l'expérience des choses et des gens que vous aimez.

Je veux donc que vous fassiez quelque chose de très spécial avec votre imagination. Laissez votre esprit avancer dans le futur, comme nous le faisons quand nous sommes dans la lune ou que nous rêvons la nuit. Avancez dans le temps, aussi loin que vous le voulez ou qu'il vous est nécessaire. Arrêtez-vous à un moment du futur, longtemps après que vous aurez atteint votre but.

Imaginez qu'il est possible de changer. Nul besoin de lutter avec les images, laissez venir toutes celles qui surgissent dans votre esprit.

Représentez-vous quelque temps après avoir atteint votre objectif. Que le problème passé ait été grave ou bénin est sans importance. Vous avez maintenant l'habileté que vous aviez toujours souhaitée, cette habileté que vous saviez en vous. Tous les obstacles qui vous bloquaient le chemin menant à votre objectif ont disparu. Tous vos doutes, toutes vos craintes se sont évanouis. Parce que vous avez déjà atteint votre objectif depuis quelque temps. Vous pouvez maintenant jouir de tous les changements qui s'opèrent quand on atteint son objectif.

Laissez-vous aller à faire pleinement l'expérience de ce que vous ressentez maintenant que vous avez atteint votre objectif. Regardez autour de vous: comment votre monde vous apparaît-il désormais?

Placez-vous devant le miroir. Comment votre visage exprime-t-il votre réussite, votre fierté, votre sentiment d'avoir accompli quelque chose?

Regardez de nouveau autour de vous. Qui se tient à vos côtés pour vous soutenir et pour profiter avec vous de ces changements? Est-ce quelqu'un que vous connaissez? Que vous ne connaissez pas?

Maintenant que vous avez réussi à atteindre votre objectif, prenez quelques instants pour profiter de ces changements. Peut-être aimeriez-vous expérimenter quelques-unes des nouvelles portes que vous êtes désormais capable d'ouvrir, pendant que vous continuez de vous sentir fort et assuré. Cette même force et cette même assurance sont renforcées du fait que vous avez réussi à atteindre votre objectif. Selon ce qui vous intéresse, imaginez que vous ouvrez une porte ou deux avec facilité et aisance, que vous vivez de nouvelles expériences agréables.

Peut-être s'agira-t-il d'une vieille porte que vous croyiez ne jamais pouvoir ouvrir. Mais, ayant déjà atteint votre objectif depuis quelque temps, cette porte s'ouvre sans effort de votre part, à votre grand étonnement et à votre ravissement aussi. Faites un pas en arrière et observez-vous en train de vivre en douceur un événement qui dans le passé vous aurait sans doute mis mal à l'aise. Observez un sourire qui se dessine lentement sur vos lèvres, à mesure que se déroule la situation. Nul besoin de penser à votre corps. Il sait exactement comment répondre à vos signaux. Regardez plutôt autour de vous; voyez si d'autres visages vous sourient. Rappelez-vous votre droit de vous sentir en sécurité et protégé où que vous soyez. Votre corps témoigne de la confiance que vous lui manifestez. Laissez-le faire son travail pendant que votre esprit anticipe un avenir positif. Gardez toujours votre regard fixé sur votre objectif. Sur votre objectif positif.

Vous pouvez éprouver une grande fierté, pour avoir accompli ce que vous aviez décidé, conformément à votre échelle de valeurs. Mémorisez cette réussite. Elle vous appartient; vous y avez droit. Elle remplit votre être tout entier, chaque molécule de votre corps.

Pendant que vous faites l'expérience de la réussite, vous pouvez également passer un moment à réfléchir aux diverses étapes que vous avez franchies pour accéder à cet état de profond bien-être qui est maintenant le vôtre. Dans le confort de la sage rétrospective, vous pouvez revoir le passé et être satisfait de la façon dont vous avez réussi à surmonter les obstacles qui jonchaient votre route, ces conflits qui semblaient insolubles mais qui font désormais partie d'un lointain passé. Soyez heureux de l'occasion que vous avez eue d'apprendre ce que vous savez maintenant, que vous n'échangeriez pour rien au monde. La sagesse que vous avez acquise vous appartient et vous pourrez vous en servir dans le futur. Chaque fois que vous entendrez ces paroles, les choses que vous apprendrez feront de plus en plus partie intégrante de votre personnalité.

À un moment futur, il se peut que vous utilisiez ces techniques, ces éclairs de compréhension, spontanément, au moment précis où vous en avez besoin. Vous serez si satisfait que, automatiquement, vous vous aiderez vous-même dans cette situation, sans effort, sans travail.

Considérez toutes les expériences comme un entraînement. Et comme il ne s'agit que d'un entraînement, vous pouvez laisser chacune de ces expériences vous apporter une nouvelle compréhension, une nouvelle force. Tout en gardant votre regard fixé sur chaque objectif positif que vous établissez.

Tout est entraînement. Il n'y a pas d'épreuves, pas d'examens.

Quand ce moment futur arrivera, vous prendrez sans doute une longue inspiration, calme et profonde, qui dissipera toutes les tensions accumulées au cours des années. Vous aurez une impression de soulagement: «Je peux faire confiance à mon corps. Je peux désormais regarder à l'extérieur de moi-même, vers l'avenir positif que je mérite. Vers la sécurité et le confort que je mérite, où que je sois.»

Pendant que votre regard se braque sur l'avenir, vous pouvez, d'une façon ou d'une autre, mettre en veilleuse les expériences du passé qui vous sont désormais inutiles. Il pourrait même y avoir des expériences dont vous voudrez vous débarrasser tout à fait. Tout ce qui n'est pas bénéfique pour votre avenir positif doit être oublié. Chaque fois qu'un vieux souvenir inutile s'estompe, vous faites un pas de plus vers votre objectif.

En continuant à laisser se dissiper soucis et tensions, vous prenez votre vie en mains. Vous récupérez le droit que vous avez de choisir. Vous êtes maître des sentiments positifs que vous éprouvez. En laissant s'évanouir les expériences négatives du passé, vous prenez le contrôle de votre avenir; vous décidez de la façon dont vous vous voyez demain, la semaine prochaine, l'année prochaine.

Pour l'instant, toutefois, contentez-vous d'envisager le reste de la journée. Ajoutez à cette journée tout ce que vous désirez pour vous-même. Dans un moment, vous pourrez prendre une inspiration rafraîchissante, revigorante, et vous trouver alerte et éveillé. Mais avant de le faire, jouissez un peu de la tranquillité du moment.

Maintenant, prenez cette inspiration rafraîchissante. Ensuite, rouvrez les yeux, regardez autour de vous et, quand vous serez prêt à le faire, poursuivez votre journée.

19

L'usage de médicaments

L'une des réussites les plus importantes de la médecine occidentale est la création de médicaments qui allègent les souffrances des malades. Au cours des dernières années, de plus en plus de chercheurs se consacrent à des études sur les avantages qu'offrent les médicaments aux personnes souffrant de panique. Jusqu'à maintenant, leurs efforts ont porté sur deux catégories de diagnostics: le trouble panique et l'agoraphobie, dont j'ai parlé au troisième chapitre.

Au moment d'aller sous presse, en 1986[1], l'Office de contrôle pharmaceutique et alimentaire des États-Unis, la FDA, n'a encore approuvé aucun médicament pour le traitement du trouble panique et de l'agoraphobie. Par conséquent, l'utilisation de tout médicament pour soigner ces affections doit être considérée comme expérimentale.

La FDA autorise l'utilisation d'un médicament quand il est prouvé qu'il est efficace et sans danger, après que des études nombreuses et approfondies en aient montré les avantages. La raison principale qui fait qu'aucun médicament n'a encore été approuvé en ce domaine est claire: le diagnostic du trouble panique et de l'agoraphobie a échappé aux professionnels de la santé mentale

---

1. Il s'agit de l'état de la question en 1986 car, depuis ce temps, les recherches ont évolué.

pendant des années. En fait, ce n'est que depuis 1980, à la troisième édition du *Diagnostic and Statistical Manual,* que l'American Psychiatric Association juge le trouble panique comme une affection distincte. Les grandes recherches n'ont donc été commencées que depuis peu d'années.

Quel qu'en soit le domaine, dans les premières années de recherche, les efforts coordonnés qui sont nécessaires pour établir clairement les faits font généralement défaut. Chaque homme de science engagé dans la recherche est un pionnier qui explore un territoire vierge. Cependant, une fois que des configurations commencent à émerger, la reproduction des modèles d'étude peut servir à vérifier les avantages ou les limites de tel ou tel médicament. Dans le cas des affections qui nous intéressent, cette période de reproduction est commencée.

Les règles de la FDA interdisent aux fabricants du médicament d'en annoncer les avantages dans le traitement de telle ou telle maladie avant que l'autorisation de la FDA ne soit accordée. Toutefois, les médecins peuvent prescrire ces médicaments, en évaluant les risques et les avantages qu'ils comportent pour le patient, quand ces médicaments ont été approuvés pour le traitement d'autres maladies.

Selon les conclusions des recherches actuelles, quatre types de médicaments semblent alléger les symptômes chez certains patients qui sont victimes d'attaques de panique. Je les décris à la fin du présent chapitre. Les chercheurs travaillent sur d'autres médicaments aussi, mais il est trop tôt pour juger de leur efficacité.

L'avantage le plus important que procurent les médicaments, c'est de renforcer la motivation du patient et de l'aider à arriver plus vite à affronter la panique et toutes ses répercussions. Pour qu'un médicament soit efficace, il doit aider le patient au moins au cours de l'une des deux étapes de la panique. La première étape est celle de l'anxiété d'anticipation: des symptômes physiques désagréables et des pensées négatives montent en vous quand vous anticipez l'attaque de panique. La seconde étape, c'est celle où se produisent les symptômes de l'attaque de panique proprement dite. La recherche actuelle et l'expérience clinique indiquent toutes deux que les quatre types de médicaments en question pourraient contribuer à l'allégement des symptômes durant l'une des étapes ou les deux, chez certains patients.

D'autres médicaments sont souvent prescrits contre l'anxiété et la nervosité. Cependant, aucune étude fiable ne motive l'utilisation des tranquillisants mineurs (Valium, Serax, Librium, Ativan ou Tranxène) contre le trouble panique. Même si ces médicaments peuvent calmer quelque peu les patients, certains risquent en fait d'aggraver leurs difficultés.

Si vous envisagez de recourir aux médicaments pour lutter contre la panique, voici quelques suggestions susceptibles de faciliter votre décision.

Commencez par obtenir un diagnostic exact. Les médicaments décrits ici peuvent être choisis par les patients chez qui on a diagnostiqué le trouble panique ou l'agoraphobie. Si vous souffrez de symptômes semblables à ceux de la panique, suivez d'abord les instructions du deuxième chapitre pour déterminer si ceux-ci ont une quelconque cause physique. Dans la négative, votre médecin devrait vous diriger vers un professionnel de la santé spécialisé dans les troubles anxieux, afin qu'il évalue votre cas.

Il n'y a pas de remède magique. Les cliniciens spécialisés dans les troubles anxieux s'entendent généralement pour dire que les médicaments peuvent aider certains patients sujets à la panique, à condition qu'ils viennent s'ajouter à une approche de traitement semblable à celle que je décris dans le présent ouvrage (c'est-à-dire une approche destinée à modifier la pensée dysfonctionnelle et à renforcer la capacité du patient à affronter les situations qu'il redoute). Même si le traitement doit être fondé sur les problèmes particuliers du patient et sur les ressources qui lui sont propres, la clé du succès reste le sentiment qu'il a de pouvoir faire face à la panique et en venir à bout. Toutes les interventions professionnelles — thérapie individuelle, thérapie de groupe, médicaments, techniques comportementales ou exercices d'entraînement — ne devraient avoir qu'un seul objectif: raffermir la croyance du patient en sa capacité de contrôler son corps et sa vie.

C'est dans ce contexte que s'utilisent les médicaments. Ils vous serviront de béquilles pendant que vous guérirez. Les médicaments ne vous guériront pas plus qu'un plâtre ne guérit une jambe cassée. Le corps se guérit lui-même, pourvu qu'on l'aide.

Aux problèmes compliqués, pas de solutions simples, même si de nombreux patients recherchent un remède magique ou un remède dont l'effet est immédiat. Quand ils trouvent un médecin complaisant, ils optent pour un régime de médicaments dans l'espoir de voir se dissiper toutes leurs petites misères. Ces patients sont souvent motivés par la croyance en une quelconque maladie génétique qui les prédestinerait à une vie entretenue par des traitements chimiques. Malheureusement, leur croyance est renforcée par les rapports que publient les médias, rapports qui ne présentent qu'une analyse limitée d'un problème compliqué. En décidant de croire en un trouble physique, ces patients baissent pavillon devant la panique. Et, ce faisant, ils perdent le respect d'eux-mêmes, leur détermination, ainsi que la volonté de croire en la puissance d'autoguérison de leur corps et de leur esprit. Ils continuent de dépendre des médicaments, des médecins, de leurs amis et de leur famille, tout en restreignant leur liberté personnelle.

Soyez disposé à endurer les effets secondaires des médicaments. Chaque médicament a ses effets secondaires. Certains provoquent des symptômes mineurs qui vous dérangeront, mais qui ne nécessitent pas d'intervention médicale. Ces effets secondaires pourraient bien se dissiper à mesure que votre organisme s'adapte au médicament. Toutefois, il existe d'autres effets secondaires qui doivent être rapportés au médecin traitant. Avant d'utiliser les médicaments énumérés, informez-vous auprès de votre médecin de leurs effets secondaires possibles: ceux qui sont inévitables, ceux qui s'allégeront avec le temps, ainsi que ceux que vous devriez porter à son attention.

Je vous recommande de vous informer des effets secondaires possibles des médicaments non pas parce que ces médicaments sont plus puissants ou plus dangereux que d'autres, mais parce que vous serez ainsi mieux préparé pour tolérer certains des symptômes mineurs qu'ils provoqueront. Les symptômes suivants, par exemple, sont appelés «effets anticholinergiques» et sont fréquents pour bon nombre de médicaments: sécheresse de la bouche, diminution ou perte de l'accommodation visuelle, constipation, rétention urinaire. Souvent, ils s'allègent au bout de quelques semaines, quand l'organisme s'est adapté ou que la dose a été réduite. Entre-temps, votre médecin traitant peut vous recommander des moyens de réduire votre inconfort. On soulage le mieux la sécheresse de la bouche en la rinçant fréquemment, en suçant un bonbon ou en mâchant de la gomme (de préférence sans sucre). La constipation mineure peut se résoudre par l'absorption accrue de son, de liquides, et de fruits et légumes frais.

L'hypotension orthostatique peut être un autre effet secondaire des médicaments. Il s'agit d'une diminution de la tension artérielle qui se produit quand vous passez de la position assise ou couchée à la position debout, ou quand vous vous tenez debout pendant un certain temps. Ce déséquilibre peut vous donner des étourdissements ou le vertige, surtout le matin, au lever. Ce n'est là qu'un signe indiquant que votre appareil circulatoire a besoin d'un peu plus de temps pour distribuer le sang également dans tout le corps. Vous pourriez aussi sentir votre cœur battre plus vite ou plus fort (tachycardie ou palpitations) pour compenser cette hypotension passagère.

Quand cette hypotension est mineure, les médecins conseillent de se lever du lit plus lentement le matin et de s'asseoir une bonne minute sur le bord du lit avant de se mettre debout. De la même façon, durant la journée, prenez votre temps pour vous lever de votre chaise. Si vous vous sentez étourdi, accordez à votre corps une minute pour s'adapter à sa nouvelle position.

Si vous décidez d'utiliser un médicament, faites-en honnêtement l'essai. Pour évaluer les avantages d'un médicament, donnez-lui le temps d'avoir un effet thérapeutique. Travaillez de concert avec votre médecin, surtout durant les premières semaines d'essai du médicament, pour en régler la dose et soulager toute appréhension éventuelle. Les médicaments sont d'abord prescrits à faible dose. La dose est ensuite lentement augmentée selon la réponse de votre organisme. Il faut plusieurs semaines de consommation d'un médicament à pleine dose pour en déterminer les avantages.

Vous ne prendrez pas le médicament indéfiniment. Même s'il faut peut-être de trois semaines à trois mois pour déterminer la dose optimale d'un médicament, la plupart des cliniciens-chercheurs semblent dire qu'un traitement d'une durée de six mois à un an est suffisant. Durant ce temps, vous devriez affronter activement les situations qui déclenchent la panique en vous, en recourant aux techniques proposées dans le présent ouvrage.

Vous devez vous sevrer graduellement des médicaments. Une fois le traitement commencé, ne cessez jamais abruptement de prendre votre dose quotidienne. Votre médecin vous montrera comment vous sevrer sans danger, ce qui peut prendre de quelques jours à quelques semaines.

Le recours aux médicaments n'est pas obligatoire. Pour ce qui est des médicaments, vous avez toujours le choix. Ne laissez personne vous persuader qu'ils sont nécessaires pour vaincre la panique ou qu'ils sont le seul remède aux attaques d'anxiété. Comme vous l'avez lu dans le présent ouvrage, beaucoup de facteurs jouent un rôle dans la panique. Les attaques d'anxiété sont des symptômes qui peuvent révéler l'existence d'un trouble physique ou psychologique. Gardez l'esprit ouvert à toutes les possibilités pour ce qui est de résoudre le problème. Si vous choisissez d'inclure les médicament dans votre traitement, faites-le sur la base de vos croyances et de vos valeurs, et aussi parce que vous avez confiance en votre médecin. Si les médicaments ne vous aident pas, continuez d'explorer honnêtement d'autres avenues. La recherche et l'expérience clinique nous enseignent que ces médicaments ne sont d'aucune utilité pour certains patients et que, dans certains cas, ils aggravent les difficultés du patient.

Antidépresseurs tricycliques

Traditionnellement, on utilise les antidépresseurs tricycliques dans le traitement de la dépression majeure ou de la dépression qui accompagne l'anxiété. De cette famille, c'est l'*imipramine* qui a le plus souvent fait l'objet de la recherche sur le traitement de la panique. (La recherche en est encore à ses premières étapes sur les avantages des antidépresseurs hétérocycliques pour le traitement de la panique.)

Avantages possibles: Réduction de la fréquence des attaques de panique et amélioration de l'humeur déprimée.

Doses recommandées par les cliniciens-chercheurs. Compte tenu que certaines personnes sujettes à la panique sont stimulées excessivement par les très petites doses d'antidépresseurs tricycliques, la dose quotidienne initiale est de 10 à 25 mg. Si le patient s'adapte aux effets secondaires, le dosage est alors augmenté de 25 mg tous les deux jours (ou moins souvent), jusqu'à ce que la dose optimale soit atteinte.

Même si certains patients ont besoin d'une dose plus ou moins importante que celle-là, la dose d'entretien quotidienne est généralement de 150 à 250 mg. Les experts recommandent que le patient absorbe la pleine dose quotidienne en une seule fois, généralement le soir, au coucher. Ainsi, il sera moins dérangé le jour par les effets sédatifs ou les autres effets secondaires du médicament.

Effets secondaires possibles: Sécheresse de la bouche, vision trouble, constipation, rétention urinaire, hypotension orthostatique, tachycardie. Quelquefois, ces effets secondaires disparaîtront avec le temps ou à la suite d'une diminution de la dose. Certaines personnes ressentiront des effets secondaires à des doses aussi faibles que 10 mg par jour: nervosité, irritabilité, énergie inhabituelle, difficulté à s'endormir ou à rester endormi.

Alprazolam

L'alprazolam (nom commercial: Xanax) est un médicament relativement récent, de la famille des benzodiazépines, qui sont des anxiolytiques. Les autres médicaments de cette famille, comme le diazépam (Valium) et le clorazépate (Tranxène), ne semblent pas avoir d'effets bénéfiques. La légère différence dans la structure moléculaire de l'alprazolam expliquerait pourquoi, contrairement aux autres, il est efficace.

Avantages possibles: Peut alléger l'angoisse d'anticipation et les attaques de panique; son action est rapide, et il a peu d'effets secondaires.

Doses recommandées par les cliniciens-chercheurs: La posologie initiale de l'alprazolam est généralement une dose de 0,25 mg ou de 0,50 mg prise trois fois par jour. Si ce médicament est absorbé après les repas, les effets secondaires, comme la somnolence, sont réduits et les effets thérapeutiques, prolongés. On peut augmenter cette dose en ajoutant 0,50 mg à l'une des trois doses quotidiennes, jusqu'à ce qu'un total de 2 mg d'alprazolam soit absorbé trois fois par jour. Au delà de 2 mg, toute augmentation se fait sur la dose du soir, ou se répartit également entre les trois doses quotidiennes. La plage de dosage est de 2 à 6 mg par jour.

Effets secondaires possibles: Fatigue, ataxie (incoordination de la marche), trouble de l'élocution et, occasionnellement, mal de tête. Certains patients peuvent être irritables ou déprimés durant les premières semaines de traitement. Généralement, les effets secondaires de l'alprazolam ne sont pas graves et disparaissent avec le temps ou avec une réduction de la dose.

Inhibiteurs de la monoamine-oxydase

Les inhibiteurs de la monoamine-oxydase (IMAO) composent l'autre grande famille des antidépresseurs. La phénelzine (nom commercial: Nardil) est l'IMAO qui a fait l'objet du plus grand nombre de recherches sur le traitement de la panique.

Avantages possibles: Peut réduire la fréquence des attaques de panique, relever l'humeur déprimée et augmenter l'assurance.

Contre-indications alimentaires: Le patient qui prend un IMAO doit faire preuve de vigilance, car ce médicament comporte de nombreuses contre-indications alimentaires. Il est interdit de consommer les aliments suivants: fromages (le cottage est acceptable), vin rouge, bière, chocolat, extraits de levure, viandes attendries au moyen d'épices, hareng mariné, crème sure, yogourt, foie de poulet, figues en conserve, raisins secs, sauce soya, bananes, avocats, fèves des marais ou haricots de Lima. Ces aliments contiennent une substance appelée «tyramine» qui, combinée à l'IMAO, peut causer une hypertension dangereuse et de violents maux de tête.

Interactions médicamenteuses: Le patient qui prend un IMAO doit toujours consulter le médecin qui le lui a prescrit avant de consommer d'autres médicaments. Il faut surtout éviter les médicaments contre le rhume vendus sans ordonnance (y compris les gouttes ou les vaporisateurs pour le nez), les amphétamines, les pilules amaigrissantes, les antidépresseurs tricycliques et certains antihistaminiques.

Doses recommandées par les cliniciens-chercheurs: Le comprimé de phénelzine est de 15 mg. La dose quotidienne est généralement de trois à six comprimés, selon le poids du patient.

Effets secondaires possibles: Hypotension orthostatique, troubles du sommeil, augmentation de l'appétit, dysfonctionnement orgasmique, somnolence, sécheresse de la bouche et accès d'hypertension.

Propanolol

Le propanolol (nom commercial: Indéral) appartient à la famille des médicaments connus sous le nom d'inhibiteurs des récepteurs bêta-adrénergiques ou simplement de «bêta-bloquants». Traditionnellement, on s'en est servi pour traiter l'hypertension, l'angine, certaines affections cardiaques et la migraine.

Avantages possibles: Peut alléger certains symptômes périphériques de l'anxiété, comme la tachycardie et les sueurs profuses, et la tension généralisée. Peut aider à contrôler les symptômes du trac et la peur de parler en public. Il a peu d'effets secondaires.

Restrictions: Le propanolol ne doit pas être prescrit aux personnes souffrant de maladies pulmonaires chroniques, d'asthme, de diabète et de certaines cardiopathies, non plus qu'aux patients profondément déprimés.

Doses recommandées par les cliniciens-chercheurs: On prend généralement le propanolol trois ou quatre fois par jour, pour un total de 40 à 160 mg. Le médecin déterminera la dose, en se basant notamment sur le rythme cardiaque du patient au repos. Ce médicament peut être prescrit avec l'imipramine ou l'alprazolam.

Effets secondaires possibles: Étourdissements ou vertiges, perte de mémoire des faits récents, ralentissement exagéré du pouls, léthargie, insomnie, diarrhée, froideur des extrémités, engourdissement ou picotement des doigts ou des orteils.

20

L'expérience: le meilleur maître

Voici quelques conseils qui vous seront utiles quand vous commencerez à affronter la panique. Ce sont des principes qui aideront quiconque souhaite contrôler les attaques de panique, que celles-ci soient attribuables au trouble panique, à une phobie, à l'asthme, au syndrome prémenstruel, à la dépression ou à tout autre trouble physique ou émotionnel dont j'ai parlé dans le présent ouvrage.

Conseils pour le contrôle des attaques d'anxiété

Trouvez-vous un allié

Nous, humains, sommes des êtres sociables. C'est quand nous communiquons avec nos semblables que nous sommes le plus efficace. Nous changeons selon notre relation avec les autres. Pour ce qui est de résoudre les problèmes, il n'y a aucun avantage à travailler seul dans son coin. Vous accomplirez le plus de progrès quand vous vous encouragerez vous-même dans vos propres efforts et passerez du temps en compagnie de personnes qui vous soutiennent. Quand vous faites face à la panique, vous devez absolument réveiller en vous l'Observateur bienveillant. Un bon moyen de renforcer votre Observateur bienveillant, c'est d'entretenir des relations avec des gens qui possèdent ses qualités.

Trouvez-vous au moins un allié: quelqu'un qui veut votre bien, qui vous estime, qui vous respecte et qui souhaite vous voir atteindre vos objectifs. Pour choisir votre allié, recherchez les traits suivants: ce sont des gens qui vous rappellent que vous êtes libre et que vous avez le choix. Ils vous amènent à vous sentir en sécurité. Ils soutiennent tous vos efforts et vous incitent à avoir confiance en vous-même. Ils vous font confiance. Ils croient que vous pouvez changer; ils s'attendent donc à ce que votre avenir soit positif. Ils savent que, quand il faut prendre une décision, il existe toujours plusieurs possibilités. Ils vous aident à concentrer votre attention sur les solutions plutôt que sur les problèmes.

L'allié peut être votre conjoint, un membre de votre famille, un ami proche, quelqu'un qui a connu les mêmes problèmes que vous dans le passé ou un professionnel reconnu de la santé. Il arrive souvent qu'une personne soit disposée à nous soutenir mais qu'elle ne sache pas comment le faire. Il est probable que vous devrez expliquer à vos alliés comment ils peuvent vous aider. Par exemple, vous pourriez leur demander de lire le présent ouvrage, pour qu'ils comprennent mieux la nature de vos problèmes. Ou encore, vous aurez peut-être à leur décrire le rôle de l'Observateur bienveillant, comme je le fais au dix-huitième chapitre.

Je ne dis pas que vos alliés doivent rester à votre disposition pour vous aider à chaque étape de votre chemin. Leur rôle consiste surtout à vous faire savoir que vous n'êtes pas seul. Quand vous savez que quelqu'un d'autre dans le monde vous comprend, vous savez que vous avez le choix: vous n'êtes pas obligé de lutter seul. Vous pouvez vous sentir en sécurité: quelqu'un vous écoute. Vous pouvez vous sentir soutenu: rien ne vous oblige à toujours être fort et autonome. Et vous pouvez avoir confiance en vous-même: grâce au soutien de vos alliés, vous apprendrez à faire presque tout ce que vous souhaitez.

Quand vous êtes obligé de ne vous fier qu'à vous-même, les pressions qui s'exercent sur vous risquent d'être considérables. Quand vous dépendez totalement des autres, c'est votre amour-propre et votre fierté qui en prennent un coup. Mais quand, dans votre vie, vous avez quelqu'un qui entretient une relation de soutien avec vous, votre puissance personnelle s'en trouve décuplée. Il y a des jours où nous n'avons pas la force de nous relever nous-mêmes, d'afficher un visage souriant et d'affronter le monde tel qu'il est. Ces jours-là, il est bien rassurant d'appeler quelqu'un pour lui dire: «Dis-moi que tout va bien aller.» La voix d'un allié qui vous soutient peut vous sauver la vie. Et, avec le temps, cette voix vous apprendra à vous parler quelquefois avec indulgence, quelquefois avec fermeté, pour que votre problème ne prenne pas des proportions démesurées pendant que vous évaluez les solutions possibles.

BATTEZ-VOUS TOUJOURS POUR ET NON PAS CONTRE QUELQUE CHOSE

Prendre le contrôle de la panique est une démarche positive. Nous entretenons tous des images de ce que nous voudrions que notre vie devienne. Nous songeons aux tâches que nous souhaitons accomplir, aux plaisirs que nous espérons connaître et aux relations que nous voulons voir se développer. En prenant le contrôle de la panique, vous pouvez braquer votre regard sur un avenir positif.

La panique, toutefois, est comme un esprit malin qui aurait d'autres projets pour vous. Elle vous incite à mettre de côté tout ce qui vous occupe et à lutter contre elle. La panique aimerait que vous interrompiez tout dans votre vie pour consacrer toute votre énergie à lutter contre elle. Paradoxalement, la panique ne vit que si vous êtes disposé à lutter contre elle ou à la fuir.

Ne tombez pas dans ce piège. Ne luttez jamais contre cet ennemi invisible. Gardez le regard posé sur des objectifs positifs, pour aujourd'hui, pour cette semaine, pour cette année ou pour toute votre vie. Puis foncez. Quand vous vous sentez anxieux ou tendu, ou quand vous prenez panique, trouvez le moyen de dissiper ces sentiments afin d'être en mesure de poursuivre votre chemin. Gardez toujours un œil sur votre avenir positif.

Voici une analogie qui illustrera ce point. Supposons que vous ayez passé une semaine très active. C'est maintenant vendredi après-midi. Demain, des invités arriveront pour passer le week-end chez vous. Aujourd'hui, vous aimeriez nettoyer la maison et faire une lessive. Mais la semaine écoulée vous a trop fatigué.

Que faites-vous? Vous pouvez choisir de concentrer votre attention sur votre fatigue: «Je ne vais pas laisser cet épuisement l'emporter sur moi. Je vais résister à ce fauteuil invitant, dans lequel j'aimerais tellement m'enfoncer et m'endormir.» Voyez comment vous devenez négatif: vous voulez empêcher l'épuisement de vous abattre, vous voulez vous empêcher de vous reposer. Cette lutte vous fait gaspiller beaucoup d'énergie.

Par contre, vous pouvez choisir d'anticiper un futur positif: «J'aimerais que ma maison ait l'air propre demain. Je veux aussi me sentir reposé. Plus important encore, je veux passer des moments agréables avec mes invités durant le week-end.» Quand votre regard se braque sur vos objectifs, votre attitude s'en trouve modifiée. Il est peut-être dans votre intérêt de faire un petit somme dès maintenant, de telle sorte que dans deux ou trois heures vous ayez l'envie et l'énergie nécessaires pour faire le ménage. Ou vous pouvez choisir de ramasser à la hâte tout ce qui traîne et de fourrer votre linge sale dans un placard, pour avoir plus de temps pour vous détendre et profiter de la compagnie de vos invités. Lutter contre la fatigue n'est plus la chose importante. Ce qui compte davantage, c'est de remettre un peu d'ordre dans la maison, de vous sentir reposé et de passer un week-end agréable.

Quand la panique surgit, gardez l'œil sur votre objectif positif pendant que vous réagissez. Votre attitude est la suivante: «Je vais poursuivre ma route dans cette direction. En ce moment d'inconfort, je dois voir ce que je peux faire pour m'aider moi-même. Je prendrai tous les moyens possibles pour m'aider, afin de continuer à foncer vers mon objectif.»

Devant la panique, recourez au paradoxe

Tout en avançant vers vos objectifs positifs, sachez que vous aurez à faire face à la panique. Quand nous choisissons une tâche difficile, nous savons que nous aurons à travailler dur pour l'accomplir. Nous faisons des sacrifices et, quelquefois, nous refusons d'éluder nos problèmes, parce que nous savons qu'ils sont le prix à payer. La lutte et l'effort sont donc indispensables à l'atteinte d'un objectif. Ce raisonnement est sans surprise.

C'est plutôt quand l'anxiété nous attaque en cours de route que surgit la difficulté. Souvent, durant de tels moments, le seul travail nécessaire consiste en fait à s'efforcer de travailler moins fort. Les stratégies proposées dans le présent ouvrage ont toutes pour fin de vous aider à *ne pas* lutter contre la panique. Devant la panique, recourez à l'une des techniques destinées à susciter la réponse calmante. Ces techniques n'ont pas pour objet de vous aider à vous battre contre la panique ou à la faire disparaître. Considérez-les plutôt comme des moyens de tuer le temps pendant que la panique essaie de vous entraîner dans un combat. En changeant d'attitude envers la panique, vous lui coupez son oxygène. Elle meurt à cause du peu d'attention qu'elle reçoit. Ce même principe s'applique quand vous essayez délibérément de déclencher vos symptômes, comme je l'ai expliqué au seizième chapitre. Chaque fois que vous permettez à la panique d'exister pendant que vous avancez vers vos objectifs positifs, vous minez son influence sur votre vie.

C'est cela, le paradoxe. Vous devez toujours travailler pour atteindre vos objectifs. Cependant, quand la panique vous bloque le chemin, vous en prenez le contrôle, simplement en ne luttant pas contre elle. Vous ralentissez assez longtemps pour reprendre le contrôle, puis vous poursuivez votre route.

Fixez-vous des objectifs à court terme

La panique exerce une force sur vous. Elle tente de vous mettre au pied du mur; vous vous sentirez pris au piège, vous aurez peur. Pour faire face à cette menace, vous devez choisir un objectif à court terme et le viser.

Au dix-septième chapitre, j'ai donné quelques exemples d'objectifs positifs à long terme, comme ceux-ci:

«Je me sentirai en sécurité dans les restaurants et y savourerai confortablement des repas avec mes amis.»

«Je sentirai que j'ai le contrôle de la situation dans les réceptions et je n'aurai pas besoin d'alcool pour me détendre.»

«Je resterai calme et maintiendrai ma façon normale de respirer quand je grimperai l'escalier qui mène à mon appartement.» (Cet exemple s'adresse aux victimes d'un infarctus du myocarde et aux personnes atteintes d'une bronchopneumopathie chronique obstructive.)

Créer votre propre objectif vous aidera dans votre résolution. Quand vous vous sentirez perdu ou déconcerté, cet objectif vous remettra dans la bonne direction.

Pour maîtriser la panique, toutefois, vous aurez besoin d'un objectif supplémentaire, à court terme. Ce sera votre tâche immédiate, qui, une fois accomplie, vous rapprochera de votre objectif à long terme.

Pour comprendre la différence entre l'objectif à long terme et l'objectif à court terme, prenez cet exemple. Imaginez que vous avez trente ans et que vous travaillez comme dactylo depuis six ans. Après mûre réflexion, vous éprouvez le besoin impérieux d'acquérir plus d'indépendance dans votre travail. Vous vous fixez donc comme objectif à long terme une plus grande indépendance au travail. Que faites-vous ensuite?

L'étape suivante consiste pour vous à créer une tâche à court terme qui vous aidera à vous rapprocher de cette indépendance. Vous vous demandez: «Qu'est-ce que je peux faire aujourd'hui, cette semaine, ce mois-ci pour me rapprocher de mon objectif?» La réponse à cette question, c'est votre objectif à court terme: «Ce mois-ci, je vais chercher à déterminer quels sont les emplois qui me donneraient une plus grande indépendance.» Cette intention vous fournit une tâche précise et concrète à accomplir à court terme. Une fois votre objectif à court terme déterminé, vous disposez toujours d'une tâche positive pour orienter vos actions.

Supposons qu'après un mois passé à analyser les possibilités, vous fassiez un pas de plus dans la direction de votre objectif à long terme: «Je pense qu'il y a un marché dans cette ville pour un service de traitement de texte. Avec toute mon expérience, je pourrai offrir un service de grande qualité à des clients. Je me crois capable de gérer une petite équipe de dactylos, mais je ne connais pas bien les affaires.» Vous établissez ensuite un autre objectif à court terme: «Cet automne, je vais suivre un cours du soir en administration des petites entreprises.» Cette intention vous donne quelque chose sur quoi concentrer votre attention à court terme. Vous devez choisir le meilleur cours, vous inscrire, acheter le matériel pédagogique, assister à chaque classe, faire vos travaux, et ainsi de suite.

Il est beaucoup plus facile de se motiver quand l'objectif est presque à portée de la main. Les petites décisions vous sembleront dès lors importantes, parce qu'elles influencent vos objectifs à court terme. Si vous éprouvez de la difficulté à vous appliquer à vos études parce que le fait de posséder votre propre entreprise vous semble trop loin dans l'avenir, alors fixez-vous un objectif à plus court terme: «À la fin de ce cours, je veux être en mesure de me dire que je me suis appliqué semaine après semaine à terminer les travaux imposés. Par conséquent, je vais m'attacher d'abord à terminer le travail que je dois remettre ce vendredi.»

C'est le principe auquel il faut recourir pour vaincre la panique. Par exemple, certaines personnes peuvent avoir comme objectif d'«avoir hâte de vivre les aventures de leur vie sans craindre la panique». Vous atteindrez cet objectif en en établissant des douzaines d'autres, à court terme ceux-là, et en les atteignant l'un après l'autre. Pendant que vous réalisez un objectif à court terme, vous avez déjà les yeux sur le suivant.

Pour avoir hâte de vivre les aventures de votre vie sans craindre la panique, il vous faudra, comme objectif à court terme, apprendre à tolérer les symptômes, légers jusqu'à modérés, de l'anxiété. Si vous arrivez à accepter que ces symptômes vous assaillent de temps à autre et si vous avez confiance en votre capacité de les tolérer, alors vous les craindrez moins.

Une fois que vous aurez l'intention d'apprendre à tolérer les symptômes, vous pourrez vous assigner des tâches à court terme. Entraînez-vous à la respiration calmante et aux exercices destinés à faire naître en vous la réponse calmante; c'est là un bon commencement. Durant cette première étape de votre apprentissage, commencez à écouter les commentaires de votre Observateur négatif. Quand vous verrez combien vos pensées renforcent constamment votre peur, vous pourrez commencer à recourir aux commentaires de l'Observateur bienveillant et aux autres techniques propres à perturber l'activité de l'Observateur négatif. C'est ainsi que vous éroderez le pouvoir de la panique.

Ne soyez pas trop pressé d'atteindre votre objectif à long terme. En concentrant exagérément votre attention sur un avenir éloigné, vous risquez de vous sentir démoralisé et frustré, comme s'il vous était impossible de jamais arriver à destination. Créez plutôt des images d'un avenir positif; travaillez activement aux tâches immédiates.

À n'importe quel moment de la journée, vous devriez être en mesure d'établir vos objectifs à court terme. Vous ne le ferez pas dans le but d'évaluer vos progrès, de faire ressortir vos échecs ou de critiquer vos faiblesses, mais plutôt pour entretenir votre motivation. Recourez à votre Observateur bienveillant pour fixer vos objectifs à court terme et prenez garde aux Observateurs négatifs, qui sont toujours prêts à vous faire trébucher. Les plus dangereux sont l'Observateur critique et l'Observateur désespéré.

Vous reconnaîtrez l'Observateur critique à sa tendance à ruminer le passé: «Lundi, je m'étais dit que je sortirais de la maison pour faire une promenade d'une heure chaque jour. C'est jeudi aujourd'hui, et je ne suis pas encore sorti une fois de la maison. C'est un échec.» Non seulement ces commentaires sont inutiles, mais ils érodent votre amour-propre. Dans vos efforts pour vaincre la panique, établissez vos intentions avec l'aide de votre Observateur bienveillant. Souvent, les mots seront les mêmes, mais le ton sera plus indulgent et reflétera votre attitude orientée vers l'avenir. L'Observateur bienveillant ne s'intéresse nullement à la journée d'hier ni même à l'heure passée. Il concentre son attention sur le présent et sur l'avenir immédiat: «Lundi, j'ai décidé de marcher une heure chaque jour. C'est mardi aujourd'hui; je n'ai pas encore mis mon projet à exécution. *Que dois-je faire pour arriver à faire ma promenade aujourd'hui?*» Que vous n'ayez pas respecté votre engagement hier est sans importance. Ne perdez pas de temps à ruminer le passé. Vous n'avez aucun contrôle sur la journée d'hier, mais vous en avez sur la journée d'aujourd'hui.

Encore une fois, le paradoxe intervient quand vous arrêtez vos objectifs à court terme et travaillez à les accomplir. Voici le paradoxe: arrêtez un objectif concret à court terme, avec la ferme intention de l'atteindre. En même temps, il est sans importance que vous atteigniez votre objectif de la manière prévue ou non.

Par exemple, supposons que votre objectif à long terme soit de pouvoir de nouveau fréquenter les magasins sans problème. Vous avez pris un certain nombre de mesures pour vous préparer: vous avez pratiqué la respiration calmante une douzaine de fois par jour, vous avez passé une vingtaine de minutes chaque jour à méditer et vous avez appris à faire parler votre Observateur bienveillant durant les périodes de stress. Maintenant, vous décidez de vous fixer un autre objectif à court terme, celui de vous promener aujourd'hui dans le centre commercial pendant trente minutes, pour faire du lèche-vitrines avec un ami. Une fois cette décision prise, vous faites autant de pas dans la bonne direction que vous le pouvez. Il importe peu que vous atteigniez cet objectif aujourd'hui. Votre tâche est d'arrêter un objectif à court terme et d'essayer de l'accomplir du mieux que vous pouvez. Rien de plus. Demain, vous vous contenterez d'analyser ce que vous avez appris aujourd'hui et d'établir un nouvel objectif à court terme.

Nous méritons tous d'éprouver des sentiments de fierté et de réussite. Ne vous privez pas de ces sentiments bienfaisants en qualifiant d'échec quoi que ce soit que vous pourriez tenter. Ne définissez pas votre réussite personnelle comme étant l'atteinte de vos objectifs à court terme. Dans la conquête de la panique, vous réussissez chaque fois que vous progressez dans la direction de vos objectifs, que vous les atteigniez ou non.

Choisissez des tâches réalisables

Au moment où je rédige ce chapitre, ma fille vient d'avoir quinze mois. Comme elle est notre premier enfant, ma femme et moi la voyons avec ravissement grandir à vue d'œil. Il semble que chaque soir ma femme me raconte une étape nouvelle de son développement. Aujourd'hui, ma fille a appris à faire entrer un petit bloc dans un trou de même forme. Je vois son visage se contracter pendant qu'elle essaie de contrôler le mouvement de ses mains. Elle fait glisser le bloc autour du trou jusqu'à ce qu'il finisse par tomber dedans. Elle a probablement dépensé autant d'énergie mentale que les astronautes d'*Apollo* quand ils ont réussi pour la première fois à se poser sur la Lune. Ensuite, une expression de satisfaction intense éclaire son visage, pendant que les deux adultes à ses côtés applaudissent et gloussent d'attendrissement.

Même si j'ai de la difficulté à l'imaginer, dans deux ou trois ans ma petite fille usera de phrases complètes pour me parler, choisira ses vêtements et mangera avec une fourchette et une cuiller. Et je n'aurai plus besoin de laver de couches. À mes yeux, il n'y a rien de plus extraordinaire que le développement physique et intellectuel de l'enfant entre sa conception et sa cinquième année. Deux cellules suffisent à former la créature la plus incroyable qu'on puisse imaginer.

Le développement de l'enfant est lent et se fait par étapes successives. Les parents ont une influence négative sur ce processus quand ils essaient d'accélérer l'une ou l'autre de ces étapes. Les bons parents font preuve de patience avec l'enfant. Ils lui offrent assez de défis pour stimuler sa croissance, mais pas au point de l'amener à se sentir dépassé. Chaque chose en son temps.

Beaucoup de victimes de la panique luttent contre elle depuis des années et ont l'impression que les combats à venir dépassent ce qu'ils peuvent supporter. À ces gens-là j'offre les mêmes espoirs et attentes que les parents à leurs jeunes enfants. Le corps a des capacités étonnantes d'autoguérison. Il a besoin de votre confiance, de votre engagement, de votre amour et de votre patience. Grâce à tout cela, il se guérira lui-même.

Tout comme votre Observateur négatif concentre son attention sur le passé, votre Observateur désespéré pense à un avenir trop éloigné. Il observe l'objectif éloigné et dit: «Je n'y arriverai jamais. C'est un objectif inaccessible. Je n'ai pas ce qu'il faut pour réussir.» L'Observateur désespéré a perdu toute curiosité. Il n'entrevoit jamais toutes les possibilités qui s'offrent à vous. Il recourt plutôt à l'outil puissant qu'est l'imagerie pour évoquer des scènes d'échec et pour conclure à son impuissance.

Votre Observateur bienveillant ne voit pas naïvement la vie en rose, ne fait pas de rêves impossibles, n'imagine pas que vous pouvez tout faire dans la vie. Mais son attitude est positive. L'Observateur négatif envisagera un objectif éloigné et dira: «Je ne peux pas l'atteindre.» Votre Observateur bienveillant, lui, dira: «Je ne suis pas encore prêt pour l'atteindre.»

Ces deux commentaires semblent proches. Mais quand vous vous dites: «Je ne peux pas», vous tuez dans l'œuf votre capacité de changer votre propre vie. Quand vous vous dites: «Je ne suis pas encore prêt», vous présumez que vous le serez un jour. Votre Observateur bienveillant laisse la porte ouverte à toute croissance ou amélioration éventuelles, même s'il faut longtemps pour qu'elles se produisent.

Il y a toujours une étape que vous êtes capable de franchir. Si vous vous sentez incapable d'accomplir l'une ou l'autre des tâches que vous vous êtes imposées, vous devez la diviser en étapes de plus en plus modestes, jusqu'à ce que vous soyez en mesure d'y parvenir. Par exemple, vous ne commencerez pas à apprendre à parler en public en montant sur le podium devant un auditoire de mille personnes. Vous enregistrerez plutôt votre voix sur un magnétophone pour vous écouter ensuite; à table, vous raconterez de plus en plus d'histoires à vos amis; ou vous vous imaginerez en train de parler avec aisance devant un petit groupe de connaissances.

Si vous craignez de paniquer au volant, la pensée de traverser le pays en voiture peut vous anéantir. Cherchez à imaginer ce que vous êtes capable de faire au lieu de cela. Êtes-vous capable de vous asseoir derrière le volant, la voiture garée en toute sécurité, moteur éteint, et de vous exercer aux techniques qui suscitent la réponse calmante? Dans ce cas, êtes-vous capable de lancer le moteur, de faire avancer ou reculer la voiture, puis de la garer de nouveau, même si cela vous rend un peu anxieux? Pouvez-vous le faire dix fois? Dès lors que vous vous croyez maître de cette étape, vous sentez-vous capable de faire le tour du pâté de maisons, en compagnie d'un ami qui vous soutient? Dans la négative, exercez-vous à conduire jusqu'à l'intersection et à en revenir. Si cela vous est impossible, laissez votre ami conduire jusqu'à l'intersection et prenez le volant pour en revenir.

Quelle que soit votre peur, il y aura toujours sur le chemin de la guérison une étape qui sera assez modeste pour que vous puissiez la franchir. Chaque fois que vous vous heurtez à une difficulté, réduisez l'importance de l'étape. Cette étape ne pourra jamais être trop modeste. Comme l'a écrit le philosophe chinois Lao Tseu au sixième siècle avant Jésus-Christ: «L'arbre au plus grand ramage est né d'une brindille; la plus haute des terrasses a commencé par être un petit tas de terre; le plus long des voyages s'entame par un premier pas.»

PLANIFIEZ CHAQUE TÂCHE

Certains de mes patients me disent que les activités les rebutent moins quand ils peuvent attendre à la dernière minute pour décider de s'y livrer. C'est souvent vrai parce que ces gens laissent libre cours à leurs images et pensées négatives. S'ils s'engagent une semaine à l'avance à participer à une activité quelconque, ils passent sept jours d'anxiété, de crainte et de fantaisies négatives apocalyptiques.

Pour prendre le contrôle de la panique, vous devez planifier un avenir agréable et sans danger. En réapprenant que vous avez le contrôle des activités de votre vie, vous serez en mesure d'envisager un avenir heureux. Les projets et les rêves nous donnent l'espoir que nous méritons tous, quel qu'ait été notre passé.

Avant d'entreprendre toute tâche qui vous rapproche de votre objectif, répondez en détail à chacune de ces questions. Peut-être vous sera-t-il avantageux de coucher vos réponses sur papier, pour les rendre plus concrètes.

1. Quelle est ma tâche?
2. Quand vais-je l'exécuter?
3. Combien de temps me demandera-t-elle?
4. Quelles sont mes inquiétudes au sujet de cette tâche?
5. Quelles sont mes pensées autocritiques concernant cette tâche?
6. Quelles sont mes pensées désespérées concernant cette tâche?
7. Que puis-je me dire (en remplacement de ces pensées négatives) pour me soutenir moi-même durant l'exécution de cette tâche?
8. Comment puis-je me sentir plus en sécurité pendant que j'exécute cette tâche?

Répétez mentalement la scène de votre réussite

L'une des armes les plus puissantes de la panique, c'est l'effet de surprise. La crainte de l'inconnu nous pousse à contracter notre corps et à rester mentalement en état d'alerte. Le meilleur moyen de résister à cette arme est de planifier mentalement les moments où vous êtes susceptible de paniquer. Si vous savez à quoi vous attendre et comment vous prévoyez réagir, votre motivation et votre envie de réussir s'en trouveront renforcées.

La répétition mentale est un élément essentiel de cette planification. Je vous recommande de distinguer deux phases d'imagerie. Premièrement, vous devriez vous exercer à vous imaginer comme si vous aviez déjà atteint votre objectif. Au dix-huitième chapitre, celui du Guide, je vous ai parlé de cette méthode qui consiste à vous projeter assez loin dans le futur pour vous voir une fois l'objectif atteint. Dans la seconde phase de l'imagerie, vous répéterez mentalement la tâche même.

L'ordre dans lequel vous entretenez ces images n'a pas d'importance. Il est beaucoup plus facile et plus agréable de vous voir après l'exécution de la tâche que durant son déroulement. Cependant, une fois que vous aurez fait l'expérience de tous les sentiments positifs de fierté, d'accomplissement et de liberté qui accompagnent la réussite, vous pourrez vous en servir pour renforcer votre résolution d'exécuter la tâche. Qui plus est, en évoquant délibérément des images de réussite, vous commencez à combattre toutes les pensées d'échec et les fantasmes négatifs qui étaient si «réels» dans le passé. Vous pouvez remplacer les anciens scénarios négatifs de votre esprit par de nouveaux fantasmes positifs.

Je me souviens d'une expérience que nous faisions, à l'école secondaire, dans notre cours de science. L'enseignant nous donnait de longues tiges aimantées et une tasse de limaille de fer qu'il nous demandait de saupoudrer sur les pôles de l'aimant. Après quelques instants, nous pouvions voir la limaille dessiner le champ électromagnétique des tiges aimantées. Bien sûr, ce champ existait toujours. Mais il fallait la limaille pour le rendre visible.

En répétant mentalement les tâches, vous observerez un processus semblable. Votre esprit commencera à rassembler les ressources internes dont il a besoin pour vaincre la panique: vos pensées positives, vos comportements calmants, votre sentiment d'être en sécurité et votre confiance en votre propre corps. Plus vous répéterez, plus fort vous deviendrez. Une fois que vous serez dans une situation qui provoque la panique, ces ressources réapparaîtront pour vous aider. Voici la marche à suivre pour chacune de ces deux répétitions mentales.

Imagerie de la réussite. Réservez-vous une dizaine de minutes de réflexion tranquille. Une fois assis confortablement, fermez les yeux et formez l'image mentale des résultats que vous recherchez. Ce devrait être une image de vous-même *après* l'exécution réussie de votre tâche. Vivez votre réussite de toutes les façons possibles. Voyez la satisfaction se lire sur votre visage. Voyez comment vous vous tenez, votre posture, le port de votre tête. Comment votre corps se sent-il sous l'effet de la réussite? Comment vous sentez-vous sur le plan émotionnel? Autorisez-vous à sentir les sentiments de soulagement et de confort qu'apporte la réussite. Introduisez une autre personne dans la scène, quelqu'un qui vous soutient. Passez quelques moments agréables avec cette personne. Maintenant, laissez ces images mentales vous montrer les autres changements positifs qui deviendront possibles dans votre vie, une fois la panique vaincue.

Quelques directives doivent être suivies pendant que vous pratiquez cette imagerie des «résultats». Premièrement — et c'est le plus important —, veillez à ce que l'image des résultats que vous imaginez soit bien celle des résultats souhaités, parce que c'est là l'objectif qui doit vous motiver. Ne cherchez pas à atteindre quelque chose que vous croyez nécessaire de vouloir ou quelque chose que les autres vous incitent à vouloir. Continuez de modifier l'image jusqu'à ce qu'elle soit bien celle qui reflète un objectif personnel qui vous satisfasse. Deuxièmement, formez vos images avec beaucoup de détails. Imprégnez-vous des couleurs, des textures, des sons. Attardez-vous sur les petits détails qui font toute la saveur de l'expérience vécue. Troisièmement, réagissez sur le plan émotionnel. Apprenez à reconnaître ce que vous ressentez physiquement quand vous êtes heureux ou fier. Et, quatrièmement, attachez-vous à ces images positives. Ne pensez pas aux moyens que vous avez pris pour atteindre votre objectif; restez dans la période qui suit l'atteinte de celui-ci.

Les premières fois que vous recourrez à l'imagerie de la réussite, vous voudrez peut-être vous servir du Guide. Il vous fournira une structure destinée à faire naître des images dans votre esprit pendant que vous vous sentirez relativement à l'aise et en sécurité. Une fois que vous aurez maîtrisé la technique de l'imagerie, vous n'aurez plus à y consacrer autant de temps.

Imagerie de la tâche. La seconde phase de la répétition consiste à vous imaginer en train d'exécuter la tâche. Vous ne devriez commencer cette séance d'imagerie qu'une fois que vous aurez effectué à plusieurs reprises, et de façon satisfaisante, l'imagerie de la réussite pour la tâche en question. En fait, beaucoup de mes patients me disent que l'imagerie de la réussite les aide davantage que l'imagerie du cheminement vers l'objectif. Plus vos images de réussite seront puissantes, plus votre envie d'atteindre votre objectif le sera aussi.

Il existe plusieurs moyens de créer votre imagerie de la tâche. Choisissez celui qui semble le plus avantageux pour vous. Vous voudrez peut-être expérimenter chacun d'eux pour trouver la meilleure approche. Procédez dans l'ordre jusqu'à la troisième approche, parce que les approches 1 et 2 vous aident à développer vos capacités plus lentement, plus résolument.

Entamez chacune de vos séances de la même façon. Commencez par répondre aux questions énumérées sous la rubrique «Planifiez chaque tâche», par écrit de préférence. Puis réservez-vous quelques instants de tranquillité dans un endroit confortable. En vous détendant, assis dans un fauteuil, prenez quelques minutes pour vous calmer l'esprit. Vous voudrez peut-être faire l'exercice de méditation avec compte de cent ou celui de la respiration calmante. Que ces quelques minutes vous aident à faire la transition entre une période d'activité et une période de repos mental. Autorisez-vous à éprouver du bien-être dans votre corps. Puis, entamez l'une de ces marches à suivre.

Vous remarquerez que mes instructions sont formulées d'une façon bien particulière. J'y utilise des expressions comme «Autorisez-vous à…», «Laissez-vous…» ou «Créez une image de…» Ce sont là des façons de vous rappeler que vous ne devez pas lutter pour former des images ni travailler à créer une expérience mentale. Votre esprit conscient devrait se concentrer sur la tâche, mais en même temps relâcher sa prise sur votre imagerie. Laissez les représentations aller et venir librement. Même si vous n'avez pas une image vivante de telle ou telle scène, pourvu que vous gardiez votre esprit concentré sur le sujet, votre inconscient travaillera pour vous.

Approche 1. Orientez le regard de votre Observateur sur l'écran de votre esprit. Évoquez une image de vous-même dans un endroit confortable et sans danger. Restez-y quelques minutes pour profiter de l'expérience. Poursuivez ce scénario jusqu'à ce que vous sentiez votre corps refléter le sentiment de confort et de sécurité que vous avez. Parcourez en esprit votre corps; constatez les sensations que ce confort produit en lui.

Maintenant, en entretenant ces sensations, évoquez l'image de votre tâche. Cette transition est importante. Tenez-vous-en à l'image visuelle de cette tâche: éteignez le son et les sentiments qui y sont associés. Vous devez adopter l'attitude d'un Observateur détaché, comme un réalisateur qui visionnerait un bout de film. Maintenez votre impression de confort physique de la scène précédente.

Pendant que vous vous sentez détendu sur le plan physique, observez-vous sur l'écran, exécutez la tâche avec aisance. Ne vous donnez pas la peine de rendre la scène réaliste. Voyez-vous en train de flotter dans cette expérience, comme si vous étiez porté par le vent. Faites-le avec aisance. Aucune menace n'existe. Aucune difficulté. Ne prenez pas plus de trente secondes pour exécuter du début à la fin la tâche de trente minutes. Que cette scène se termine toujours par l'atteinte de l'objectif et par une image de vous en train de savourer votre réussite. Consacrez autant de temps d'imagerie à savourer l'objectif atteint que de temps passé pour l'atteindre.

Une fois la tâche accomplie en esprit, revenez à votre première scène, celle de l'endroit confortable et sûr. Passez encore quelques minutes à savourer le confort de votre corps et de votre esprit.

Répétez cette démarche deux fois encore, avant de mettre fin à la séance.

Approche 2. Suivez les instruction de l'approche 1. Si vous éprouvez de l'inconfort pendant que vous vous représentez la tâche, effacez mentalement toute cette scène. Revenez à votre première scène, celle de l'endroit confortable et sûr. Restez-y aussi longtemps que nécessaire pour retrouver votre sensation de bien-être. Puis, tout en entretenant cette sensation agréable, retournez flotter dans votre tâche, en repartant à zéro.

Vous pouvez interrompre cette imagerie de la tâche aussi souvent et aussi longtemps que nécessaire pour retrouver votre sensation de bien-être. Nul besoin même de venir mentalement à bout de la tâche durant vos premières séances. Il vous suffit de penser que vous vous amusez avec ces pensées et ces images. Il n'est pas important que vous fassiez des progrès à chacune des séances.

Cependant, il est important que vous finissiez chaque séance d'imagerie dans une sensation de confort. Quand vous êtes prêt à vous arrêter, revenez à la scène de confort et de sécurité et restez-y jusqu'à ce que votre corps y réagisse.

Approche 3. Cette séance comprend plusieurs étapes. Vous pouvez les modifier ou en réduire le nombre, selon vos capacités d'apprentissage et la tâche à exécuter. Il n'est pas nécessaire de franchir toutes les étapes à chacune des répétitions.

Considérez l'approche 3 comme une répétition de niveau avancé. Assurez-vous de pouvoir répéter au besoin les approches 1 et 2 avant d'essayer l'approche 3. Certaines personnes ne recourent qu'aux approches 1 et 2 dans leurs répétitions. D'autres ne font jamais appel à l'imagerie de la tâche, parce qu'ils trouvent l'imagerie de la réussite suffisante pour accomplir leur tâche.

Cette séance exige que vous écriviez les réponses aux questions énumérées sous la rubrique «Planifiez chaque tâche». Placez la feuille de réponses sur vos genoux, pendant que votre corps et votre esprit entrent dans un état de calme. Consacrez quelques minutes à calmer corps et esprit, au moyen des techniques destinées à susciter la réponse calmante que j'ai décrites dans cet ouvrage.

1. Évoquez votre image de la réussite. Donnez-vous un objectif positif précis. Recourez à la respiration calmante pendant que votre corps réagit à cette image.

2. Laissez maintenant cette image s'évanouir, pendant que vous vous voyez à une étape quelconque de votre tâche. Représentez-vous plein d'aisance, totalement maître de la situation, même si vous ne pouvez figer cette scène qu'un bref moment. Recourez à la respiration calmante pendant que cette image s'estompe.

3. Jetez un coup d'œil sur vos réponses à la quatrième question («Quelles sont mes inquiétudes au sujet de cette tâche?»). Considérez vos réponses une à la fois. Regardez votre première réponse, puis fermez les yeux et relisez-la en esprit. Si possible, voyez en même temps certains des mots-clés de cette inquiétude. Maintenant, recourez à la respiration calmante, pendant que vous laissez cette pensée, et ces mots, sortir de votre esprit. Ne vous donnez pas la peine de réagir à cette pensée ni de la remplacer par une pensée positive. Laissez-la simplement s'estomper et laissez se dissiper toutes les tensions qu'elle suscite. Utilisez l'une ou l'autre des techniques destinées à susciter la réponse calmante pour retrouver la sensation de calme qui baignait votre corps. Laissez la pensée négative se dissoudre totalement sans y réagir.

Une fois la sensation de calme et d'aise retrouvée, jetez un coup d'œil à la réponse suivante. Refaites ce qui précède. Une fois que vous aurez répété cette démarche pour chacune de vos réponses à la quatrième question, attaquez-vous à chacune des réponses à la cinquième question («Quelles sont mes pensées autocritiques concernant cette tâche?») et à la sixième («Quelles sont mes pensées désespérées concernant cette tâche?»).

4. Consacrez autant de temps qu'il est nécessaire pour retrouver le calme dans votre corps et votre esprit. Il s'agit d'une période de repos: pas de travail, pas d'effort. Laissez-vous porter; laissez votre corps s'apaiser.

5. Regardez maintenant la septième question («Que puis-je me dire pour me soutenir moi-même durant l'exécution de cette tâche?»). Réfléchissez à vos réponses, une à la fois. Fermez les yeux et récitez mentalement la première. Ne pensez qu'à cette réponse, et non pas à la tâche. Imprégnez-vous de cette réponse. Laissez votre corps y réagir comme si vous croyiez à l'énoncé. Apprenez à reconnaître ce que votre corps ressent quand vous vous sentez soutenu. Une fois satisfait de votre réaction à votre première réponse, récitez mentalement le second énoncé. Imprégnez-vous-en. Constatez la réaction de votre corps quand vous vous autorisez à croire en la véracité de l'énoncé, ne serait-ce qu'un moment. Poursuivez de la sorte avec chacune de vos réponses.

Vous découvrirez peut-être que, en réfléchissant à ces énoncés, un nouvel énoncé positif émerge dans votre esprit. Réfléchissez-y et tirez-en une leçon. Si vous aimez la façon dont votre corps y réagit, notez par écrit ce nouvel énoncé, pour vous en servir plus tard.

6. Commencez à répéter mentalement votre tâche. Prenez d'abord toutes les mesures préparatoires susceptibles d'intensifier votre sentiment de sécurité. Ensuite, regardez-vous en train de franchir chacune des étapes de la tâche, tel que vous aviez prévu de le faire. Voyez-vous au début de la tâche, au milieu et à la fin de celle-ci. Finalement, voyez-vous en train de vous réjouir d'avoir terminé cette tâche. (Par exemple, si vous répétez un vol en avion, observez-vous en train de profiter de vos vacances ou de visiter des amis. Si vous imaginez que vous pouvez faire de l'exercice sans subir une crise d'asthme, voyez-vous plongé dans un bon bain chaud, après une mise en forme physique, respirant sans effort pendant que vous détendez vos muscles, souriant en vous-même pour avoir réussi.)

Vous pouvez adopter l'une ou l'autre de deux façons de faire au cours de cette imagerie de la tâche. Vous pouvez observer la scène qui se déroule dans votre esprit, même si vous ressentez quelque peu d'anxiété à certains moments. Recourez alors aux techniques destinées à susciter la réponse calmante. Plus vous répéterez en laissant monter en vous ces petites tensions, plus vous serez conscient du fait que les tensions vont et viennent. Si vous les tolérez durant l'imagerie, elles vous gêneront moins dans la réalité. Puisque votre objectif n'est pas de faire totalement disparaître toute tension, mais de les réduire à un degré tolérable, cette expérience vous donnera un sentiment accru de contrôle.

La seconde façon de faire consiste à suivre l'imagerie de la tâche sans connaître d'anxiété. Chaque fois que vous ressentez un peu de tension dans votre corps, «effacez» l'image dans votre esprit. Consacrez aux techniques de réponse calmante le temps qu'il faut, en continuant de vous reposer confortablement dans votre fauteuil. Vous voudrez peut-être faire des exercices de respiration calmante ou imaginer une scène agréable. Quand vous vous sentez de nouveau calme, revenez à l'imagerie de la tâche.

Cette méthode risque d'être plus longue que la première. En fait, il se pourrait bien que vous ne terminiez pas votre imagerie de la tâche à la première séance. Néanmoins, cette façon de faire sera tout aussi efficace que la première, si vous persévérez.

7. Finissez toujours vos séances par quelques minutes de tranquillité durant lesquelles vous ne travaillez à aucune tâche. Que ce moment vous serve à concentrer votre attention sur une image agréable, à faire l'expérience d'une sensation de bien-être dans votre corps, ou à méditer sur un mot apaisant.

Exercez-vous à l'imagerie de la réussite et à l'imagerie de la tâche aussi souvent que nécessaire pour en arriver à exécuter la tâche proprement dite.

Toujours un entraînement, jamais un test

L'expérience est le meilleur des maîtres. Toutes les lectures, discussions, analyses et planifications du monde ne servent à rien si vous ne les traduisez pas en actes. Vous devez *agir* contre les croyances de vos Observateurs négatifs pour en venir à bout. Il ne fait aucun doute que vos actes vous feront connaître vos expériences les plus précieuses.

Ne laissez pas de pensées appréhensives vous freiner. Et n'attendez pas un quelconque jour magique où vous aurez vaincu la panique avant même d'y avoir fait face. Pour résoudre votre problème vous devez commencer par exécuter ces choses mêmes que vous évitez généralement, malgré l'apparition de certains symptômes de l'anxiété. Commencez donc par évacuer les prétextes qui bloquent vos progrès physiques. Vous pouvez faire un pas de plus chaque jour vers votre objectif, si vous choisissez de le faire.

Quand vous commencerez à agir, votre attitude envers la tâche constituera un facteur déterminant dans vos progrès. J'insiste toujours pour que mes patients considèrent toute activité dans laquelle ils s'engagent comme une forme d'entraînement. Et je tiens *mordicus* à ce principe. Ne considérez jamais une tâche future comme un «test» qui évaluerait vos progrès ou votre capacité de surmonter la panique. Ne considérez jamais une tentative passée et ratée comme un signe d'échec. Ne misez jamais votre estime de vous-même sur les résultats positifs ou négatifs de vos projets.

Je recommande cette attitude non seulement à mes patients qui veulent venir à bout de la panique, mais à tous mes patients, quels que soient leurs problèmes, et moi-même j'essaie de maintenir cette attitude dans ma propre vie.

Quand vous décidez que toutes vos expériences sont une forme d'entraînement, vous vous montrez disposé à apprendre et prouvez en même temps que vous êtes capable de tirer une leçon de chacune des expériences que vous vivez. Personne ne peut prétendre tout savoir sur un sujet donné. Les savants les plus éminents continuent de se poser de nouvelles questions sur leur domaine de connaissance. Ces femmes et ces hommes brillants seraient les premiers à affirmer combien il est important de garder un esprit d'étudiant ouvert et curieux.

Quand vous vous imposez un test dans chacune de vos activités, vous nuisez à votre apprentissage. Si vous vous dites à vous-même: «Ce que tu as fait hier prouve que tu ne réussiras jamais», vous vous dites en réalité: «Ne te donne pas la peine de tirer une leçon de ce que tu as fait hier, car il est trop tard pour toi.» Pourtant, c'est en commettant des erreurs et en les analysant que l'on apprend.

Il semble que les personnes sujettes à la panique feraient bien de se pencher sur cette question. J'ai vu de mes patients faire des progrès constants, semaine après semaine, puis, un jour, essuyer inévitablement un petit revers. À cause de ce revers, ils sont abattus, déprimés, démoralisés. Ils se critiquent eux-mêmes et perdent espoir.

Puisque quiconque relève un défi est destiné à subir des revers, présumez que ce sera aussi votre cas. Quand vous entendez monter en vous les commentaires de votre Observateur critique et de votre Observateur désespéré, ignorez-les. C'est une des ruses dont use la panique pour vous distraire et vous empêcher d'apprendre.

Finalement...

L'ennui avec notre esprit conscient, c'est qu'il en fait trop.

Songez à la performance des athlètes. L'athlète professionnel répète constamment ses exercices et examine ses propres techniques pour s'améliorer. Mais quand vient le temps de la performance, il cesse d'observer son corps. Il préfère se fier à son instinct, à ses réflexes, à tout ce que les exercices lui ont appris. Maintenant, son regard est dirigé vers l'avant, sur le match, sur le ballon, sur les mouvements des autres joueurs. Une fois le match commencé, l'athlète ne se pose plus de questions, ne met plus en doute ses capacités. Il cesse d'analyser son style. Bref, il fait taire son esprit critique pour que son corps puisse donner le meilleur rendement, sans être perturbé.

Écoutez et observez le musicien professionnel qui donne un concert. Il joue avec abandon, souvent sans l'aide d'une partition. Toutes les techniques, tous les souvenirs sortent du musicien sans effort conscient de sa part. Il y a un effort, mais il n'est pas conscient. Les vrais artistes et les vrais athlètes se font confiance à un autre niveau de leur être.

Une attention excessivement consciente nuit à la performance, quelle que soit la tâche. Le corps humain est la machine enseignante la plus extraordinaire qui soit. Notre esprit conscient n'est qu'un intervenant mineur. Pour atteindre la performance maximum, nous ne devons pas laisser notre esprit conscient s'engager trop dans la démarche. La vraie concentration ne requiert pas d'effort. Mais le plus difficile, durant la concentration, c'est de faire taire l'esprit conscient.

Les douzaines de façons que j'ai utilisées pour aborder le problème de la panique tournent toutes autour d'un seul principe: il faut faire confiance à son corps. Même si beaucoup des tâches d'entraînement que je propose dans le présent ouvrage font appel à la pensée consciente à chaque étape, votre objectif ultime reste de faire très peu de travail conscient. Après que vous aurez maîtrisé les techniques de base, exercez-vous à ne pas penser à votre corps pendant que votre esprit fonctionne de façon lente et simple.

Avec le temps, vous dépasserez la seule technique. Votre objectif final pourrait être de réagir automatiquement, instinctivement, durant les moments de difficulté. Vous saurez que vous aurez réussi quand, un jour, votre esprit conscient vous dira: «Eh! Qu'est-ce qui vient de se passer? J'ai géré cette situation avec aisance et adresse, sans même m'en rendre compte.»

Annexe

Pas de panique!

Quand la panique devient une expérience répétitive, elle se produit selon certains schèmes. Par conséquent, vous êtes en mesure de réagir selon un plan défini d'avance quand vous en percevez les premiers signes. La présente annexe résume certaines des techniques décrites dans *Pas de panique!* Pourquoi ne pas photocopier ces quelques pages et garder les copies à portée de la main, afin de vous y référer au besoin.

Interrompre l'Observateur négatif

(tiré du chapitre 15)

1. Arrêtez-vous et écoutez vos pensées inquiètes, critiques ou désespérées.
2. Quand vous prenez conscience d'un schème de pensée négatif, décidez que vous voulez y mettre fin.
3. Renforcez votre décision au moyen de commentaires positifs («Je peux laisser ces pensées se dissiper.»).
4. Amorcez l'énumération calmante.

Usages: Pour interrompre les pensées négatives qui reviennent souvent.

Prendre le contrôle du moment de panique

(tiré du chapitre 15)

1. Écoutez vos pensées inquiètes, critiques ou résignées à propos de votre corps ou à propos des circonstances.
2. Brisez ce cycle négatif.
   - Recourez à la respiration calmante ou à l'énumération calmante.
   - Trouvez une tâche neutre ou agréable pour vous occuper l'esprit.
3. Quand vous reprenez le contrôle de vos pensées et de votre respiration, observez vos sensations physiques, vos commentaires négatifs et votre environnement.
4. Répondez à cette question: «Comment puis-je me rendre service en ce moment?»
5. À partir de cette réponse, engagez-vous dans une action positive.

Usages: Durant le moment de panique ou les périodes qui la provoquent.

Quelques commentaires positifs à se faire durant le moment de panique

- Il est normal que je me sente comme cela, même si c'est désagréable.
- Même anxieux, je peux exécuter cette tâche.
- Je peux «gérer» ces symptômes.
- Il ne s'agit pas d'une urgence; je peux prendre le temps de réfléchir à ce dont j'ai besoin.
- Quelle que soit la situation, il y a toujours plus d'une possibilité.
- Je peux faire confiance à mon corps.
- Je peux me sentir en sécurité.
- Je mérite de me sentir à l'aise maintenant.
- Je peux prendre tout le temps dont j'ai besoin pour me sentir à l'aise et en sécurité.

- Je peux choisir de faire un tout petit pas vers l'avant. Je peux m'arrêter quand je le veux. Je peux me reposer quand je le veux. Je n'ai pas besoin de toujours faire des efforts.
- Tout est entraînement; il n'y a pas de tests.
- J'ai survécu à une telle situation dans le passé; j'y survivrai cette fois-ci encore.

Utilisation du paradoxe durant la panique

(tiré du chapitre 16)

1. Exécutez l'exercice de respiration calmante, puis commencez à respirer naturellement.
2. Ne luttez pas contre les symptômes physiques; ne prenez pas la fuite.
3. Décidez si oui ou non vous voulez utiliser le paradoxe.
4. Prenez note du symptôme physique prédominant à cet instant.
5. Dites-vous: «Je veux prendre le contrôle de ces symptômes. Je veux intensifier [nommez ici le symptôme prédominant].»
6. Efforcez-vous d'intensifier le symptôme physique en question.
7. Essayez ensuite d'intensifier tous les autres symptômes observés: «Je veux transpirer plus que je ne le fais maintenant. Voyons si je peux me sentir étourdi et avoir les jambes en coton, immédiatement.»
8. Continuez de respirer naturellement, tout en vous efforçant d'intensifier tous les symptômes de panique.
9. Ne vous enlisez pas dans des commentaires inquiets, critiques ou désespérés. («Ce truc ferait mieux d'être efficace dès maintenant. Probablement que je ne m'y prends pas de la bonne façon. Cela ne marchera jamais.»)

Usages: Durant le moment de panique.

Énumération calmante

(tiré du chapitre 14)

1. Inspirez longuement et profondément, puis expirez lentement en disant mentalement le mot «relaxe».
2. Inspirez dix fois naturellement, calmement. Comptez chaque expiration, en commençant par dix.
3. Pendant ce temps, prenez conscience de toute tension, peut-être dans votre mâchoire, dans votre front ou dans votre estomac. Imaginez que ces tensions se dissipent.
4. Quand vous arrivez à l'expiration numéro un, reprenez graduellement vos activités.

Usages: *Chaque fois que vous voulez susciter la réponse calmante de votre corps.*
Pour interrompre les pensées négatives (voir aussi la rubrique «Interrompre l'Observateur négatif», au début de l'annexe).
Pour apaiser l'esprit durant la méditation ou la relaxation (voir la rubrique «Énumération de cent» du chapitre 14).
Durant le moment de panique ou les périodes qui la provoquent.

Respiration calmante

(tiré du chapitre 14)

1. Inspirez profondément, en remplissant d'abord la partie inférieure de vos poumons, puis la partie supérieure.
2. Expirez lentement, en disant mentalement le mot «relaxe» (ou un autre mot).
3. Laissez vos muscles devenir mous et chauds; décontractez le visage et la mâchoire; apaisez votre esprit.
4. Demeurez dans cette position de «repos» physique et mental pendant quelques secondes, ou le temps de deux ou trois respirations naturelles.

Usages: *Intégrez ce bref exercice à votre vie quotidienne. Exécutez-le de six à huit fois par jour pour prévenir l'accumulation des petites tensions normales.*
Pour faciliter l'apparition de la réponse calmante.
Durant le moment de panique ou les périodes qui la provoquent.

Respiration naturelle

(tiré du chapitre 11)

1. Inspirez lentement et doucement une quantité normale d'air par le nez, en ne remplissant que la partie inférieure de vos poumons.
2. Expirez doucement.
3. Continuez de respirer ainsi, lentement et de façon détendue, en vous appliquant à ne remplir que la partie inférieure des poumons.

Usages: *Vous devriez respirer naturellement de la façon décrite, quand vous n'êtes pas physiquement actif.*

L'Observateur

- prend le temps de collecter toutes les données pertinentes;
- est détaché de toute émotion vive;
- peut s'inquiéter, mais pense calmement;
- n'a aucun préjugé;
- met la situation en perspective;
- voit les problèmes sous un jour différent;
- est objectif.

L'Observateur bienveillant

- vous rappelle que vous êtes libre, que vous avez le choix;
- vous permet de vous sentir en sécurité;

- soutient tous vos efforts;
- vous invite à être sûr de vous;
- vous fait confiance et vous permet de vous faire confiance à vous-même;
- s'attend à ce que l'avenir soit positif;
- vous fait remarquer vos réussites;
- cherche autour de vous les gens qui vous soutiennent;
- croit que vous pouvez changer;
- sait qu'il existe toujours plus d'une possibilité quand il faut prendre une décision;
- accorde plus d'importance aux solutions qu'aux problèmes.

L'Observateur inquiet

- s'attend au pire;
- craint l'avenir;
- crée des images exagérées des difficultés potentielles;
- s'attend à une catastrophe et s'y prépare;
- est appréhensif, il cherche le moindre signe d'une difficulté à venir.

Avec le temps, l'Observateur inquiet crée de l'anxiété.

L'Observateur critique

- vous fait comprendre à quel point vous êtes impuissant et désespéré;
- n'hésite pas à vous rappeler vos erreurs passées et à vous faire croire que vous devez vous estimer heureux d'avoir ce que vous avez dans la vie;
- vous fait remarquer régulièrement chacun de vos défauts, au cas où vous les auriez oubliés;
- se sert de vos erreurs pour vous rappeler que vous êtes un raté.

Avec le temps, l'Observateur critique affecte l'estime de soi et la motivation.

L'Observateur désespéré

- souffre de votre expérience actuelle;
- croit qu'il y a en vous quelque chose d'inhérent qui cloche;
- croit qu'il vous manque quelque chose, que vous n'êtes pas complet, que vous n'êtes bon à rien et que vous n'avez pas ce qu'il faut pour réussir;
- s'attend à ce que vous échouiez dans le futur comme vous l'avez fait dans le passé;
- s'attend à ce que vous continuiez d'être incomplet et frustré.
- croit que des obstacles insurmontables s'élèvent entre vous et vos objectifs.

Avec le temps, l'Observateur désespéré crée la dépression.

Bibliographie

Langue française

BENSON, H., *Réagir par la détente ou comment résister aux agressions extérieures,* traduit de l'américain par Primo Basso, Paris, Tchou, 1976.

BROWN, BARBARA, *Le pouvoir de votre cerveau: votre cerveau a une puissance insoupçonnée,* traduit de l'américain par Gérard Piloquet, Montréal, Le Jour, 1984.

COUSINS, NORMAN, *La volonté de guérir,* traduit de l'américain par Rosette Coryell, Paris, Seuil, 1981.

RUBIN, T. I., *Trouver la paix en soi et avec les autres,* traduit de l'américain par J.-P. Lapierre, Montréal, Éditions de l'Homme, 1982.

SIMONTON, O. C., S. MATTHEWS-SIMONTON et J. CREIGHTON, *Guérir envers et contre tout: le guide quotidien du malade et de ses proches pour surmonter le cancer,* 2e éd., traduit par A. Ancelin-Schützenberger et L. Rothschild-Lavigne, Éditions de l'Épi, 1983.

Langue anglaise

ABRAHAM, G. E., «Premenstrual Tension», *Current Problems in Obstetrics and Gynaecology,* 3, 1981.

ALTESMAN, R. I. et J. O. COLE, «Psychopharmacologic Treatment of Anxiety», *Journal of Clinical Psychiatry,* 44, 1983.

AMERICAN PSYCHIATRIC ASSOCIATION, *Diagnostic and Statistical Manual of Mental Disorders,* 3rd ed., Washington D.C., American Psychiatric Association, 1980.

ANANTH, J., «Physical Illness and Psychiatric Disorders», *Comprehensive Psychiatry,* 25, 1984.

ANDERSON, R. W. et A. LEV-RAN, «Hypoglycaemia: The Standard and the Fiction», *Psychosomatics,* 26, 1985.

ARRICK, M. C., J. VOSS et D. C. RIMM, «The Relative Efficacy of Thought Stopping and Covert Assertion», *Behaviour Research and Therapy,* 19, 1981.

ASCHER, L. M., «Employing Paradoxical Intention in the Treatment of Agoraphobia», *Behaviour Research and Therapy,* 19, 1981.

ASSO, D. et H. BEECH, «Susceptibility to the Acquisition of Conditioned Response in relation to the Menstrual Cycle», *Journal of Psychosomatic Research,* 19, 1975.

BALLENGER, J., «Panic Disorder and Agoraphobia», Conference on the Brain and the Heart, Psychiatric Complications of Cardiovascular Disease, Duke University Medical Center, November 14, 1985.

BANDURA, A., «Self-Efficacy: Toward a Unifying Theory of Behavioral Change», *Psychological Review,* 84, 1977.

BANDURA, A., N. ADAMS et J. BEYER, «Cognitive Process Mediating Behavioral Change», *Journal of Personality and Social Psychology,* 35, 1977.

BECK, A. T., Depression: *Causes and Treatment,* Philadelphia, University of Pennsylvania Press, 1967.

_____, *Cognitive Therapy and the Emotional Disorders,* New York, International University Press, 1976.

BECK, A. T. et G. EMERY, *Anxiety Disorders and Phobias: A Cognitive Perspective,* New York, Basic Books, 1985.

BECK, A. T., A. J. RUSH, B. F. SHAW et G. EMERY, *Cognitive Therapy of Depression,* New York, The Guilford Press, 1979.

BENSON, H., *Beyond the Relaxation Response,* New York, Times Books, 1984.

_____, *The Mind/Body Effect,* New York, Simon and Schuster, 1979.

BERNSTED, L., R. LUGGIN et B. PETERSSON, «Psychosocial Considerations of the Premenstrual Syndrome», *Acta Psychiatr. Scand,* 69, 1984.

BIRAN, M. et G. T. WILSON, «Treatment of Phobic Disorders Using Cognitive and Exposure Methods: A Self-Efficacy Analysis», *Journal of Consulting and Clinical Psychiatry,* 49, 1981.

BLANCHARD, E. B., «Psychological Treatment of Cardiovascular Disease», *Archives of General Psychiatry,* 34, 1977.

BLAND, K. et R. S. HALLAM, «Relationship Between Response to Graded Exposure and Marital Satisfaction in Agoraphobics», *Behaviour Research and Therapy,* 19, 1981.

BOSTON COLLABORATIVE DRUG SURVEILLANCE PROGRAM, «Psychiatric Side Effects of Nonpsychiatric Drugs», *Seminars in Psychiatry,* 3, 1971.

BOWEN, R. C. et J. KOHOUT, «The Relationship Between Agoraphobia and Primary Affective Disorders», *Canadian Psychiatric Association Journal,* 24, 1979.

BOYD, T. L. et D. J. LEVIS, «Exposure is a Necessary Condition for Fear-Reduction: A Reply to De Silva and Rachman», *Behaviour Research and Therapy,* 21, 1983.

«Breathing and Control of Heart Rate», *British Medical Journal,* December 1978.

BREIER, A., D. S. CHARNEY et G. R. HENINGER, «The Diagnostic Validity of Anxiety Disorders and Their Relationship to Depressive Illness», *The American Journal of Psychiatry,* 142, 1985.

BREIER, A., D. S. CHARNEY et G. R. HENINGER, «Major Depression in Patients with Agoraphobia and Panic Disorder», *Archives of General Psychiatry,* 41, 1984.

BROWN, B. B., *Between Health and Illness,* Boston, Houghton Mifflin, 1984.

BURNS, D. D., *Feeling Good,* New York, William Morrow, 1980.

BUTLER, G., A. CULLINGTON, M. MUNBY, P. AMIES et M. GILDER, «Exposure and Anxiety Management in the Treatment of Social Phobias», *Journal of Consulting and Clinical Psychiatry,* 52, 1984.

CARR, D. B. et D. V. SHEEHAN, «Panic Anxiety: A New Biological Model», *Journal of Clinical Psychiatry,* 45, 1984.

CASSEM, N. H. et T. P. HACKETT, «Psychological Rehabilitation of Myocardial Infarction Patients in Acute Phase», *Heart and Lung,* 2, 1973.

CHAMBLESS, D. L., E. B. FOA, G. A. GROVES et A. J. GOLDSTEIN, «Exposure and Communications Training in the Treatment of Agoraphobia», *Behaviour Research and Therapy,* 20, 1982.

CHAMBLESS, D. L. et A. J. GOLDSTEIN, ed., *Agoraphobia: Multiple Perspectives on Theory and Treatment,* New York, John Wiley, 1982.

CLARK, D. M. et D. R. HEMSLEY, «The Effects of Hyperventilation: Individual Variability and Its Relation to Personality», *Journal of Behaviour Therapy and Experimental Psychiatry,* 13, 1982.

CLARK, D. M., P. M. SALKOVSKIS et A. J. CHALKLEY, «Respiratory Control as a Treatment of Panic Attacks», *Journal of Behaviour Therapy and Experimental Psychiatry,* 16, 1985.

CORYELL, W., R. NOYES et J. CLANCY, «Panic Disorder and Primary Unipolar Depression: A Comparison of Background and Outcome», *Journal of Affective Disorders,* 5, 1983.

COUSINS, N., *The Healing Heart,* New York, Norton, 1983.

CROWE, R. R., G. GAFNEY et R. KERBER, «Panic Attacks in Families of Patients with Mitral Valve Prolapse», *Journal of Affective Disorders,* 4, 1982.

CROWE, R. R., R. NOYES, D. L. PAULS et D. SLYMEN, «A Family Study of Panic Disorder», *Archives of General Psychiatry,* 40, 1983.

DAVIDSON, D. M., M. A. WINCHESTER, C. B. TAYLOR, E. A. ALDERMAN et N. B. INGELS, JR., «Effects of Relaxation Therapy on Cardiac Performance and Sympathetic Activity in Patients with Organic Heart Disease», *Psychosomatic Medicine,* 41, 1979.

DE SILVA P. et S. RACHMAN, «Does Escape Behaviour Strengthen Agoraphobic Avoidance?: A Preliminary Study», *Behaviour Research and Therapy,* 22, 1984.

DE SILVA P. et S. RACHMAN, «Exposure and Fear-Reduction», *Behaviour Research and Therapy,* 21, 1983.

DIETCH, J. T., «Diagnostic of Anxiety Disorders», *Psychosomatics,* 22, 1981.

DI NARDO, P. A., G. T. O'BRIEN, D. H. BARLOW, M. T. WADDELL et E. B. BLANCHARD, «Reliability of DSM-III Anxiety Disorder Categories Using a New Structured Interview», *Archives of General Psychiatry,* 40, 1983.

DRACHMAN, D. et C. HART, «An Approach to the Dizzy Patient», *Neurology,* 22, 1972.

DUDLEY, D. L., E. M. GLASER, B. N. JORGENSON et D. L. LOGAN, «Psychosocial Concomitants to Rehabilitation in Chronic Obstructive Pulmonary Disease», Part 1: «Psychosocial and Psychological Considerations», *Chest,* 77, 1980.

DUDLEY, D. L., E. M. GLASER, B. N. JORGENSON et D. L. LOGAN, «Psychosocial Concomitants to Rehabilitation in Chronic Obstructive Pulmonary Disease», Part 2: «Psychosocial Treatment», *Chest,* 77, 1980.

DUDLEY, D. L., E. M. GLASER, B. N. JORGENSON et D. L. LOGAN, «Psychosocial Concomitants to Rehabilitation in Chronic Obstructive Pulmonary Disease», Part 3: «Dealing with Psychiatric Disease (as Distinguished from Psychosocial or Psychophysiologic Problems», *Chest,* 77, 1980.

DUDLEY, D. L., C. WERMUTH et W. HAGUE, «Psychosocial Aspects of Care in the Chronic Obstructive Pulmonary Disease Patient», *Heart and Lung,* 2, 1973.

DUPONT, R. L. ed., *Phobia: A Comprehensive Summary of Modern Treatments,* New York, Brunner/Mazel, 1982.

ELLIS, A., «A Note on the Treatment of Agoraphobics with Cognitive Modification Versus Prolonged Exposure in Vivo», *Behaviour Research and Therapy,* 17, 1979.

______, *Reason and Emotion in Psychotherapy,* New York, Lyle Stuart, 1962.

EMMELKAMP, P. M., «Agoraphobics' Interpersonal Problems: Their Role in the Effects of in Vivo Therapy», *Archives of General Psychiatry,* 37, 1980.

______, *Phobic and Obsessive-Compulsive Disorders,* Plenum, New York, 1982.

EMMELKAMP, P. M., A. C. KUIPERS et J. B. EGGERAAT, «Cognitive Modification Versus Prolonged Exposure in Vivo: A Comparison with Agoraphobics as Subjects», *Behaviour Research and Therapy,* 16, 1978.

EMMELKAMP, P. M. et P. P. MERSCH, «Cognitive and Exposure in Vivo in the Treatment of Agoraphobia: Short-term and Delayed Effects», *Cognitive Therapy and Research,* 1, 1982.

EMMELKAMP, P. M., A. VAN DER HOUT et K. DE VRIES, «Assertive Training for Agoraphobics as Subjects», *Behaviour Research and Therapy,* 21, 1983.

FAWCETT, J. et H. M. KRAVITZ, «Anxiety Syndromes and Their Relationship to Depressive Illness», *Journal of Clinical Psychiatry,* 44, 1983.

FINNBERG, E. A., «Anticipating Side Effects of Relaxation Treatment», lettre publiée dans *American Journal of Psychiatry,* 140, 1983.

FLANNERY, J. G. et J. SZMUILOWICZ, «Psychiatric Implications of the Mitral Valve Prolapse (MVPS)», *Canadian Journal of Psychiatry,* 24, 1979.

FORD, C. V., G. A. BRAY et R. S. SWEDLOFF, «A Psychiatric Study of Patients Referred with a Diagnosis of Hypoglycaemia», *American Journal of Psychiatry,* 133, 1976.

FRANKL, V. E., *Psychotherapy and Existentialism: Selected Papers on Logotherapy,* New York, Simon & Schuster, 1967.

FREEDMAN, R. R., P. IANNI, E. ETTEDGUI, R. POHL et J.M. RAINEY, «Psychophysiological Factors in Panic Disorders», *Psychopathology,* 17, 1984.

GANNON, L., «Evidence for a Psychological Etiology of Menstrual Disorders: A Critical Review», *Psychological Reports,* 18, 1981.

GARSSEN, B., W. VAN VEENEDAAL et R. BLOEMINK, «Agoraphobia and the Hyperventilation Syndrome», *Behaviour Research and Therapy,* 21, 1983.

GARVEY, M. J. et V. B. TUASOIN, «The Relationship of Panic Disorder to Agoraphobia», *Comprehensive Psychiatry,* 25, 1984.

GENDLIN, E. T., *Focusing,* 2nd ed., New York, Bantam, 1981.

GITTELMAN, R. et D. F. KLEIN, «Relationship Between Separation Anxiety and Panic and Agoraphobic Disorders», *Psychopathology,* 17, 1984.

GOLDFRIED, M. R. et C. ROBINS, «On the Facilitation of Self-efficacy», *Cognitive Therapy and Research,* 6, 1982.

GOODSTEIN, R. K. et K. SWIFT, «Psychotherapy with Phobic Patients: The Marriage Relationship as the Source of Symptoms and Focus of Treatment», *American Journal of Psychotherapy,* 31, 1977.

GOODWIN, J., *Continued Readjustment Problems among Vietnam Veterans: The Etiology of Combat-Related Post-Traumatic Stress Disorders,* Disabled American Veterans, New York.

GORMAN, J. M., J. ASKANAZI, M. R. LEIBOWITZ, A. J. FYER, J. STEIN, J. M. KINNEY et D. F. KLEIN, «Response to Hyperventilation in a Group of Patients with Panic Disorder», *American Journal of Psychiatry,* 141, 1984.

GORMAN, J. M., A. J. FYER, J. GLIKLICH, D. KING et D. F. KLEIN, «Effect of Imipramine on Prolapsed Mitral Valves of Patients with Panic Disorder», *American Journal of Psychiatry,* 138, 1981.

GORMAN, J. M., G. F. LEVY, M. R. LEIBOWITZ, P. MCGRATH, I. L. APPLEBY, D. J. DILLON, S. O. DAVIES et D. F. KLEIN, «Effect of Acute Beta-Adrenergic Blockade on Lactate-Induced Panic», *Archives of General Psychiatry,* 40, 1983.

GORMAN, J. M., J. M. MARTINEZ, M. R. LEIBOWITZ, A. J. FYER et D. F. KLEIN, «Hypoglycaemia and Panic Attacks», *American Journal of Psychiatry,* 141, 1984.

GOULD, R. L., *Transformations: Growth and Change in Adult Life,* New York, Simon & Schuster, 1978.

GREENBERG, G. D., J. J. RYAN et P. F. BOURLIER, «Psychological and Neuropsychological Aspects of COPD», *Psychosomatics,* 26, 1985.

GROSSMAN, P., «Respiration, Stress, and Cardiovascular Function», *Psychophysiology,* 20, 1983.

GRUNHAUS, L., S. GLOGER et E. WEISSTUB, «Panic Attacks: A Review of Treatments and Pathogenesis», *Journal of Nervous and Mental Disease,* 169, 1981.

GURNEY, C., M. ROTH, R. F. GARSIDE, T. A. KERR et K. SCHAPIRA, «Studies in the Classification of Affective Disorders: The Relationship Between Anxiety States and Depressive Illnesses — II», *British Journal of Psychiatry,* 121, 1972.

HAFNER, R. J., «Behaviour Therapy for Agoraphobic Men», *Behaviour Research and Therapy,* 21, 1983.

_____, «Predicting the Effects on Husbands of Behaviour Therapy for Wives' Agoraphobia», *Behaviour Research and Therapy,* 22, 1984.

HALL, S. M., «The Abstinence Phobias: Links Between Substance Abuse and Anxiety», *The International Journal of the Addictions,* 19, 1984.

HALLAM, R. S., «Agoraphobia: A Critical Review of the Concept», *British Journal of Psychiatry,* 133, 1978.

HANDLEY, R., *Anxiety and Panic Attacks: Their Cause and Cure,* New York, Rawson, 1985.

HARRIS, E. L., R. NOYES JR., R. R. CROWE et D. R. CHAUDHRY, «Family Study of Agoraphobia: Report of a Pilot Study», *Archives of General Psychiatry,* 40, 1983.

HARRISON, T., «Post-traumatic Stress Syndrome», atelier présenté à la Eleventh Annual Spring Conference of Southeast Institute, Myrtle Beach, S.C., 1985.

HARTMAN, N., R. KRAMER, W. T. BROWN et R. B. DEVEREUX, «Panic Disorder in Patients with Mitral Valve Prolapse», *American Journal of Psychiatry,* 139, 1982.

HASKETT, R. F. et J. M. ABPLANALP, «Premenstrual Tension Syndrome: Diagnostic Criteria and Selection of Research Subjects», *Psychiatry Research,* 9, 1983.

HIBBERT, G. A., «Hyperventilation as a Cause of Panic Attacks», *British Medical Journal,* 288, 1984.

HICKEY, A. J., G. ANDREWS et D. E. WILCKEN, «Independence of Mitral Valve Prolapse and Neurosis», *British Medical Journal,* 50, 1983.

HILLENBERG, J. B. et F. L. COLLINS JR., «The Importance of Home Practice for Progressive Relaxation Training», *Behaviour Research and Therapy,* 21, 1983.

HIMALDI, W. G., R. BOICE et D. H. BARLOW, «Assessment of Agoraphobia: Triple Response Measurement», *Behaviour Research and Therapy,* 23, 1985.

HOODGUIN, C. A. L. et W. A. HOODGUIN, «The Out-patient Treatment of Patients with an Obsessional-Compulsive Disorder», *Behaviour Research and Therapy,* 22, 1984.

HOUSE, A. E., L. MANELIS et B. M. KINSCHERF, «Vigilance as a Model of Self-monitoring Accuracy: Empirical Effects and a Conceptual Framework», *Behavioral Assessment,* 5, 1983.

JACOBSON, E, *Progressive Relaxation,* 2nd ed., Chicago, University of Chicago Press, 1974.

JAMES, J. E., B. A. HAMPTON et S. A. LARSEN, «The Relative Efficacy of Imaginal and in Vivo Desensitization in the Treatment of Agoraphobia», *Journal of Behavior Therapy and Experimental Psychiatry,* 14, 1983.

KANTOR, J. S., C. M. ZITRIN et S. M. ZELDIS, «Mitral Valve Prolapse Syndrome in Agoraphobic Patients», *American Journal of Psychiatry,* 137, 1980.

KATERNDAHL, D. A. et L. VANDE CREEK, «Hyperthyroidism and Panic Attacks», *Psychosomatics,* 24, 1983.

KELLY, W., *Post-traumatic Stress Disorder and the War Veteran Patient,* New York, Brunner/Mazel, 1985.

KENNEDY, H. L., J. A. WHITLOCK, M. K. SPRAGUE, L. J. KENNEDY, T. A. BUCKINGHAM et R. J. GOLDBERG, «Long-term Follow-up of Asymptomatic Healthy Subjects with Frequent and Complex Ventricular Ectopy», *The New England Journal of Medicine,* 312, 1985.

KLEIN, D. F., «Anxiety Reconceptualized», *Comprehensive Psychiatry,* 21, 1980.

_____, «Delineation of Two Drug-Responsive Anxiety Syndromes», *Psychopharmacologia,* 5, 1964.

KLEIN, D. F. et J. G. RABKIN, eds., *Anxiety: New Research and Changing Concepts,* New York, Raven Press, 1981.

KLEIN, D. F., C. M. ZITRIN, M. G. WOERNER et D. C. ROSS, «Treatment of Phobias», Part 2: «Behavior Therapy and Supportive Psychotherapy: Are There Any Specific Ingredients?», *Archives of General Psychiatry,* 40, 1983.

KRAFT, A. R. et C. A. L. HOODGUIN, «The Hyperventilation Syndrome», *British Journal of Psychiatry,* 145, 1984.

KRANTZ, D. S., «Cognitive Processes and Recovery from Heart Attack: A Review and Theoretical Analysis», *Journal of Human Stress,* 1980.

KUTZ, I., J. Z. BORYSENKO et H. BENSON, «Meditation and Psychotherapy: A Rationale for the Integration of Dynamic Psychotherapy, the Relaxation Response, and Mindfulness Meditation», *American Journal of Psychiatry,* 142, 1985.

LADER, M., «Behavior and Anxiety: Physiologic Mechanisms», *Journal of Clinical Psychiatry,* 44, 1983.

LADOUCEUR, R., «Rationale of Systematic Desensitization and Covert Positive Reinforcement», *Behaviour Research and Therapy,* 16, 1978.

LANKTON, S. et C. LANKTON, *The Answer Within: A Clinical Framework of Ericksonian Hypnotherapy,* New York, Brunner/Mazel, 1983.

LECKMAN, J. F., M. M. WEISSMAN, K. R. MERIKANSAS, D. L. PAULS et B. A. PRUSOFF, «Panic Disorder and Major Depression: Increased Risk of Depression, Alcoholism, Panic, and Phobic Disorders in Families of Depressed Probands with Panic Disorders», *Archives of General Psychiatry,* 40, 1983.

LEGGETT, J. et A. FAVAZZA, «Hypoglycemia: An Overview», *Journal of Clinical Psychiatry,* January 1978.

LEHMANN, H. E., «The Clinician's View of Anxiety and Depression», *Journal of Clinical Psychiatry,* 44, 1983.

LEHRER, P. M., «How to Relax and How Not to Relax: A Re-evaluation of the Work of Edmund Jacobson — I», *Behaviour Research and Therapy,* 20, 1982.

LEY, R., «Agoraphobia, the Panic Attack and the Hyperventilation Syndrome», *Behaviour Research and Therapy,* 23, 1985.

LIEBOWITZ, M. R. et D. F. KLEIN, «Differential Diagnosis and Treatment of Panic Attacks and Phobic States», *Annual Review of Medicine,* 32, 1981.

LUM, L. C., «Hyperventilation and Anxiety State», *Journal of the Royal Society of Medicine,* 74, 1981.

_____, «Hyperventilation: The Tip and the Iceberg», *Journal of Psychosomatic Research,* 19, 1975.

MacNeil-Lehrer-Gannett Productions, «My Heart, Your Heart», documentaire d'une heure diffusé le 27 février 1985 sur les ondes de Public Broadcasting Corporation.

Marks, I. M., «Agoraphobic Syndrome (Phobic Anxiety State)», *Archives of General Psychiatry,* 23, 1970.

Matthews A. M., M. G. Gelder et D. W. Johnston, *Agoraphobia: Nature and Treatment,* New York, Guilford Press, 1981.

Mavissakalian, M., «Pharmacologic Treatment of Anxiety Disorders», *Journal of Clinical Psychiatry,* 43, 1982.

Mavissakalian, M. et D. H. Barlow, eds., *Phobias: Psychological and Pharmacological Treatment,* New York, Guilford Press, 1981.

Mavissakalian, M. et L. Michelson, «Patterns of Psychophysiological Change in the Treatment of Agoraphobia», *Behaviour Research and Therapy,* 20, 1982.

Mavissakalian, M., L. Michelson et R. S. Dealy, «Pharmacological Treatment of Agoraphobia: Imipramine Versus Imipramine with Programmed Practice», *British Journal of Psychiatry,* 143, 1983.

Mavissakalian, M., L. Michelson, D. Greenwald, S. Kornblith et M. Greenwald, «Cognitive-Behavioral Treatment of Agoraphobia: Paradoxical Intention *vs* Self-statement Training», *Behaviour Research and Therapy,* 21, 1983.

Mavissakalian, M., R. Salerni, M. E. Thompson et L. Michelson, «Mitral Valve Prolapse and Agoraphobia», *American Journal of Psychiatry,* 140, 1983.

McMullough, C. J. et R. W. Mann, *Managing Your Anxiety,* Los Angeles, Tarcher, 1985.

Meyer, V. et B. Reich, «Anxiety Management: The Marriage of Physiological and Cognitive Variables», *Behaviour Research and Therapy,* 16, 1978.

Michelson, L. et L. M. Ascher, «Paradoxical Intention in the Treatment of Agoraphobia and Other Anxiety Disorders», *Journal of Behaviour Therapy and Experimental Psychiatry,* 16, 1978.

Milton, F. et J. Hafner, «The Outcome of Behavior Therapy for Agoraphobia in Relation to Marital Adjustment», *Archives of General Psychiatry,* 36, 1979.

MULLANEY, J. A. et C. J. TRIPPETT, «Alcohol Dependence and Phobias: Clinical Description and Relevance», *British Journal of Psychiatry,* 135, 1979.

MUNJACK, D. J. et H. B. MOSS, «Affective Disorder and Alcoholism in Families of Agoraphobics», *Archives of General Psychiatry,* 38, 1981.

NEUMAN, F., *Fighting Fear,* New York, Macmillan, 1985.

NORRIS, R. V., *PMS: Premenstrual Syndrome,* New York, Rawson, 1983.

PARISER, S. F., B. A. JONES, E. R. PINTA, E. A. YOUNG et M. E. FONTANA, «Panic Attacks: Diagnostic Evaluations of 17 Patients», *American Journal of Psychiatry,* 136, 1979.

PARISER, S. F., E. R. PINTA et B. A. JONES, «Mitral Valve Prolapse Syndrome and Anxiety Neurosis/Panic Disorder», *American Journal of Psychiatry,* 135, 1978.

PASNAU, R. O., «Clinical Presentations of Panic and Anxiety», *Psychosomatics,* 25, 1984.

PELOSI, M. A., «Premenstrual Syndrome: Fact or Fantasy», *The Journal of the Medical Society of New Jersey,* 81, 1984.

POHL, R., J. M. RAINEY JR. et S. GERSHON, «Changes in the Drug Treatment of Anxiety Disorders», *Psychopathology,* 17, 1984.

POPLER, K., «Agoraphobia: Indications for the Application of the Multimodal Behavioral Conceptualization», *Journal of Nervous and Mental Disease,* 164, 1977.

PRICE, W. A. et A. J. GIANNINI, «Premenstrual Tension Syndrome», *Resident and Staff Physician,* 31, 1985.

QUITKIN, F. M., A. RIFKIN, J. KAPLAN et D. F. KLEIN, «Phobic Anxiety Syndrome Complicated by Drug Dependence and Addiction», *Archives of General Psychiatry,* 27, 1972.

RACHMAN, S., «Agoraphobia: A Safety-Signal Perspective», *Behaviour Research and Therapy,* 22, 1984.

_____, «The Modification of Agoraphobic Avoidance Behaviour: Some Fresh Possibilities», *Behaviour Research and Therapy,* 21, 1983.

_____, «The Return of Fear», *Behaviour Research and Therapy,* 17, 1979.

RAPP, M. S. et M. R. THOMAS, «Agoraphobia», *Canadian Journal of Psychiatry,* 27, 1982.

RASKIN, M., H. V. PEEKE, W. DICKMAN et H. PINSKER, «Panic and Generalized Anxiety Disorders: Developmental Antecedents and Precipitants», *Archives of General Psychiatry,* 39, 1982.

ROSS, J., «The Use of Former Phobics in the Treatment of Phobias», *American Journal of Psychiatry,* 137, 1980.

ROSSI, E. ed., *The Collected Papers of Milton H. Erickson,* vols. 1 & 2, New York, Irvington, 1980.

ROTH, M., C. GURNEY, R. F. GARSIDE et T. A. KERR, «Studies in the Classification of Affective Disorders: The Relationship Between Anxiety States and Depressive Illnesses-I», *British Journal of Psychiatry,* 121, 1972.

RUBINOW, D. R. et P. ROY-BYRNE, «Premenstrual Syndromes: Overview from a Methodological Perspective», *American Journal of Psychiatry,* 141, 1984.

SCHUKIT, M. A., «Anxiety Related to Medical Disease», *Journal of Clinical Psychiatry,* 44, 1983.

SEIDENBERG, R. et K. DECROW, *Women Who Marry Houses,* New York, McGraw-Hill, 1983.

SELIGMAN, M. E. P., «Phobias and Preparedness», *Behavior Therapy,* 2, 1971.

SHADER, R. I. et D. J. GREENBLATT, «Some Current Treatment Options for Symptoms of Anxiety», *Journal of Clinical Psychiatry,* 44, 1983.

SHAPIRO, D. H. et R. N. WALSH, *Meditation: Classic or Contemporary Perspectives,* New York, Aldine, 1984.

SHAPIRO, D. H. et S. M. ZIFFERBLATT, «Zen Meditation and Behavioral Self-Control: Similarities, Differences, and Clinical Applications», *American Psychologist,* 31, 1976.

SHEAR, M. K., R. B. DEVEREUX, R. KRAMER-FOX, J. J. MANN et A. FRANCES, «Low Prevalence of Mitral Valve Prolapse in Patients with Panic Disorder», *American Journal of Psychiatry,* 141, 1984.

SHEEHAN, D. V., The Anxiety Disease, New York, Scribner's, 1983.

SHINE, K. I., «Anxiety in Patients with Heart Disease», *Psychosomatics,* 25, 1984.

SOMMER, B., «The Effect of Menstruation on Cognitive and Perceptual-Motor Behavior: A Review», *Psychosomatic medicine,* 35, 1973.

STOCKWELL, B., P. SMAIL, R. HODGSON et S. CANTER, «Alcohol Dependence and Phobic States», II: «A Retrospective Study», *British Journal of Psychiatry,* 144, 1984.

STRAIN, J. J., M. R. LEIBOWITZ et D. F. KLEIN, «Anxiety and Panic Attacks in the Medically Ill», *Psychiatric Clinics of North America,* 4, 1981.

STROEBEL, C. F., *QR: The Quieting Reflex,* New York, Putnam, 1982.

SUESS, W. M., A. B. ALEXANDER, D. D. SMITH, H. W. SWEENEY et R. J. MARION, «The Effects of Psychological Stress on Respiration: A Preliminary Study of Anxiety and Hyperventilation», *Psychophysiology,* 17, 1980.

SUINN, R. M. et F. RICHARDSON, «Anxiety Management Training: A Non-specific Behavior Therapy Program for Anxiety Control», *Behavior Therapy,* 2, 1971.

TEARNAN, R. H., M. J. TELCH et P. KEEFE, «Etiology and Onset of Agoraphobia: A Critical Review», *Comprehensive Psychiatry,* 25, 1984.

TELCH, M. J., W. S. AGRAS, C. B. TAYLOR, W. T. ROTH et C. C. GALLEN, «Combined Pharmacological and Behavioral Treatment for Agoraphobia», *Behaviour Research and Therapy,* 23, 1985.

TELCH, M. J., B. H. TEARNAN et C. B. TAYLOR, «Antidepressant Medication in the Treatment of Agoraphobia: A Critical Review», *Behaviour Research and Therapy,* 21, 1983.

THORPE, G. L. et L. E. BURNS, *The Agoraphobic Syndrome,* New York, Wiley, 1983.

TORGERSEN, S., «Genetic Factors in Anxiety Disorders», *Archives of General Psychiatry,* 40, 1983.

UNITED STATES PHARMACOPEIAL CONVENTION, *The Physicians' and Pharmacists' Guide to Your Medicines,* New York, Ballantine, 1981.

VAN DIXHOORN, J., J. DE LOOS et H. J. DUIVENVOORDEN, «Contribution of Relaxation Technique Training to Rehabilitation of Myocardial Infarction Patients», *Psychother. Psychosom.,* 40, 1983.

VAN VALKENBURG, C., G. WINOKUR, D. BEHAR et M. LOWRY, «Depressed Women with Panic Attacks», *Journal of Clinical Psychiatry,* 45, 1984.

WEEKES, C., «Simple, Effective Treatment of Agoraphobia», *American Journal of Psychotherapy,* 32, 1978.

_____, *Simple, Effective Treatment of Agoraphobia,* New York, Bantam, 1979.

WEISS, K. J. et D. J. ROSENBERG, «Prevalence of Anxiety Disorders Among Alcoholics», *Journal of Clinical Psychiatry,* 46, 1985.

WILHELM-HASS, E., «Premenstrual Syndrome: Its Nature, Evaluation, and Management», *Journal of Obstetric, Gynecologic, and Neonatal Nursing,* 13, 1984.

WILLIAMS, S. L., G. DOOSEMAN et E. KLEIFIELD, «Comparative Effectiveness of Guided Mastery and Exposure Treatments for Intractable Phobias», *Journal of Consulting and Clinical Psychology,* 52, 1984.

WILSON, R. R., «Interspersal of Hypnotic Phenomena Within Ongoing Treatment», in J. Zeig, ed., *Ericksonian Psychotherapy, Vol. 2: Clinical Application,* New York, Brunner/Mazel, 1985.

_____, «The Relationships Among Depression, Pain Perception and Therapeutic Activity in Chronic Low Back Pain Patients», thèse de doctorat, 1981.

WILSON, R. R. et G. M. ARONOFF, «The Therapeutic Community in the Treatment of Chronic Pain», *Journal of Chronic Diseases,* 32, 1979.

WOLPE, J., *Our Useless Fears,* Boston, Houghton Mifflin, 1981.

YAGER, J. et R. T. YOUNG, «Non-hypoglycemia Is an Epidemic Condition», *New England Journal of Medicine,* 291, 1974.

ZANE, M. D., «Contextual Analysis and Treatment of Phobic Behavior as It Changes», *American Journal of Psychotherapy,* 32, 1978.

ZANE, M. D. et H. MILT, *Your Phobia,* Washington, D.C., American Psychiatric Press, 1984.

ZIVIN, I., «The Neurological and Psychiatric Aspects of hypoglycemia», *Diseases of the Nervous System,* September 1970.

Index

Table des matières

Ouvrages parus aux Éditions de l'Homme

Affaires et vie pratique

* ***Acheter et vendre sa maison ou son condominium,** Lucille Brisebois
* ***Acheter une franchise,** Pierre Levasseur
* ***Les assemblées délibérantes,** Francine Girard
* ***La bourse,** Mark C. Brown
* ***Le chasse-insectes dans la maison,** Odile Michaud
* ***Le chasse-insectes pour jardins,** Odile Michaud
* **Le chasse-taches,** Jack Cassimatis
* ***Choix de carrières — Après le collégial professionnel,** Guy Milot
* ***Choix de carrières — Après le secondaire V,** Guy Milot
* ***Choix de carrières — Après l'université,** Guy Milot
* ***Comment cultiver un jardin potager,** Jean-Claude Trait
* **Comment rédiger son curriculum vitæ,** Julie Brazeau
* ***Comprendre le marketing,** Pierre Levasseur
* **Des pierres à faire rêver,** Lucie Larose
* ***Des souhaits à la carte,** Clément Fontaine
* ***Devenir exportateur,** Pierre Levasseur
* ***L'entretien de votre maison,** Consumer Reports Books
* **L'étiquette des affaires,** Elena Jankovic
* ***Faire son testament soi-même,** Me Gérald Poirier et Martine Nadeau Lescault
* **Les finances,** Laurie H. Hutzler
* **Gérer ses ressources humaines,** Pierre Levasseur
* **La graphologie,** Claude Santoy
* ***Le guide complet du jardinage,** Charles L. Wilson
* ***Le guide de l'auto 93,** D. Duquet, M. Lachapelle et J. Duval
* ***Le guide des bars de Montréal 93,** Lili Gulliver
* ***Le guide des bons restaurants de Montréal et d'ailleurs 93,** Josée Blanchette
* **Le guide des plantes d'intérieur,** Coen Gelein
* **Guide du savoir-écrire,** Jean-Paul Simard
* ***Le guide du vin 93,** Michel Phaneuf
* ***Le guide floral du Québec,** Florian Bernard
* **Guide pratique des vins de France,** Jacques Orhon
* **J'aime les azalées,** Josée Deschênes
* ***J'aime les bulbes d'été,** Sylvie Regimbal
* **J'aime les cactées,** Claude Lamarche
* ***J'aime les conifères,** Jacques Lafrenière
* ***J'aime les petits fruits rouges,** Victor Berti
* **J'aime les rosiers,** René Pronovost
* **J'aime les tomates,** Victor Berti
* **J'aime les violettes africaines,** Robert Davidson
* **J'apprends l'anglais...,** Gino Silicani et Jeanne Grisé-Allard
* **Le jardin d'herbes,** John Prenis
* ***Lancer son entreprise,** Pierre Levasseur
* **Le leadership,** James J. Cribbin
* ***La loi et vos droits,** Me Paul-Émile Marchand
* **Le meeting,** Gary Holland
* **Mieux comprendre sa vie de travail,** Claude Poirier et Nicole Gravel
* ***Mon automobile,** Gouvernement du Québec et Collège Marie-Victorin
* **Notre mariage — Étiquette et planification,** Marguerite du Coffre
* **Nouveaux profils de carrière,** Claire Landry

L'orthographe en un clin d'œil, Jacques Laurin
* **Ouvrir et gérer un commerce de détail,** C. D. Roberge et A. Charbonneau
Le patron, Cheryl Reimold
* **Piscines, barbecues et patios,** Collectif
* **La prévention du crime,** Collectif
* **Prévoir les belles années de la retraite,** Michael Gordon
Les relations publiques, Richard Doin et Daniel Lamarre
* **Les secrets d'une succession sans chicane,** Justin Dugal
La taxidermie moderne, Jean Labrie
* **Les techniques de jardinage,** Paul Pouliot
Techniques de vente par téléphone, James D. Porterfield
* **Tests d'aptitude pour mieux choisir sa carrière,** Linda et Barry Gale
* **Tout ce que vous devez savoir sur le condominium,** Robert Dubois
Une carrière sur mesure, Denise Lemyre-Desautels
L'univers de l'astronomie, Robert Tocquet
La vente, Tom Hopkins

Affaires publiques, vie culturelle, histoire

* **La baie d'Hudson,** Peter C. Newman
Bourassa, Michel Vastel
Les cathédrales de la mer, Marie-Josée Ouellet
Claude Léveillée, Daniel Guérard
* **Les conquérants des grands espaces,** Peter C. Newman
* **Dans la tempête — Le cardinal Léger et la révolution tranquille,** Micheline Lachance
La découverte de l'Amérique, Timothy Jacobson
* **Duplessis, tome 1 — L'ascension,** Conrad Black
* **Les écoles de rang au Québec,** Jacques Dorion
* **L'establishment canadien,** Peter C. Newman
Étoiles et molécules, Élizabeth Teissier et Henri Laborit
* **Le frère André,** Micheline Lachance
La généalogie, Marthe F. Beauregard et Ève B. Malak
Gilles Villeneuve, Gerald Donaldson
Gretzky — Mon histoire, Wayne Gretzky et Rick Reilly
L'histoire du CN, Donald MacKay
Initiation à la symphonie, Marcelle Guertin
Les insolences du frère Untel, Jean-Paul Desbiens
* **Jacques Parizeau, un bâtisseur,** Laurence Richard
* **Les mots de la faim et de la soif,** Hélène Matteau
* **Notre Clémence,** Hélène Pedneault
* **Option Québec,** René Lévesque
Parce que je crois aux enfants, Andrée Ruffo
Plamondon — Un cœur de rockeur, Jacques Godbout
Le prince de l'église, Micheline Lachance
* **Les princes marchands,** Peter C. Newman
Québec ville du patrimoine mondial, Michel Lessard
* **Les Quilico,** Ruby Mercer
Sauvez votre planète!, Marjorie Lamb
* **La sculpture ancienne au Québec,** John R. Porter et Jean Bélisle
* **Le temps des fêtes au Québec,** Raymond Montpetit
Trudeau le Québécois, Michel Vastel

Animaux

Le chat de A à Z, Camille Olivier
Le cheval, Michel-Antoine Leblanc

Le chien dans votre vie, Matthew Margolis et Catherine Swan
L'éducation canine, Gilles Chartier
L'éducation du chien de 0 à 6 mois, Dr Joël Dehasse et Dr Colette de Buyser
* **Encyclopédie des oiseaux du Québec,** W. Earl Godfrey
Le guide de l'oiseau de compagnie, Dr R. Dean Axelson
* **Mon chat, le soigner, le guérir,** Dr Christian d'Orangeville
* **Nos animaux,** D. W. Stokes et L. Q. Stokes
* **Nos oiseaux, tome 1,** Donald W. Stokes
* **Nos oiseaux, tome 2,** Donald W. Stokes et Lillian Q. Stokes
* **Nos oiseaux, tome 3,** Donald W. Stokes et Lillian Q. Stokes
* **Nourrir nos oiseaux toute l'année,** André Dion et André Demers
Vous et vos oiseaux de compagnie, Jacqueline Huard-Viaux
Vous et vos poissons d'aquarium, Sonia Ganiel
Vous et votre bâtard, Ata Mamzer
Vous et votre Beagle, Martin Eylat
Vous et votre Beauceron, Pierre Boistel
Vous et votre Berger allemand, Martin Eylat
Vous et votre Bernois, Pierre Van Der Heyden
Vous et votre Bobtail, Pierre Boistel
Vous et votre Boxer, Sylvain Herriot
Vous et votre Braque allemand, Martin Eylat
Vous et votre Briard, Pierre Van Der Heyden
Vous et votre Bulldog, Pierre Van Der Heyden
Vous et votre Bullmastiff, Pierre Van Der Heyden
Vous et votre Caniche, Sav Shira
Vous et votre Chartreux, Odette Eylat
Vous et votre chat de gouttière, Annie Mamzer
Vous et votre chat tigré, Odette Eylat
Vous et votre Chihuahua, Martin Eylat
Vous et votre Chow-chow, Pierre Boistel
Vous et votre Cockatiel (Perruche callopsite), Michèle Pilotte
Vous et votre Collie, Léon Éthier
Vous et votre Dalmatien, Martin Eylat
Vous et votre Danois, Martin Eylat
Vous et votre Doberman, Paula Denis
Vous et votre Épagneul breton, Sylvain Herriot
Vous et votre furet, Manon Paradis
Vous et votre Husky, Martin Eylat
Vous et votre Labrador, Pierre Van Der Heyden
Vous et votre Lévrier afghan, Martin Eylat
Vous et votre lézard, Michèle Pilotte
Vous et votre Loulou de Poméranie, Martin Eylat
Vous et votre perroquet, Michèle Pilotte
Vous et votre perruche ondulée, Michèle Pilotte
Vous et votre petit rongeur, Martin Eylat
Vous et votre Rottweiler, Martin Eylat
Vous et votre Schnauzer, Martin Eylat
Vous et votre serpent, Guy Deland
Vous et votre Setter anglais, Martin Eylat
Vous et votre Siamois, Odette Eylat
Vous et votre Teckel, Pierre Boistel
Vous et votre Terre-Neuve, Marie-Edmée Pacreau
Vous et votre Tervueren, Pierre Van Der Heyden
Vous et votre tortue, André Gaudette
Vous et votre Westie, Léon Éthier
Vous et votre Yorkshire, Sandra Larochelle

Cuisine et nutrition

* **À table avec sœur Angèle,** Sœur Angèle
Les aliments qui guérissent, Jean Carper
Le barbecue, Patrice Dard
Bonne table et bon cœur, Anne Lindsay
Cocktails de fruits non alcoolisés, Lorraine Whiteside
Combler ses besoins en calcium, Denyse Hunter
* **Comme chez grand-maman Biondi,** J. Biondi et C. Lanzillotta
Comment nourrir son enfant, Louise Lambert-Lagacé
Le compte-calories, Micheline Brault-Dubuc et Liliane Caron-Lahaie
Le compte-cholestérol, M. Brault-Dubuc et L. Caron-Lahaie
La congélation de A à Z, Joan Hood
Les conserves, Sœur Berthe
* **Crème glacée et sorbets,** Yves Lebuis et Gilbert Pauzé
La cuisine au wok, Charmaine Solomon
Cuisine aux micro-ondes 1 et 2 portions, Marie-Paul Marchand
* **La cuisine chinoise traditionnelle,** Jean Chen
* **La cuisine joyeuse de sœur Angèle,** Sœur Angèle
Cuisiner avec le four à convection, Jehane Benoit
* **Cuisine santé pour les aînés,** Denyse Hunter
Le défi alimentaire de la femme, Louise Lambert-Lagacé
* **La diète rotation,** Dr Martin Katahn
Du moût ou du raisin? Faites vous-même votre vin, Claudio Bartolozzi
Faire son pain soi-même, Janice Murray Gill
* **Faire son vin soi-même,** André Beaucage
La fine cuisine aux micro-ondes, Patrice Dard
* **Le livre du café,** Julien Letellier
* **Menus et recettes du défi alimentaire de la femme,** Louise Lambert-Lagacé
Menus pour recevoir, Julien Letellier
Micro-ondes plus, Marie-Paul Marchand
* **Modifiez vos recettes traditionnelles,** Denyse Hunter
Les muffins, Angela Clubb
* **La nouvelle boîte à lunch,** Louise Desaulniers et Louise Lambert-Lagacé
La nouvelle cuisine micro-ondes, Marie-Paul Marchand et Nicole Grenier
La nouvelle cuisine micro-ondes II, Marie-Paul Marchand et Nicole Grenier
* **Papa, j'ai faim!,** Solange Micar
* **Les pâtes,** Julien Letellier
* **La pâtisserie,** Maurice-Marie Bellot
La sage bouffe de 2 à 6 ans, Louise Lambert-Lagacé
Les tisanes qui font merveille, Dr Leonhard Hochenegg et Anita Höhne
Une cuisine sage, Louise Lambert-Lagacé
* **Votre régime contre l'acné,** Alan Moyle
* **Votre régime contre la colite,** Joan Lay
* **Votre régime contre la cystite,** Ralph McCutcheon
* **Votre régime contre l'arthrite,** Helen MacFarlane
* **Votre régime contre la sclérose en plaque,** Rita Greer
* **Votre régime contre l'asthme et le rhume des foins,** R. Newman Turner
* **Votre régime contre le diabète,** Martin Budd
* **Votre régime contre le psoriasis,** Harry Clements
* **Votre régime pour contrôler le cholestérol,** R. Newman Turner
* **Weight Watchers — La cuisine légère,** Weight Watchers
* **Les yogourts glacés,** Mable et Gar Hoffman

Plein air, sports, loisirs

* **L'ABC du bridge,** Frank Stewart et Randall Baron
Apprenez à patiner, Gaston Marcotte

L'arc et la chasse, Greg Guardo
Les armes de chasse, Charles Petit-Martinon
L'art du pliage du papier, Robert Harbin
La batterie sans professeur, James Blades et Johnny Dean
* **La bicyclette,** Jean Corbeil
Carte et boussole, Björn Kjellström
Le chant sans professeur, Graham Hewitt
La clarinette sans professeur, John Robert Brown
Le clavier électronique sans professeur, Roger Evans
* **Les clés du scrabble,** Pierre-André Sigal et Michel Raineri
* **Comment vivre dans la nature,** Bill Rivière et l'équipe de L. L. Bean
Le conditionnement physique, Richard Chevalier, Serge Laferrière et Yves Bergeron
* **Construire des cabanes d'oiseaux,** André Dion
Corrigez vos défauts au golf, Yves Bergeron
Culture hydroponique, Richard E. Nicholls
* **Le curling,** Ed Lukowich
De la hanche aux doigts de pieds — Guide santé pour l'athlète, M. J. Schneider et M. D. Sussman
Devenir gardien de but au hockey, François Allaire
Le dictionnaire des bruits, Jean-Claude Trait et Yvon Dulude
* **Les éphémères du pêcheur québécois,** Yvon Dulude
* **Exceller au baseball,** Dick Walker
* **Exceller au football,** James Allen
* **Exceller au softball,** Dick Walker
* **Exceller au tennis,** Charles Bracken
* **Exceller en natation,** Gene Dabney
La flûte traversière sans professeur, Howard Harrison
Le golf au féminin, Yves Bergeron et André Maltais
Grandir en 100 exercices, Henri B. Zimmer
Le grand livre des sports, Le groupe Diagram
Le guide complet du judo, Louis Arpin
Le guide complet du self-defence, Louis Arpin
* **Le guide de la chasse,** Jean Pagé
Le guide de l'alpinisme, Massimo Cappon
* **Le guide de la pêche au Québec,** Jean Pagé
* **Le guide des auberges et relais de campagne du Québec,** François Trépanier
* **Le guide des 52 week-ends au Québec 93,** André Bergeron
Le guide des destinations soleil 93, André Bergeron
Guide des jeux scouts, Association des Scouts du Canada
Le guide de survie de l'armée américaine, Collectif
* **Guide de survie en forêt canadienne,** Jean-Georges Desheneaux
La guitare, Peter Collins
La guitare électrique sans professeur, Robert Rioux
La guitare sans professeur, Roger Evans
* **J'apprends à nager,** Régent la Coursière
* **Je me débrouille à la chasse,** Gilles Richard
* **Je me débrouille à la pêche,** Serge Vincent
Jeux pour rire et s'amuser en société, Claudette Contant
* **Jouez gagnant au golf,** Luc Brien et Jacques Barrette
Jouons au scrabble, Philippe Guérin
Le karaté Koshiki, Collectif
Le karaté Kyokushin, André Gilbert
Le livre des patiences, Maria Bezanovska et Paul Kitchevats
* **Maîtriser son doigté sur un clavier,** Jean-Paul Lemire
Manuel de pilotage, Transport Canada
Le manuel du monteur de mouches, Mike Dawes
Le marathon pour tous, Pierre Anctil, Daniel Bégin et Patrick Montuoro
La médecine sportive, Dr Gabe Mirkin et Marshall Hoffman
La musculation pour tous, Serge Laferrière
* **La nature en hiver,** Donald W. Stokes

*Les papillons du Québec, Christian Veilleux et Bernard Prévost
*Partons en camping!, Archie Satterfield et Eddie Bauer
Les passes au hockey, Claude Chapleau, Pierre Frigon et Gaston Marcotte
Le piano jazz sans professeur, Bob Kail
Le piano sans professeur, Roger Evans
La planche à voile, Gérald Maillefer
La plongée sous-marine, Richard Charron
Le programme 5BX, pour être en forme,
*Racquetball, Jean Corbeil
*Racquetball plus, Jean Corbeil
Les règles du golf, Yves Bergeron
*Rivières et lacs canotables du Québec, Fédération québécoise du canot-camping
S'améliorer au tennis, Richard Chevalier
Le saumon, Jean-Paul Dubé
Le saxophone sans professeur, John Robert Brown
*Le scrabble, Daniel Gallez
Les secrets du baseball, Jacques Doucet et Claude Raymond
Le solfège sans professeur, Roger Evans
La technique du ski alpin, Stu Campbell et Max Lundberg
Techniques du billard, Robert Pouliot
Le tennis, Denis Roch
*Le tissage, Germaine Galerneau et Jeanne Grisé-Allard
Tous les secrets du golf selon Arnold Palmer, Arnold Palmer
La trompette sans professeur, Digby Fairweather
Le violon sans professeur, Max Jaffa
*Le vitrail, Claude Bettinger
Voir plus clair aux échecs, Henri Tranquille et Louis Morin
Le volley-ball, Fédération de volley-ball

Psychologie, vie affective, vie professionnelle, sexualité

*30 jours pour un plus grand épanouissement sexuel, Alan Schneider et Deidre Laiken
20 minutes de répit, Ernest Lawrence Rossi et David Nimmons
*Adieu Québec, André Bureau
À dix kilos du bonheur, Danielle Bourque
Aider mon patron à m'aider, Eugène Houde
À la découverte de mon corps — Guide pour les adolescentes, Lynda Madaras
À la découverte de mon corps — Guide pour les adolescents, Lynda Madaras
L'amour comme solution, Susan Jeffers
L'amour, de l'exigence à la préférence, Lucien Auger
Les années clés de mon enfant, Frank et Theresa Caplan
*Apprendre à lire et à écrire au primaire, René Bélanger
Apprivoiser l'ennemi intérieur, Dr George R. Bach et Laura Torbet
L'approche émotivo-rationnelle, Albert Ellis et Robert A. Harper
L'art de l'allaitement maternel, Ligue internationale La Leche
L'art de parler en public, Ed Woblmuth
L'art d'être parents, Dr Benjamin Spock
L'autodéveloppement, Jean Garneau et Michelle Larivey
Avoir un enfant après 35 ans, Isabelle Robert
Bientôt maman, Janet Whalley, Penny Simkin et Ann Keppler
*Le bonheur au travail, Alan Carson et Robert Dunlop
Le bonheur possible, Robert Blondin
Ces hommes qui méprisent les femmes... et les femmes qui les aiment,
Dr Susan Forward et Joan Torres
Ces hommes qui ne peuvent être fidèles, Carol Botwin
Ces visages qui en disent long, Jeanne-Élise Alazard
Changer ensemble — Les étapes du couple, Susan M. Campbell
Chère solitude, Jeffrey Kottler

Le cœur en écharpe, Stephen Gullo et Connie Church
Comment aider mon enfant à ne pas décrocher, Lucien Auger
Comment communiquer avec votre adolescent, E. Weinhaus et K. Friedman
Comment déborder d'énergie, Jean-Paul Simard
Comment garder son homme, Alexandra Penney
* **La communication... c'est tout!,** Henri Bergeron
Le complexe de Casanova, Peter Trachtenberg
Comprendre et interpréter vos rêves, Michel Devivier et Corinne Léonard
Découvrez votre quotient intellectuel, Victor Serebriakoff
Découvrir un sens à sa vie avec la logothérapie, Viktor E. Frankl
Le défi de vieillir, Hubert de Ravinel
* **De ma tête à mon cœur,** Micheline Lacasse
La deuxième année de mon enfant, Frank et Theresa Caplan
* **Dieu ne joue pas aux dés,** Henri Laborit
Les douze premiers mois de mon enfant, Frank Caplan
Les écarts de conduite, Dr John Pearce
En attendant notre enfant, Yvette Pratte Marchessault
Les enfants de l'autre, Erna Paris
* **L'enfant unique — Enfant équilibré, parents heureux,** Ellen Peck
L'esprit du grenier, Henri Laborit
Êtes-vous faits l'un pour l'autre?, Ellen Lederman
* **L'étonnant nouveau-né,** Marshall H. Klaus et Phyllis H. Klaus
Être soi-même, Dorothy Corkille Briggs
Évoluer avec ses enfants, Pierre-Paul Gagné
Exercices aquatiques pour les futures mamans, Joanne Dussault et Claudia Demers
La femme indispensable, Ellen Sue Stern
Finies les phobies!, Dr Manuel D. Zane et Harry Milt
La flexibilité — Savoir changer, c'est réussir, P. Donovan et J. Wonder
La force intérieure, J. Ensign Addington
Le grand manuel des arts divinatoires, Sasha Fenton
* **Le grand manuel des cristaux,** Ursula Markham
Les grands virages — Comment tirer parti de tous les imprévus de la vie,
R. H. Lauer et J. C. Lauer
La graphologie au service de votre vie intime et professionnelle, Claude Santoy
Guérir des autres, Albert Glaude
Le guide du succès, Tom Hopkins
L'histoire merveilleuse de la naissance, Jocelyne Robert
L'horoscope chinois 1993, Neil Somerville
L'infidélité, Wendy Leigh
L'intuition, Philip Goldberg
J'aime, Yves Saint-Arnaud
J'ai quelque chose à vous dire..., B. Fairchild et N. Hayward
J'ai rendez-vous avec moi, Micheline Lacasse
Le journal intime intensif, Ira Progoff
Le mal des mots, Denise Thériault
Ma sexualité de 0 à 6 ans, Jocelyne Robert
Ma sexualité de 6 à 9 ans, Jocelyne Robert
Ma sexualité de 9 à 12 ans, Jocelyne Robert
La méditation transcendantale, Jack Forem
Le mensonge amoureux, Robert Blondin
Mon enfant naîtra-t-il en bonne santé?, Jonathan Scher et Carol Dix
Nous, on en parle, Marcelle Lamarche et Pol Danheux
Parle-moi... j'ai des choses à te dire, Jacques Salomé
Parlez-leur d'amour, Jocelyne Robert
Parlez pour qu'on vous écoute, Michèle Brien
Penser heureux — La conquête du bonheur, image par image, Lucien Auger
Père manquant, fils manqué, Guy Corneau
Les peurs infantiles, Dr John Pearce
* **Les plaisirs du stress,** Dr Peter G. Hanson
Pourquoi l'autre et pas moi? — Le droit à la jalousie, Dr Louise Auger

Préparez votre enfant à l'école dès l'âge de 2 ans, Louise Doyon
Prévenir et surmonter la déprime, Lucien Auger
Le principe de Peter, L. J. Peter et R. Hull
Psychologie de l'enfant de 0 à 10 ans, Françoise Cholette-Pérusse
* **La puberté,** Angela Hines
La puissance de la vie positive, Norman Vincent Peale
La puissance de l'intention, Richard J. Leider
La question qui sauvera mon mariage, Harry P. Dunne
S'affirmer et communiquer, Jean-Marie Boisvert et Madeleine Beaudry
S'aider soi-même davantage, Lucien Auger
Se comprendre soi-même par des tests, Collaboration
Se connaître soi-même, Gérard Artaud
Secrets d'alcôve, Iris et Steven Finz
Se guérir de la sottise, Lucien Auger
S'entraider, Jacques Limoges
La sexualité du jeune adolescent, Dr Lionel Gendron
Si je m'écoutais je m'entendrais, Jacques Salomé et Sylvie Galland
Si seulement je pouvais changer!, Patrick Lynes
Les soins de la première année de bébé, Paula Kelly
Stress et succès, Peter G. Hanson
* **Superlady du sexe,** Susan C. Bakos
Survivre au divorce, Dr Allan J. Adler et Christine Archambault
Le syndrome de la fatigue chronique, Edmund Blair Bolles
Le syndrome de la corde au cou, Sonya Rhodes et Marlin S. Potash
La tendresse, Nobert Wölfl
Tout se joue avant la maternelle, Masaru Ibuka
Transformer ses faiblesses en forces, Dr Harold Bloomfield
Travailler devant un écran, Dr Helen Feeley
* **Un monde insolite,** Frank Edwards
* **Un second souffle,** Diane Hébert
* **La vie antérieure,** Henri Laborit
Vivre avec un cardiaque, Rhoda F. Levin
Vouloir c'est pouvoir, Raymond Hull

Santé, beauté

30 jours pour cesser de fumer, Gary Holland et Herman Weiss
Alzheimer — Le long crépuscule, Donna Cohen et Carl Eisdorfer
L'arthrite, Dr Michael Reed Gach
* **Comment arrêter de fumer pour de bon,** Kieron O'Connor, Robert Langlois et Yves Lamontagne
De belles jambes à tout âge, Dr Guylaine Lanctôt
Dormez comme un enfant, John Selby
Dos fort bon dos, David Imrie et Lu Barbuto
Être belle pour la vie, Bronwen Meredith
Le guide complet des cheveux, Philip Kingsley
L'hystérectomie, Suzanne Alix
L'impuissance, Dr Pierre Alarie et Dr Richard Villeneuve
Initiation au shiatsu, Yuki Rioux
Maigrir: la fin de l'obsession, Susie Orbach
Le manuel Johnson & Johnson des premiers soins, Dr Stephen Rosenberg
Les maux de tête chroniques, Antonia Van Der Meer
Maux de tête et migraines, Dr Jacques P. Meloche et J. Dorion
Mini-massages, Jack Hofer
Perdre son ventre en 30 jours, Nancy Burstein
Principe de la technique respiratoire, Julie Lefrançois
Programme XBX de l'aviation royale du Canada, Collectif
Le régime hanches et cuisses, Rosemary Conley
Le rhume des foins, Roger Newman Turner

Ronfleurs, réveillez-vous!, Jocelyne Delage et Jacques Piché
Savoir relaxer — Pour combattre le stress, Dr Edmund Jacobson
Soignez vos pieds, Dr Glenn Copeland et Stan Solomon
Le supermassage minute, Gordon Inkeles
Le syndrome prémenstruel, Dr Caroline Shreeve
Vivre avec l'alcool, Louise Nadeau

Ouvrages parus au Jour

Affaires, loisirs, vie pratique

L'affrontement, Henri Lamoureux
Les bains flottants, Michael Hutchison
Le cœur de la baleine bleue, Jacques Poulin
Conte pour buveurs attardés, Michel Tremblay
* **La France à la québécoise,** André Bergeron et Émile Roberge
* **Le guide du répondeur bien branché,** Robert Blondin et Lucie Dumoulin
J'avais oublié que l'amour fût si beau, Évette Doré-Joyal
Jean-Paul ou les hasards de la vie, Marcel Bellier
Oslovik fait la bombe, Oslovik

Ésotérisme, santé, spiritualité

L'astrologie pratique, Wofgang Reinicke
Couper du bois, porter de l'eau — Comment donner une dimension spirituelle à la vie de tous les jours, Collectif
Le grand livre de la cartomancie, Gerhard von Lentner
Grand livre des horoscopes chinois, Theodora Lau
Grossesses à risque et infertilité — Les solutions possibles, Diana Raab
Les hormones dans la vie des femmes, Dr Lois Javanovic et Genell J. Subak-Sharpe
Les maladies mentales, John M. Cleghorn et Betty Lou Lee
Pour en finir avec l'hystérectomie, Dr Vicki Hufnagel et Susan K. Golant
Pouvoir analyser ses rêves, Robert Bosnak
Traité d'astrologie, Huguette Hirsig

Essais et documents

* **1759 La bataille du Canada,** Laurier L. LaPierre
17 tableaux d'enfant, Pierre Vadeboncoeur
* **L'accord,** Georges Mathews
L'administration et le développement coopératif, Marcel Laflamme et André Roy
À la recherche d'un monde oublié, N. Laurin, D. Juteau et L. Duchesne
* **Les années Trudeau — La recherche d'une société juste,** T. S. Axworthy et P. E. Trudeau

* **Le Canada aux enchères,** Linda McQuaid
Carmen Quintana te parle de liberté, André Jacob
Le Dragon d'eau, R. F. Holland
* **Elle sera poète, elle aussi!** Liliane Blanc
En première ligne, Jocelyn Coulon
* **Femmes de parole,** Yolande Cohen
* **Femmes et politique,** Yolande Cohen, Andrée Yanacopoulo et Nicole Brossard
* **Les femmes sont-elles allées trop loin?,** Francine Burnonville
Le français, langue du Québec, Camille Laurin
* **Goodbye... et bonne chance!,** David J. Bercuson et Barry Cooper
Hans Selye ou la cathédrale du stress, Andrée Yanacopoulo
Hiérarchie ethnique dans la grande entreprise, Jean-Marie Rainville
L'histoire des femmes au Québec, Le collectif Clio
Jacques Cartier - L'odyssée intime, Georges Cartier
La maison de mon père, Sylvia Fraser

Psychologie, vie affective, vie professionnelle, sexualité

L'accompagnement au soir de la vie, Andrée Gauvin et Roger Régnier
Adieu, Dr Howard M. Halpern
Adieu la rancune, James L. Creighton
L'agressivité créatrice, Dr George R. Bach et Dr Herb Goldberg
Aimer, c'est choisir d'être heureux, Barry Neil Kaufman
Aimer son prochain comme soi-même, Joseph Murphy
L'amour lucide, Gay Hendricks et Kathlyn Hendricks
L'amour obession, Dr Susan Foward
Apprendre à vivre et à aimer, Léo Buscaglia
Arrête! tu m'exaspères — Protéger son territoire, Dr George Bach et Ronald Deutsch
L'art d'engager la conversation et de se faire des amis, Don Gabor
L'art d'être égoïste, Josef Kirschner
Au centre de soi, Dr Eugene T. Gendlin
Augmentez la puissance de votre cerveau, A. Winter et R. Winter
Bien vivre ensemble, Dr William Nagler et Anne Androff
Le burnout, Collectif
La célébration sexuelle, Ma Premo et M. Geet Éthier
Ces hommes qui ne communiquent pas, Steven Naifeh et Gregory White Smith
Ces vérités vont changer votre vie, Joseph Murphy
Comment aimer vivre seul, Lynn Shanan
Comment apprendre l'autodiscipline aux enfants, Thomas Gordon
Comment décrocher, Barbara Mackoff
Comment faire l'amour à la même personne pour le reste de votre vie, Dagmar O'Connor
Comment faire l'amour à une femme, Michael Morgenstern
Comment faire l'amour à un homme, Alexandra Penney
Comment faire l'amour ensemble, Alexandra Penney
Contacts en or avec votre clientèle, Carol Sapin Gold
Dire oui à l'amour, Léo Buscaglia
La dynamique mentale, Christian H. Godefroy
Les enfants hyperactifs et lunatiques, Dr Guy Falardeau
Exit final — Pour une mort dans la dignité, Derek Humphry
La famille moderne et son avenir, Lyn Richards
La fille de son père, Linda Schierse Leonard
La Gestalt, Erving et Miriam Polster
Le grand voyage, Tom Harpur
Le guide du succès, Tom Hopkins
L'homme sans masque, Herb Goldberg

L'influence de la couleur, Betty Wood
Jouer le tout pour le tout, Carl Frederick
Maîtriser son destin, Josef Kirschner
Le miracle de votre esprit, Dr Joseph Murphy
Négocier — entre vaincre et convaincre, Dr Tessa Albert Warschaw
Nos crimes imaginaires, Lewis Engel et Tom Ferguson
Nouvelles relations entre hommes et femmes, Herb Goldberg
Option vérité, Will Schutz
L'oracle de votre subconscient, Dr Joseph Murphy
Parent au pouvoir, John Rosemond
Parlez pour qu'on vous écoute, Michèle Brien
Paroles de jeunes, Barry Neil Kaufman
*__La personnalité,__ Léo Buscaglia
Le pouvoir de la motivation intérieure, Shad Helmstetter
Le pouvoir de votre cerveau, Barbara B. Brown
La puissance de la pensée positive, Norman Vincent Peale
La puissance de votre subconscient, Dr Joseph Murphy
*__La rage au cœur,__ Martine Langelier
Réfléchissez et devenez riche, Napoleon Hill
Retrouver l'enfant en soi, John Bradshaw
S'affirmer — Savoir prendre sa place, R. E. Alberti et M. L. Emmons
La sagesse du cœur, Karen A. Signell
S'aimer ou le défi des relations humaines, Léo Buscaglia
Savoir quand quitter, Jack Barranger
Les secrets de la communication, Richard Bandler et John Grinder
Seuls ensemble, Dan Kiley
Le succès par la pensée constructive, Napoleon Hill
La survie du couple, John Wright
Tous les hommes le font, Michel Dorais
Triomphez de vous-même et des autres, Dr Joseph Murphy
*__Trop peu de sexe... trop peu d'amour,__ Jonathan Kramer et Diane Dunaway
Un homme au dessert, Sonya Friedman
Uniques au monde!, Jeanette Biondi
Vivre avec les imperfections de l'autre, Dr Louis H. Janda
Vivre avec passion, David Gershon et Gail Straub
Volez de vos propres ailes, Howard M. Halpern
Votre corps vous parle, écoutez-le, Henry G. Tietze
Votre talon d'Achille, Dr Harold Bloomfield

---

* Pour l'Amérique du Nord seulement. (1210)

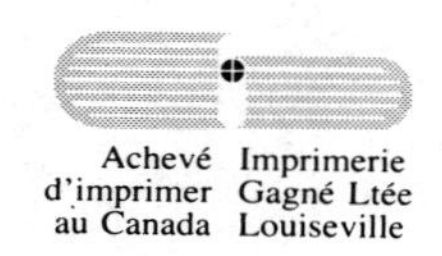
Achevé d'imprimer au Canada
Imprimerie Gagné Ltée Louiseville